水神

㊦

邱致清

目次

第七章　洋鬼子　005
第八章　黃虎旗　063
第九章　壽象園　117
第十章　西來庵　171
第十一章　中國城　219
第十二章　海安路　273
附錄　古今地理對照　323

第七章：洋鬼子

道光十九年，英國商船「卡納特克號」與「曼加勒號」水兵，在香港尖沙咀喝酒誤事，打死了村民林維喜，毀了一座神龕。直接促成了林則徐的「虎門銷煙」，隨後而來的鴉片戰爭，揭開了清末百餘年來，列強入侵的斑斑血淚史。

道光二十年，第一次鴉片戰爭爆發後，朝廷下令台灣道姚瑩，在四草地區闢建鎮海砲台，府城三郊得知消息後勸募人力，調度資金，很快就協助完成了砲台建築前的準備工作：鎮海砲台牆高三十丈、砲墩十座，外有壕溝，溝內準備設置兩萬支尖銳的竹籤、壕溝外又埋了八百個釘桶、釘板、兩萬餘支鐵蒺藜，防止敵人偷襲。

鎮海砲台內設一千五百斤的砲座兩門、一千斤的砲座三門、八百斤的砲座五門，光是動用府城民工，就約五千餘人，用來夯實地基、運送物資的牛車八百餘輛，府內老少婦孺都加入軍事準備的行列，每天都可見到北勢大街上有婦孺在削竹籤，打鐵街上的鐵匠鋪裡天天都是鏗鏘聲，從山區運來的木材，在下橫街、打石街上暫時停放，之後送到外新街一帶被刨製成木板子。

過了媽祖樓街，河道略微縮減的禾寮港，通往軍船建造的軍工道廠入口，也就是大廠口與哨船港兩地，官兵把守嚴密。北廠如此，南廠亦不例外：小西門外的軍工府廠，也是重兵把關，府城各處城門、水門皆布署軍力，處處都是風聲鶴唳、草木皆兵。

緊接著姚瑩又在安平地區十七處海口位置，修築小砲台，以防英國人突襲台灣，安平的戰略地位重要，東屏台灣府、西制四草湖、北抑郭賽港、南控七鯤鯓：安平砲台砲牆六尺、八個門垛子，垛口三尺，基底為花崗石，磚頭短邊向外疊放叫「丁砌」，長邊向外疊放叫「順砌」，為了使堡壘更堅固，姚瑩接受了郊商的意見，改用「丁順交砌」法建築砲台。砲台右側接乾隆時代修築的海堤，眾人提議將原來海堤上的咾咕石砲台，再添建六個磚造垛牆，以利軍事防禦。如此一來，府城更加固若金湯。

果不其然，道光二十二年，英軍騷擾完鼓浪嶼、廈門、鎮海、定海後，準備覬覦台灣，先是攻打府城，郭賽港外連日砲聲隆隆，大小郊商船隻不敢靠近，但眾商頑強抵抗，三郊繼之前協助平定蔡牽海盜之後，再度組織義軍船隊，與英軍在海上糾纏，雙方雖然實力懸殊，但三郊民軍懂得使詐，連打帶跑，小船機靈刁鑽，神出鬼沒，時而與英軍正面交鋒、時而隱沒後再度偷襲。雙方常常出入郭賽港附近的潟湖與河道，進行短兵相接的纏鬥。潟湖與河道裡的水流速度緩慢且水深很淺，英軍雖有先進的大砲火槍，且招募了相當多吃苦耐勞的印度軍，打起仗來卻格外費力，一不小心就在河道裡擱了淺，讓清軍來個甕中捉鱉，英軍死傷慘重。

無奈之下，英國人退出郭賽港，改襲擊安平的台灣港。一艘雙桅船先是接近安平，遭到清廷水軍驅逐，稍後又來了三艘雙桅船，雙方在安平近海掀起海陸砲戰，但因清廷守軍防務已有提升，英軍久攻不下安平，只好改攻打台灣北部與中部。

接近夏末，英軍的三桅船「納爾不達號」進攻雞籠，守軍還擊，清軍武裝雖然簡陋，但射出的砲彈似有神助，正好擊中納爾不達號船身中央，清軍俘虜印度人一百三十三人、英國十餘人，尚有三十幾個英國官兵駕著小船，逃往廣東。

到了隔年初，英軍「阿恩號」襲擊中部的大安港，台灣鎮總兵達洪阿正在苦惱，鹿港的泉郊許家給了意見，叫家丁假扮成漁民，到海上向阿恩號表達願意引導入港。沒想到英國人真的就這麼笨，隨隨便便就中了詭計，跟著這個假漁民一路駛進土地公港，結果擱淺在大安溪的沙洲上。清軍趁機偷襲，又俘虜了三十名印度人，及九個英國人。

同年五月，除了監禁期間已病死的三十六人，這兩場戰役的俘虜百餘人全送至府城待決。台灣道姚瑩親自監斬，府城三郊商人受邀觀禮，刑場就在文元溪頭的燕潭刑場上，等候秋決的俘虜全都跪在地上，一路排開甚是壯觀，各個都是面貌深邃的洋人，讓百姓們大開了眼界。

「這裡頭有黑又有白，看來像是城隍廟裡頭的謝必安與范無救！」永順行的林老闆坐在椅子上，和旁邊的尤重行老闆李三泰攀談。

「不知西洋人的十八層地獄長得什麼模樣？有沒有刀山和油鍋？有沒有寒冰與血池？」林老闆一臉好心情。

李三泰從衣服裡頭摸出一個銀製的十字架：「這是我家太公留下來的遺物，聽說是個英國的隨船僧人送給他的！」

林老闆看到刑場上頭高掛的耶穌受難圖，不知其神仙姓名：「這個就是西洋人的神明啊？祂怎麼稱呼？」

「這是受膏者耶穌，祂與景教裡的『移鼠』，說算得上同一個神明。唐代的大秦寺、元代的十字寺，皆拜此神。西洋人裡頭還有四大護法王，分別是：明泰法王、盧珈法王、摩距辭法王與瑜翰法王。西洋人也有玉皇大帝，也就是耶穌的父親，名叫『皇父阿羅訶』，也有人稱祂叫耶和華，是神界的天尊……」

「這麼說這個『耶穌』便是西洋裡的得道仙人囉？這與我們漢土的呂洞賓，可有異曲同工之處……如此看來泰公知道的可不少！」林老闆看了一眼十字架。

「的確，唐代以後景教受到追剿壓迫，許多景教人改將耶穌塑成『呂洞賓』模樣，手裡寶劍改拿十字架，偷偷供在家中祭拜。」李三泰：「只可惜這西洋裡的天尊耶和華、仙人耶穌管咱們漢土這裡不著。」李三泰略帶豪氣，緊緊握住那個十字架：「這英國人一肚子壞水詭計，是朝廷的敵人，也是我們的敵人。沒有神明會保佑他們的。」

「可不是嗎！人都說西洋只有一個真神，我們漢土尚有百萬真神。一個神怎麼打得過一百萬個神！」林老闆附和著。

姚大人站上高台，披著紅斗篷去煞的官轎停在一旁，觀禮的大人們全都身穿朝服，姚瑩在刑場上大聲怒斥：「我大清帝國與你們西洋人無冤無仇，你們西洋人竟然引誘我大清子民吸食鴉片，然後無端騷擾我大清土地。你們來一個我就殺一個，來兩個就殺一雙。有我姚石甫在此，怎可讓你們在我大清的土地上蠻橫撒野。時候也不早了，該送你們上黃泉路了。」

刑房書吏走到戰俘前面，開始點名：「英國戰俘：阿瑟阿托利阿斯，阿恩號的阿班！」

第一個戰俘低著頭，看著眼前的那本聖經，嘴裡喃喃念著。姚大人聽不懂他們說的話，但可從他的語氣中聽出憤怒。

「給他掌嘴！」姚大人聽出了他的咒罵聲，一時惱怒。

刑房的人拉住他的頭髮，另一個人拿著木板拍了他幾個耳光：「姚大人在此，鬼子嘴巴放乾淨點！」

早在戰俘開始遊街前，姚大人已命人賞了酒肉，好讓他們安心地走，清軍在阿恩號上搜出幾本聖經，一張「耶穌受難圖」，姚大人同意戰俘死囚在刑前可以禱告，並將耶穌受難圖高懸在刑場上。沒想到這群戰俘，死前還這般不安分。

接著刑房書吏一一抽出插在戰俘背上的標子，讓姚大人畫上硃砂，姚大人眼見已到午時三刻，陽氣最盛的時候，錯過時辰可就要等明日，眼見機不可失，便怒吼一聲：「斬！」

百來位劊子手同時落刀，一顆顆人頭頓時落地，百姓見狀驚呼聲連連。

「唉唷！這印度鬼的西瓜人頭滾了過來唷！」萬年號的蕭老闆見一顆黑色鬈髮的人頭滾到自己面前，首級瞠目張嘴，死狀悽慘，蕭老闆便用手往自己的眼睛上貼：「晦氣，真是晦氣。等會兒大老爺要去城隍廟上香，各位老闆就隨同大老爺一起去吧！」

永順行的林老闆與尤重行的李三泰都點點頭，李三泰豪氣大笑著：「這夏末秋初，氣候時炎時涼，此時太陽毒辣，今日剖個大西瓜，人生暢快啊！」

話還沒說完，大批群燕子飛過水潭上頭，眾人一見這個情景，都感覺天有異相，永順行林老闆原本就深信鬼神：「我的娘親唷！這西洋的天尊果然管到這裡來了！這些洋蠻子全都變成了洋鬼子了。」

「林老闆不要杯弓蛇影，自己嚇自己。那些燕子每年秋季，就會來燕潭過冬，哪會是什麼異相？」李三泰站起身子：「我大清乃禮儀之邦，這些屍首就交由我尤重行出資，好好安葬了這些身處異鄉的孤魂。」

眾人刑後浩浩蕩蕩至東寧坊的府城隍廟上香。廟中陰森可怖，威靈公城隍爺高座堂中，兩排一路下來是七爺八爺、牛頭馬面、甘柳將軍、金枷銀鎖等。眾人對城隍老爺上了香，林老闆轉過頭去，就見到一隻飛蛾，在廟中飛舞，先是穿過陰陽司、速報司、功曹司、瘟疫司；停了一下又飛過巡察司、刑法司、察過司、見祿司，眾人見那隻飛蛾悠悠哉哉，慢條斯理飛到城隍老爺的鼻頭上，眾人都覺不妥，拿了線香作勢要驅趕，那隻飛蛾終於又飛了起來，飛過大殿中央寫著「爾來了」的匾額，然後往楹聯方向飛了過去。

飛蛾穿過第一根柱子，上頭寫著「善惡權由人自作」與「是非算定法難容」；接著是第二根柱子，上頭寫著「居心正直見我不拜何妨」，另一邊寫著「作事奸邪盡汝燒香無益」。那隻飛蛾飛進飛出，怎麼趕都趕不走，最後竟然停在第二根柱子楹聯「奸邪」的「奸」字旁邊，林老闆轉頭一見，大驚失色：「哎呀，這蟲停於奸字旁，蟲取代女的部首，豈不成了『虷』字了，《康熙字典》裡頭有云：『虷』字，侵犯也。難不成還有洋人要來亂我漢土。」

李三泰見狀，也覺得不安，好似那飛蛾有靈性，是陰界派來通風報信的差使，但「侵犯」之說過於聳動，李三泰娓娓道來：「飛蛾停在那上頭只是巧合，城隍爺能辨善惡。天理昭昭，洋人不分青紅皂白就亂我漢土，能不依法懲治嗎？」

姚大人看見此狀，心中也有不安，忍不住詢問旁邊的總兵大人：「英國人來勢洶洶，不知現在各地戰局如何？」

這時師爺奔入城隍廟中，慌慌張張大叫：「大老爺不好了，不好了！」

「什麼事情這般窮緊張，把這城隍廟裡的莊嚴性鬧得如此低下，沒見到我和這幾位大頭家正在這裡上香！求一個內心的安靜。」姚大人說著。

師爺滿頭大汗：「朝廷在南京靜海寺和英國人議和，兩個月前已在英國船艦『康麗華號』上，簽了《南京條約》，朝廷割讓了廣東的香港給英國人，要求開放廣州、福州、廈門、寧波、上海等五口進行通商，朝廷還賠款兩千一百萬銀元，剛剛公牒抵達，要求我們立刻釋放雞籠、大安港兩場戰役裡的英軍戰俘，過些時候英軍會至安平交換戰俘。」

「人都已經處決了，何來釋放的道理？」姚大人內心激盪：「之前上奏，聖上還很高興台灣打了兩場勝仗，達洪阿大人升至太保，我也加了兩品官銜，如今怎會說戰敗就戰敗？」

「大人不要擔心，或許只是弄錯了，天理尚在，城隍爺會替您說話的。」李三泰看著姚大人為難的臉色，安慰了他幾句。但心中也略感焦躁不安，心想這英國人來者不善，未來恐是大患。

這年十月到了，英軍依約登陸安平，英軍發現戰俘被殺，氣急敗壞，揚言再起禍端。英國代表璞鼎查向朝廷施壓，要求追究斬俘之罪，朝廷大臣耆英、穆彰阿上奏，誣陷姚瑩冒功殺俘，自己杜撰戰績，清廷想藉此息事寧人，安撫英軍，只好以莫須有，羅織姚大人的罪名。

道光昏庸，不辨誰是忠良與奸佞，姚瑩與達洪阿遭到彈劾。消息傳回府城，眾人一片譁然，大家人手一香，聚在道署外頭，痛哭流涕，破口大罵朝廷不是，大家一片憤慨，有些人跪地想替姚大人伸冤求情，街坊裡兒童唱著諷刺意味十足的童謠：「百姓們怕蠢皇帝，蠢皇帝怕洋鬼，洋鬼子怕百姓。」

「真是太可恥了，沒想到聖上也是個昏君！」李三泰在道署外，見到垂頭喪氣的姚大人走出來，一時氣憤難平，說到激動處，仍是咬牙切齒。

姚大人立刻用手蓋住了李三泰的嘴：「李老闆切莫議論朝廷的是非，我身陷囹圄，自當運命如此，不勞各位老闆費心！」

「以前聽過戰敗將軍要殺頭，今日是怎個？打了個勝仗也要殺頭？輸贏都要死，又是什麼道理？」萬年號的蕭老闆也是義憤填膺。

「各位鄉親父老，感謝諸位在戰爭之時鼎力相助，時至今日，海外諸夷，欺凌我甚矣，大家一切好自珍重！」姚大人說完，便遭旁邊刑部的人奪去花翎。

「罪人有什麼話，回到了京裡再說！」刑部督捕司押監的人說：「我見姚大人忠肝義膽，就不給大人上枷鎖了。」

「多謝！」姚大人被奪去朝冠花翎後，露出蓬亂的頭髮，後頭垂出一根辮子，辮子裡夾雜著幾絲白髮，就像一隻垂死的公雞，羽毛再也不漂亮了。

姚瑩和達洪阿入獄後，舉國震驚。道光皇帝受不住壓力，以「追念其在台有年，尚有微勞足錄」加以釋放，但貶至四川，稍後又逐至西藏，直到道光三十年，因鎮壓太平天國需要，與林則徐重新被起用，但林則徐上任前就被毒死；姚瑩也在兩年後病逝廣西。鴉片戰爭給了同樣鎖國的日本，一個巨大的震撼。幕府之後快速西化，日本進入了明治維新時代。

自從鴉片戰爭開始後，府城就陷入了無止盡的騷亂之中。朝廷對外侮無能為力，內政又積弱腐敗，郊商雖然年年籌資清淤，但五條港的河道還是日益縮減，郊商們各個是叫苦連天。連續幾年的大水，又連續幾年的乾旱，讓糧食歉收，官吏們盜賣公糧，哄抬墟市上米糧的價格，然後跟不肖的商人狼狽勾結，商人懂得謀求暴利；官吏懂得從這之間索賄求銀。官員們的骯髒手段，可苦了廣大的老百姓，搞得天怒人怨，民不聊生，台灣島上很快就爆發了大大小小，規模不等的族群衝突。

鴉片戰爭後第三年，彰化縣有個泉州人，姦淫了一個漳州商人的妻子，導致雙方在八卦山下械鬥不斷，大戰原本集中在半線東堡與半線西堡。很快就擴大到馬芝遴堡、鹿港堡、大武郡堡、深耕堡、大肚下堡。

接著竹塹、後壠地區發生大規模的閩客衝突，各路墾號坐擁勢力，各路人馬在紅毛港附近械鬥，並持續了十餘日之久。緊接著嘉義縣又發生一個漳州農民，誣陷一個泉州人偷了他田中的瓜，泉漳兩路在嘉義城內血戰，一路從嘉義城的襟山門打到帶海門；再從崇陽門殺到拱辰門。

府城內也是不安穩，這年中元普渡時，漳州人祭祀宰殺了豬羊，好事的漳州工人便在祭壇上嚷著：「全（泉）豬全（泉）羊，刈豬羊肉來拜神拜鬼唷！」

另一頭普渡的泉州人聽到了，非常不是滋味，也令人將供品挪動：「將（漳）豬移過來，將（漳）羊移過去，後世人毋通再做畜牲！」

這下可不得了，漳州人以為泉州人故意搗亂，砸了泉州人的中元祭壇。大戰從鴨母寮市外開打，逐漸延伸到米街、粗糠崎。泉州人聚守金華府，和漳州人在佛頭港街、北勢街、南勢街和媽祖樓街上展開巷戰。這日在藥王廟附近，雙方互相潑糞，搞得臭氣沖天；明日泉州人認為總趕宮，是祭拜開漳聖王的手下倪聖公，於是對廟裡潑尿洩憤。雙方一路打到下元節前夕，才在水仙宮三益堂的居中協調下，平息了下來。

尤重行雖然是三益堂的霸主，但風光已不復以往。尤重行的老一輩，也就是李三泰的大伯李銜薪、父親李銜傳在這段時間內相繼去世；李三泰的二伯李銜火，到大南門外的竹溪寺出家，三伯李銜相則決定移居廈門，從此「尤重行」在三郊勢力內更顯寂寞孤單。

李三泰到了中年，終於迎娶了北部大嵙崁大地主，也就是「本記」林國華的小女兒。林國華的父親就是大名鼎鼎的林平侯，林家因為林爽文事件時，米價暴漲而致富，後因新莊泉州人勢力大增，乃遷居大嵙崁。林平侯死後將財產分為「飲水本思源」五記，其中三子林國華分得「本記」，五子林國芳分到「源記」。又因國華與國芳是同母兄弟，最後合併商號，改稱「林本源」，並在枋橋頭興建了一落大宅，人稱「林本源大厝」。

泉漳騷亂後，到了咸豐初年，三郊決定籌資興建「天壇」，以安府內民心。這「天壇」又稱天公廟，是供奉所有神界裡最大的神明：玉皇大帝。郊商們要放一枚匾額給廟基做個安固，但匾額上要提些什麼字，寫些什麼東西，眾人拿不定主意。大家很快就想起了李三泰寫書法的好手藝。眾商約好至尤重行拜訪李三泰，大夥到了尤重行外，接待的是尤重行的家長，他是個又老又盲了一隻眼睛的駝子公，入屋前駝子公已經招待了各路頭家喝茶，眾商在客廳中談論商務。

接著尤重行的長工們在客廳上放置桌案，準備了文房四寶。李三泰走出書房，跟每個頭家寒暄問好，然後端正著毛筆，鋪張好紙硯。

李三泰抬頭一看，林老闆帶了個小娃在一旁喝茶，嘴裡說道：「林老闆帶著這個小男娃，是您的孫子吧！」

「這是我家二子所生的孩子，小名叫『雙雙』。」林老闆弄孫正開心，嘴角都快闔不上來。

李三泰見了落寞，低下頭輕輕地在紙上頭寫下「孑然」兩個大字，沒有抬起頭來繼續說話：「雙雙，你今年幾歲啦？」

「我今年六歲。」

「六歲啦！」李三泰總算抬起頭：「雙雙這麼可愛，林老闆真是好福氣啊！」

聽到這麼一說，眾人盡皆尷尬。自從李三泰娶了林國華的小女兒後，一直就沒能生得一兒半女，李三泰在外頭也養了幾個小妾，但始終未能得其所願，獲得子嗣。現在大家見他寫了個「孑然」兩字，知其心意，有些話更是說不出口。

李夫人從書房裡出來，跟眾商招呼了一聲，便叫人再準備一些素齋點心，分送給各路頭家食用。李夫人因無法生子，已經吃齋念佛兩三年，眼見丈夫寫下「孑然」兩字，心中酸楚：「頭家姑且莫論兒女私情，這天公廟的匾額還是個大事，不要因為這些事情擾了頭家的心思！」

「夫人說得對。」李三泰看了看「孑然」兩字，便對林老闆說：「林老闆也是個會寫字的人，你說說看我這是書字還是畫字？」

林老闆看著那兩個字，就像兩個不同性格的人物，佇立在紙上對話，林老闆說著：「我看你這字體不是瘦體、也不是胖體，不是端楷、也不是狂草。兩字各有所長，亦有所短。『孑』有撇捺的深邃、有萬象的灑脫，『然』有飄逸的自在、有細緻的餘韻。」

「肯定是一帖文字畫！」其他商人在一旁附和著。

「我這兩字就是『尤重行』該有的性格，這兩個字是寫出了我自個兒的人心啊！人說墨有五色：乾、溼、濃、淡、黑。什麼字就配什麼色，什麼命就順活著什麼運。」李三泰說著：「所謂人算不如天算！」

李三泰似乎想到了什麼似的，命令駝子公來換過一張新紙，然後在白紙上寫了個「一」字，接著在白紙上提了一首詩：「世人枉費用心機，天理昭彰不可欺。任爾通盤都打算，有餘殃慶總難移；晝歸善報無相負，畫歸惡報誰便宜。見善則遷由自主，轉禍為福亦隨時；若猶昧理思為惡，此念初萌天必知。報應分毫終不爽，只爭來早與來遲。」

「好詩，真是好詩！」林老闆懂得情趣，知道李三泰只差沒能在官場上求個功名，這書字寫詩的功力，早就勝過自己好幾十倍以上。

「當今世態炎涼，官箴敗壞。我們自己為商，可要記守自己的本分，若是成天癡心妄想賺大錢、牟大利。搞到最後就成了武大郎吃毒藥，掉了潘金蓮的竹竿！」李三泰說著：「三益堂裡頭的這個『益』字：是助益、是裨益，亦是公益。」

「霸主說得極是！我們必當本著三益堂的精神，做好商人的角色！」這裡頭幾個比較年輕的頭家站起身子說著。

李三泰拿起那「一[1]」字帖，接著又換了張紙，在上頭寫了「了然世界」四個字，然後交代駝子公：「把一字拿下去做成金漆匾額，詩文環繞在匾額四周，給天公廟送去當賀禮；另外這『了然世界[2]』也去做成樟木大匾，給竹溪寺的傳慧法師送過去。」

傳慧法師就是李三泰出家二伯的法號，林老闆看了一下「一」字，又看了一下「了然世界」，嘴裡念出白居易的〈睡起晏坐〉詩句：「後亭晝眠足，起坐春景暮。新覺眼猶昏，無思心正住。淡寂歸一性，虛閒遺萬慮。了然此時心，無物可譬喻。本是無有鄉，亦名不用處。行禪與坐忘，同歸無異路。」

「這了然世界，無物譬喻：亦有亦無、若有若無、是有是無。『了然世界』，果然是世界了然啊！」旁邊的蕭老闆起身應和。

---

1 「一」字匾：府城三匾之一，懸於台灣首廟天壇（天公廟）上，無落款，來歷不明，咸豐年間已存在，匾周遭有勸世小詩，令人深省。

2 「了然世界」匾：府城三匾之一，懸於竹溪寺正殿上，獻匾者與刻製年代不詳，書法渾圓端莊、灑脱自然。

「我這有子與無嗣，還沒有參透：『行禪與坐忘，同歸無異路』可就不敢當。」李三泰放下毛筆，墊了紙鎮，拱一拱手稱謝。

林老闆仔細一看，才發現了這其中的端倪：「原來這『一』字與『了然世界』的『了』字，全來自你那『孑然』二字裡的『孑』字啊！難怪看起來字字灑脫，字字圓融。」

李三泰臉上一笑：「各位老闆見笑了！」

大年初三，府城夜裡還是寒冷。人人都說大年初三是老鼠娶妻日，駝子公這晚便在家中牆角四周，放了冰糖塊，這個動作便是俗稱的「老鼠分錢」，是要讓老鼠分享這一年的豐收成果。家裡的工人早就滅了燭火，準備上床睡覺，滅掉燭火的用意，是要讓老鼠們看不見路，以免過度繁殖，擾亂了糧倉。

李三泰躺在床上，臉色蠟黃。古井藥局的坐堂診出老爺有肝病，李夫人整晚熬了一碗「龍膽瀉肝湯」給他喝，又輔助了一帖「加味逍遙散」。但李三泰就是喝不下湯藥，他心裡為了膝下無子這件事情而憂愁煩惱。

「頭家不用煩惱，正月十五的燈節上，我就去天后宮鑽燈腳，就盼望這年添燈好福氣，為家中帶來個男丁。」李夫人說著。

李三泰搖了搖頭，沮喪地說：「這求子也求了四五年，該有早就有了！」

這時外頭響起了一陣吵鬧聲，聽起來應該是又有械鬥發生，眾人在大街上動起手來。忽然一陣刺耳的慘叫聲劃破天際，想必有人遭到不測，李三泰從床上跳了起來：「找幾個家丁去看看出了什麼事情？」

李夫人臉色一沉：「尤重行家業已不如當年繁盛，現在屋子裡男丁凋零。頭家就不要去蹚這渾水。倘若是有什麼差池，我明日在佛堂上多給他們頌些經文就是了。」

「娘子何出此言？我李某身為三益堂霸主，原本就該豪俠好義，躲在屋子裡，豈不是就跟今晚要娶妻的耗子一樣了！」李三泰再也待不住，動起了身子，提了燈籠，叫了幾個長工，幾個人就往門口而去。

開了大門一看，外頭倒了一個十多歲的少年，底下抱著一個約莫五、六歲的小男孩。少年身上被砍了兩刀，疼痛難耐，剛剛叫了那一聲後就暈了過去，他兩手抱著的男孩沒有哭泣，也沒有發出任何聲音，只是睜著大眼睛望著眾人。李三泰看了看四周沒有人：這少年的仇家或許以為少年已死，早就一哄而散。李三泰伸出食指，貼在少年的鼻子上：「還活著！快把他抬到屋子裡去。」

奴婢燒了一鍋熱水，給小男孩梳洗。駝子公便給那少年擦刀創藥，大家七手八腳忙了一個晚上，直到午夜時分，才將少年送上專供下人們睡覺的通鋪大床之上。李三泰吩咐駝子公好好照料少年，他則到另一個房間去看小男孩的狀況。

到了午夜，少年悠悠醒來，看了周遭一眼：「這是哪裡？」

他坐起身子，被子滑到大腿上。少年感覺赤膊的身上包著一片布巾，且抹上膏藥。眼睛終於習慣了漆黑的四周，朦朧而糊塗的月光，微微地從窗口灑了進來。旁邊一個蠟燭燈籠點得高高地，燭光照在幾個呼呼大睡的大漢身上，然後視線沿著燭光照出去的方向，少年視角拉長到了床邊，床的盡頭是一面素色的蚊帳，再順著蚊帳往外一看，一張人臉浮現在蚊帳半敞開的地方：那是一張極為醜陋的臉孔，少年嚇了一跳，定睛看清楚了，果然是一個活生生的人坐在那裡。

那個人左邊的眼珠子瞎了，瞳孔早就隱沒在深深的凹洞之中，只露出眼白的部分，那個死透了的眼珠，像一顆又大又乾的米糰子黏在眼窩裡頭。他坐姿彎彎地，像一條曲背蝦子，少年立刻意會到，他是個又駝又瞎的老人。

那個獨眼的老駝子說：「這裡是『尤重行』，剛剛你倒在咱們家門前面，手裡還抱著個男孩，頭家看你與那男孩兒的模樣可憐，把你們帶進來。見那男孩也餓了，就叫下人們煮了碗糜粥給他吃，他迷迷糊糊地，竟然也喫了兩碗。」那個老駝子補充著：「我是尤重行的家長，人人都叫我駝子公，你也可以這樣叫我。肚子餓了否？廚房的粥還有剩，若是餓了，我就去給你盛過來！」

「尤重行！」少年聽過這個名號，知道這是府城的大戶人家：「多謝駝子爺爺，不必費心了，我不餓！」

「你怎麼會遭到那幫人追殺？」駝子公問著：「聽你的口氣，應該是個泉州人！」

少年看了駝子公，知道他不是壞人，便說了自己的身世：原來這少年是艋舺八甲庄泉州同安人，泉州三邑人建了龍山寺後，組成了「頂郊」，和同安人的「下郊」原本就處得不睦。

頂郊三邑人把守龍山寺、舊街、蕃薯市街這一側，和同安人所居住的八甲庄，正好隔了沼澤地，只有一條蹊徑互通，上頭正好建了一座安溪人的清水祖師廟。三邑人打算攻擊同安人，於是向這蹊徑上中立的安溪人，借道清水祖師廟，允諾事成後協助重建。

安溪人允諾後，頂郊果然強勢進攻，毀了祖師廟，突破蹊徑，放火燒了八甲庄，趕走了同安人。後來同安人離開艋舺，移往北邊的大稻埕，另建霞海城隍廟，這件事情就被稱為「頂下郊拚」。

少年的父親，原本是下郊的碼頭工人。頂下郊拚那天，他和弟弟逃出了八甲庄，父親和母親都慘死在同安人的快刀下。他和弟弟流浪了兩個多月，從北部一路往南，上個月前就到了府城，少年打算找一份工作，好養活弟弟。沒想到就因自己，是個北部來的泉州同安人，在府城內找工作處處碰壁，最後只好依附在泉州苦力的大本營金華府裡，金華府曾在洪氾家長在世時，力挺過李勝興的事業。但李羽、洪氾和李鹹頭家相繼去世後，眾人就和李勝興家的後人漸行漸遠。在道光十年時，一次風災後歷經了史無前例的大翻修，金華府裡外變得完全不同。

這一日，金華府內的泉州工人們正在玩天九牌，領首的阿華大哥打出了個「板凳」，板凳是天九牌中的一張花色名稱：豬骨磨平之後，在上面雕出牌的花樣，上下各有兩個小圓點，那角落的四個圓點就像板凳的四個立腳。

阿華大哥吆喝聲，就如同花豹的嘶吼聲：「逢四又一沖，五子調雙槍唷！」

牌桌上，閒家與莊家眼睛都骨碌碌地轉呀轉的，一會兒閒家鬧個龍頭鳳尾、雙翼齊飛；一會兒莊家又是舞三獅，牌面疊得像一座七級浮屠一樣高。墊牌之後數過梅花、長三、虎頭、屏風，見局再轉天、地、人、鵝四張牌面。

阿華大哥眼睛這麼一瞟，看見了最後那張，四個紅點，兩個白點的牌色：「這叫什麼？」

「阿華大哥這不是明知故問嘛！那是『六』啊！」旁邊打牌的人說著。

只要併吞了六和三，就能湊出至尊寶，是一套無敵牌，這局面上的「六」牌已經入袋，「三」牌則散落在局海裡，阿華相信等一下撈一撈，那牌就會跑了出來。

阿華喜孜孜：「那正好，先來個么雙擒四，等會兒我撈到『三』牌，再請大家喝茶！」

沒想到打了許久，阿華大哥怎麼撈都撈不到「三」，這時見到少年的弟弟褲袋上，有個東西，一時好奇便問：「那是什麼？」

經阿華大哥這麼一問，眾人目光就投向圍觀牌局的兩兄弟身上。一個人站起身子，從他弟弟那口袋中抽出了那東西，眾人一看，正是天九牌裡的「三」牌，阿華大哥氣得說不出話，這下子青筋暴怒：「好啊，你兩個在這裡搗亂，破壞我們牌局。難不成是誰家使了銀子，要你們來這耍詐？」

其他三家臉色一變：「阿華大哥這樣說是什麼意思？你的意思是我們叫這個小娃娃偷了牌，不給你拿個至尊寶！」

「……我可沒這樣說，我是說這兩個人都是賊，以後不容許待在我們金華府裡頭！」阿華大哥見眾怒難犯，故意轉了個話頭。

「阿華大哥對不住，我弟弟還小，不懂事。不知道這牌不能拿，你們行行好，就原諒我們兩兄弟！」少年見到弟弟的口袋中有這樣的東西，自己也是嚇了一大跳，猛對眾人哈腰求情。

「不行！不行！原諒了你，那以後漳州人來睡我老婆，我還跟大舅子哼哈個幾句，謝謝他給我龜帽子戴呀！」阿華大哥操起一根竹棍，硬是把少年和他弟弟趕出了金華府。

少年和他弟弟離開金華府後乞討了幾天，大年初三就守在祭祀武殿外頭，等著信徒們燒完香，分給討食者供品，沒想到竟然就遇上了那些占地盤的漳州乞丐。大家見他們是泉州人，不分青紅皂白就要追砍他們，少年緊抱著弟弟一路跑到這裡，少年中了兩刀後就失去了意識。

駝子公聽完他的故事後說著：「這八甲庄上的紛紛擾擾，眾人都知道了。沒有關係，我們頭家雖然是漳州人，但他可不會使蠻橫。我們尤重行和你們同安人或三邑人沒有瓜葛；和泉州人、客家人也都沒有仇恨，你可以安心住下來。」

少年一隻手摀著臉，眼淚簌簌流下，所有的辛酸全往肚子裡頭吞。

過完正月十五，李三泰開心對眾商宣布，他將收少年與他的弟弟為螟蛉子。少年取了名字為「李墨」，他的弟弟就叫「李硯」。李三泰自知已老，就將黑漆木牌交給李墨，銀製十字架交給李硯。尤重行上上下下都知道，李墨將是尤重行的接班人。

李墨學得很快，做事也相當勤奮。但弟弟李硯卻是不擅說話，眾人都以為他是在頂下郊拚時，見了父母被殺而嚇壞了，個性因而退縮內斂，變得不愛說話。同治三年，清廷開放安平、旗後通商的那一年，李三泰因為很少服用湯藥，最後因肝病而猝逝。那一年李墨已是二十多歲的青年，尤重行上下打理的重擔便落在這個初出茅廬的青年身上。

「聽說英國人打算在安平設置洋行。現在三郊的大船只能進出新港墘港，南勢港也開始淤積。洋鬼子打算守住安平一地，安平是個出洋大港，那裡算是台灣的咽喉，洋鬼子有錢又有勢力，現在掐住了我們的咽喉，他們進出台灣方便，我們反而不便，大家不可不防啊！他們來了，對我們三郊的生意肯定會有影響！不知各位老闆有無主意，此將如何應對洋鬼子？」蕭老闆在三益堂內緊張兮兮，公議廳內人人表情困窘。

深信鬼神的永順行林老闆，從圓桌鳳角那頭站起身子：「我們永順行歷代皆信風水堪輿之說，識地理而得地理才能成就大器，永順行上承金永順，至今傳承已超過五代，能歷久不衰乃是我們懂得這宇宙的奧祕。洋鬼子不知風水，但我們知道。或許風水之術能破壞洋人的商機。」

「林叔叔知道怎麼做嗎？還請叔叔明鑑。」李墨在三益堂裡頭輩分最輕，不敢妄自出主意。

「地理有龍、穴、砂、水、向五訣，要一個人好，地相要山環水抱、尋龍點穴，給他個龍脈寶地；要一個人不好，屋子裡外就給他安排一些煞氣：諸如路沖煞、穿心煞、斷梁煞、棺材煞等。兌悅門城樓如弓，城下筆直的咾咕石街如一個箭身。依勢而見，應該是個絕佳的『反弓煞[3]』。若是在城牆下埋一個『石矢』箭頭，讓這地理飽足煞氣，呈現出拉弓射箭的氣態，箭頭對向安平，或許可破洋鬼子的布局！」林老闆說著。

「就依叔叔的意思辦理吧！」李墨年紀尚小，知道這些動作不是正人君子的作為，心裡雖有不安，但仍舊只能依長輩的意思辦理。

安平開始建造德記洋行，四處都在徵求漢人做為「買辦」和「通譯」。金華府內有許多泉州人，便到安平去打探消息，許多人都躍躍欲試。阿華大哥和李墨有些過節，李墨當上尤重行頭家後，港郊諸商的生意，也不再發配給金華府打理了，阿華大哥內心不平：「沒想到李墨竟然是個小心眼的人，我只不過趕他出金華府，他卻連我討生活的那一份工作也給剝奪，真是氣煞人也！」

「大哥要不要去英國人那裡試一試，聽說洋人很敢給銀子。」小弟阿猴叼了一支草莖，塞在牙縫裡剔牙。

阿華大哥想了一下：「去那裡真的沒關係？以前英國人用大砲打我們府城，大家聽到『英國人』這幾個字，哪個不是咬牙切齒？聽說英國人全都是韃子，在他們的國家裡都不拜祖先，窮人不穿衣服，有錢人每天食鴉片。男的都是海賊盜匪；女的都是娼婦妓女。」

阿猴跟著議說政事：「跟咱們比起來，英國人可就發達得多，他們船堅砲利，我聽說西洋人有他們的煉金術，能把草木石頭變成金銀啊！而且英國人已經侵門踏戶，在安平設立了洋行，這台灣的錢遲早都是要被賺走的。大哥有所不知，府城的仕紳們都說，當朝會叫『同治』，乃是兩宮太后和小皇帝在大殿上同坐而治，這些後宮女人可不得了，會同了恭親王發動政變，殺了朝中八大臣。他們可不正學著唐朝的武則天、西漢的呂太后辦事情。現在坐在金鑾殿上的皇帝，背後放下了兩面簾子，後頭還有兩個太后娘娘在裡頭說長道短呢！」阿猴接著又說：「當朝腐敗，我們每年和洋人打，輸了要割地，贏了也要賠款。認英國人當你爸爸是遲早的事情，今天不去洋行幫忙，更待何時？」

3 反弓煞：風水學上的煞氣名稱，道路、建築或人為設施，山川地理外形狀似彎弓，指向射箭處的居住者常有災禍或人命發生。

「聽你這麼說也有道理！」阿華想了一下後，也就不再猶豫。

德記洋行完工後，大舉招兵買馬。阿華準備出發至安平的那一天早上，帶著包袱走到咾咕石街，這回就發現三郊領首聚集在兌悅門下，城門前擺了個祭壇，一個道士拿了鈴鐺木劍在那裡走來走去，嘴裡還嚷著天靈靈地靈靈的咒語。

阿華仰頭一看，桌上擺了個石頭做的箭頭，他聽周遭的人說話，才知道原來這是要破洋人商機「反弓煞」的石矢。過了一會兒，道士便命人挖開城樓下方的咾咕道路，弄出一個地洞，然後將那個石矢放進地洞中，掩埋起來。

阿華愈看愈有趣，在人群中探頭探腦，嘴裡說：「洋人用的是大砲，咱們用這弓箭，能抵抗得了嗎？」

一個也在圍觀的男人轉過頭：「你這說法可就外行了，這『反弓煞』一出，利煞無比。被這箭頭指到的主家，就不容易聚集財氣，而且會有血光之災啊！」

「聽大哥這麼說，也是個知悉堪輿之術的老行家啊！」阿華看了一看他，大約三十多歲的年紀，說起話來就像五十幾歲的老太公一樣沉穩。

「我可是曾振明街上的地相師，在那裡設攤也有十多年了。凡是動墳、建屋、開衙、蓋亭、立碑、造橋還是鋪路，哪個不用先問過我的意見。」那個男子自信滿滿地笑了：「這下子洋人可要丟盡洋相了！」

「這反弓煞真如大哥說得這般厲害？」阿華問。

「那是當然，唯一的破解方法，便是用死人墓裡的『翁仲』來阻擋煞氣，弓箭武器是大陽；墓外翁仲乃主陰，兩相權衡，陰陽調和，就能圓融安詳，這煞氣之勢自能化解。」那個男人說：「只可惜這台灣少有帝王之墓，要尋文武翁仲一對，可有得找哩！」

「照大哥這樣說，這一下洋鬼子可就死定了！」阿華假裝應和，但內心也有些緊張起來，要是洋人的風水局面被三郊破壞了，以後自己還能容身嗎？

「那倒不盡然，台灣尚有一個王者之墓，外頭有翁仲駐守！」那個男人賣了個關子。

「是哪個帝王將相之墓啊？」阿華聽得嘴巴都要掉下來。

那男子終於說出口：「延平郡王！」

「原來如此啊！」阿華聽他這麼一說，終於想了起來：洲仔尾的延平郡王衣冠塚外，原來確實有一對文武翁仲，康熙年間鄭成功墓遷葬回泉州府，官府便把那把守墓地的翁仲，遷到二鯤鯓外的沙洲掩埋了。已經過了這麼多年，府內還有許多百姓都知道那個地點，大家都謠傳石將軍夜裡會從沙地裡走出來，戍守海岸邊等著反清復明。因此那個地方鮮少人靠近，大家其實不知道，石將軍會自己動這件事，是以前官府故意放出的假消息，用意是不要閒雜人等靠近那裡；但這後頭的「反清復明」之說，便是樹下遊走江湖的說書人自己加上去的。阿華眼珠子轉了一圈，心中起了一個歹意。

阿華到德記洋行前，見到滿滿的應徵隊伍，他插了隊，被一個穿著西裝的英國人給拉了出來。那個英國人嘴唇上留著兩撇鬍子，頭髮向後梳，那個英國人便用外國腔調說著滿大人：「哪來的滿國狗這麼不知禮數？你是來應徵買辦、通譯還是銀師？」

「什麼狗不狗的，你這鬼子嘴巴可要乾淨點。我可是鼎鼎大名金華府的領首，人稱我『阿華大哥』是也。我想見你們洋行的將軍大人！」阿華說著。

「我們這是領事授權的洋行，沒有將軍大人，只有駐台商務代理人！」那個英國人說著。

這時一個穿著西裝的英國人走出德記洋行：「哈智，什麼事情跟他們這樣鬧哄哄地。」

那個名叫哈智的洋行員工把事情講了一遍，馬遜經理聽完後覺得新奇，就走下洋行門前的樓梯，靠近阿華：「你有什麼事要見德記洋行的代理人？」

阿華把三郊要用的風水術講述了一遍，馬遜經理聽得緊張兮兮：「風水堪輿術？這可是東方的巫毒術啊！你可會破這法術？」

阿華把破解方法又講了一遍，馬遜經理聽得頻頻點頭：「很好，你被錄取了！我就任你為『巫毒買辦』好了，由你來負責打理這件事情！」

三天後，二鯤鯓的延平郡王文武翁仲被英國人挖出來，大家趁黑夜從沙洲上以小船運至安平，其中一尊文翁仲在搬運時不小心折斷了下身，英國人又花了一些銀子修補。馬遜經理指示要將這對翁仲對好方位，英國人算好角度距離，兩座翁仲就定位，假裝布置藝術品般，擱在德記洋行的英式花園上，那兩個石將軍，正好對上了兌悅門「反弓煞」射來的方位，馬遜經理在辦公室裡抽著大菸，翹二郎腿：

「這好！有了這兩個東方的石將軍，再也不用怕那些巫毒術了！」

自從德記洋行順利在安平成立後，安平港上先後有東興、和記、唻記、怡記，洋人陸陸續續又在台灣開設了十二家洋行：其中怡和、鄧特兩家洋行開始壟斷樟腦市場。樟腦是製造安比西林的原料，可以抗菌、消腫、消毒，也能治風溼、霍亂和皮癬；除此之外還能做成香料，在印度是聖品。因此在世界各地，「樟腦」可說是炙手可熱的產品。

另一方面，西方的傳教士也開始來台灣宣教。蘇格蘭籍的長老教會傳教士馬雅各，便在府城水仙宮附近的看西街租了一幢房子，改裝為行醫館替人看病，馬雅各的醫生館主要是行醫，但也具有宣教的功能。這幾年因洋人氣焰高張，一些府城內的商人看不過去，部分郊商聯合了藥局和郎中，對外放出了謠言，說外國人會剖取人心、挖人眼睛來治病，引起大家的恐慌。不久眾人便聚集騷亂，發生了大規模的暴動，拆了馬雅各的醫生館，把洋人趕出街坊，這個事情便被稱為「看西街事件」。

同治五年，台灣道的吳大廷見百姓反洋人的情緒高漲，民氣可用，便決定出手，禁止漢人把樟腦賣給洋人，並恢復「專賣制度」，吳大人採取了強力緝私的手段，打擊英國人的勢力。英國領事知道後相當生氣，向吳大人抗議，要求恢復自由買賣。吳大人不允許，英國公使改向總理衙門施壓，但亦無任何結果。

外交手段行不通後，英國人開始密謀走私，怡和洋行一夜買入了六千銀元的走私樟腦，吳大人從民間那裡知道了消息後更是生氣。

這天得到密報，說怡和洋行打算自鰲西港，將走私的樟腦偷渡出境，吳大人下令緝私官員在彰化縣裡埋伏，果然查獲了一部分的走私樟腦；期間英國怡和洋行的行員大力反抗，緝私過程中行員還開槍還擊，打傷了數名官吏。

同治七年，英商德記洋行的哈智升任經理，他從打狗一帶處理完商務，在返回府城的途中，被台灣道的衙役搜身，打算查一查他身上，有沒有攜帶走私的樟腦。德記洋行經理哈智不從。衙役便打傷了他。此事渲染開來後，英國領事齊普遜，便向台灣道的吳大人抗議，交涉期間英國人作法蠻橫無理，對台灣官民亦不友善；台灣道的態度也相當堅定，雙方鬧得水火不容。

之後英國領事決定請求香港派兵來台，用武力對台灣道施加壓力。十月中旬，英國大軍來犯，夜色之下砲擊安平熱蘭遮城，流彈擊中附近街上的商店、民房數十棟，英國大軍又偷襲安平水師協署，派人摸上岸，引爆了清軍的火藥庫，水師副將江國珍不敵英軍，就仰藥自盡。安平烽火連天，英軍占領數日，要求台灣道再不退讓，就要占領整個台灣。

消息傳回府城內，水仙宮裡氣氛凝重，三郊商人皆來此地，求助神明保佑，其中一個名叫黃景祺的商人對眾人說：「各位老闆，英國人又來犯，此事乃是為樟腦而來。台灣道的吳大人雖做人耿直，但不知輕重，讓英國人逮到機會，藉題發揮！」

「聽說英國人放話，明日就要對府城開砲，宣稱三日內必奪下府城！」永順行林老闆臉色凝重。

「黃老闆可有好的計謀？」李墨年紀尚輕，話鋒隨眾人轉，自己也沒拿定主見，眼睛瞟回黃老闆身上：「如果有好的謀略，可以說出來和大家分享！」

黃老闆拱了手說：「我想找幾個通譯去和英國人求和！」

「求和！那不成了龜孫子了？」一些三郊商人竊竊私語。

「不求和，明天你就叫英國人爺爺！」另一些商人也出了意見。

水仙宮裡就這樣分成了主戰派和求和派，李墨自己拿不定主意，是戰是和，態度總不說死，身為三益堂的霸主，大家都認為他是個騎牆派：「就讓黃老闆先去試一試，說不定談判後英國人自知理虧，便會退出安平！是戰是和先別急著定論。」

「這世間會有這麼美好的事情嗎？英國人扒光你的皮、吸光你的血都來不及了，哪會放手？要不與他們決一死戰，那日鬼子便又來犯！」蕭老闆瞪了一眼李墨，鼻子哼了氣，他也是個主戰派。蕭老闆還在為那「反弓煞」沒發生任何效果而生氣，他心想：也不知是哪個高人替英國人解圍，安平德記洋行外頭竟然擺出了兩尊翁仲，眾人都叫這兩尊石將軍，是給德記洋行看門的門神。

「我看現在不宜再起禍端，還是讓黃老闆去試一試！」林老闆對於「反弓煞」沒有發生功效，自己也不敢多言：「英國人實力堅強，此事不能再拖！」

黃老闆隔日便啟程至安平和英國領事求和，英國人心想原本只是要嚇一嚇台灣的官府，無意開啟全面性的戰爭，於是便接受了議和。英國人同意以「四萬銀元」做為撤軍條件。消息傳回水仙宮，引起眾商譁然。

李墨看了眾人一眼：「花錢若能了事，也算是功德圓滿。不知各位頭家對這樣解決方式意下如何？」

「你是怎麼當霸主的，一會兒順著那個意思，一會兒又允了這個態度。你這舵隨八風轉，自己沒方向。早拿點主意出來好不好，三益堂的爐主需要一些骨氣！」蕭老闆對李墨的優柔寡斷，早就積怨已久：「你可比泰公差多了！」

李墨禁不起這樣一激，脫口而出：「四萬銀元的一半由我尤重行來出！」

眾人一聽更是驚訝，這可不是小數目。林老闆語重心長：「李姪兒可要在這裡頭想清楚，不要為了面子，卻失了裡子！」

李墨心直口快，沒見過大場面，自然拿不定分寸，既然已經說出口，就不好吞回去：「林叔叔不必勸我，四萬銀元我尤重行還出得起！」

李墨返回尤重行後，便處分了糕餅事業，將七、八個吉利行的鋪子轉手、也賣掉好幾筆田地，合計得了五千銀元。加上原來帳房裡的東西，可以變賣的玩物與飾品，東湊西湊總算湊齊了一萬七千八百銀元。

這允諾的金額尚欠兩千兩百銀元，李墨正愁這件事沒法解決時，沒想到李夫人正巧從臥房裡走了出來，他是李墨的義母，眼見頭家正為尤重行這麼大的危機煩惱，看了心底也難過，把自己身邊保留多年的銀釵首飾，嫁妝珠寶全拿來充數，東加西加，也湊足了兩百兩。李墨見了感動，李夫人又說：「墨兒不必煩惱，這剩下兩千銀元總有解決之道！」

「都怪孩兒多嘴，思慮不周，讓義娘替孩兒操心了！」李墨說著。

她左思右想，總算替他想出了個解決的方法：「無妨，身為一個商人，蝕了些本錢，來學習一些經驗也是應該的。剩下不足的部分，我跟我娘家『林本源』那頭借一借，挪一挪便是了。」李夫人面目慈藹，散發母親的光輝，她又繼續說：「但這趟枋橋頭之行，是見你那名義上的舅舅。許久沒有來往，可需要你與義娘我同走這一趟！」

「是！我這就叫駝子爺爺替我們打點行李！」李墨說完，臉上表情愉悅地退出客廳。

通過走廊，李墨就見到弟弟李硯走出房間。李硯腦子有問題，說話往往不知輕重，也沒有同理心。有些時候別人跟他講了反話，他不能辨別這話裡頭的情緒和真意，隨隨便便就應答了這樣的話，於是便惹惱了原來說話的人。

在這個時代，眾人尚不知道這樣自閉與孤獨的症狀，是一種先天缺陷的人格特質，人人都只覺得他是個呆子，但呆子也有呆子過人之處，所謂天生我材必有用：李硯精通易術、五行、天文曆法之術，他能將東方的天干地支，立即換算為西洋的曆法；他也精通算數，凡是帳房裡的碼子，記帳簿裡的羅列金額，不用通過算盤，他便就知道最後的加減結果；另外他的體魄也是無人能敵，李硯生起氣來，就像是野牛狂奔且力大無窮，沒有人攔得住他。李硯也擅長游泳，能在水中沉水閉氣，他一口氣便能沉入水中三至五刻。眾人說他擁有《水滸傳》裡李逵的力氣，沉水閉氣是張順的水技：要見他從尤重行裡走出家門，是「及時雨會神行太保；黑旋風鬥浪裡白條」。眾人給了他一個諢號，都稱他是港郊裡的「海龍王」。

說也奇怪，府城眾人都怕洋鬼子，以為洋鬼子會吃人肉、會挖人眼，偏偏李硯就是喜歡和洋人攪和在一起。他常常和洋行的買辦稱兄道弟，惹得三郊商人白眼；不然就是和洋人在大街上嬉笑怒罵，讓三益堂裡的董事都快豎起鬍子。

那日「看西街事件」發生時，馬雅各傳教士倉皇逃出看西街，一路跑進了尤重行的大宅邸前，李硯正好見到了狼狽的馬雅各，往巷子裡衝進來，便拉了他一把，讓他躲進屋子裡。

馬雅各在屋子裡躲風頭，和李硯聊神學、聊醫學，兩人沒有隔閡，因此相談甚歡。李硯滔滔不絕講述曆法、星辰、天干與地支，馬雅各看出了李硯的與眾不同，知道他是介於「天才和白癡」的兩極，於是就把他在愛丁堡大學裡，學到的物理基礎知識告訴李硯。沒想到李硯學得很快，求知的欲望源源不絕，馬雅各給了他一本阿基米德的書，他就在尤重行裡待了五天，等到風平浪靜後才動身去打狗的旗後街，尋求英國領事的保護。

「這麼晚了，弟弟還沒睡？」李墨見了他便問。

「我沒睡！」李硯搔搔頭：「我是在想一件事情，這事情困擾我整個晚上：這一石等於兩斛；兩斛等於十斗；十斗等於一百升；那一千合又是等於幾石？」

李墨聽他這樣說，猶如在繞口令，原本心底已經很煩了，現在又更加煩悶：「弟弟整晚沒睡，就在想這樣的『大事情』啊？」

「那當然！這可重要。」李硯自覺幽默：「哥哥不知道，原來一千合等於一石！」

李墨臉上立刻露出了困窘，心想這話裡的趣味在哪裡：「這一千合等於一石，不是理所當然的事情嗎？」

「那可正是！」李硯拿出那個銀製的十字架：「這數學與物理便是這樣：哥哥可知道這項鍊裡，多少純銀？多少雜質？」

「這個我怎麼會知道呢？」李墨無奈地說。

李硯打開房門，讓李墨看到房間裡的布局：裡頭放了一個帶鉤子的水盆，裝滿了水；一個天秤，旁邊擺了幾顆錘砣，桌上還有幾錠白銀：「西洋人有一方法，用這方法便能知金銀的純度，這種方法被稱為『浮體法』：將項鍊秤過重量後，放進水中，然後連同水一起再秤一次。最後和純度較高的白銀互做比較，便能得出項鍊的含銀是否較多，抑或較少！這西洋人煉銀的方法，可真是高超，或許我們也能來試一試！」

李墨望了一眼，還是不知道李硯葫蘆裡賣什麼藥，見了桌上那幾錠銀子便說：「不管這些了，我現在還少些費用，弟弟桌上的銀子若是沒作用，不如就給我吧！」李墨將樟腦之戰始末，以及求和的過程同李硯講了一遍，李硯對那些事情並不感興趣，單純只以為哥哥欠洋人錢，要給他錢便給他錢就是了。

李硯取出白銀，並把那個銀製十字項鍊也給了李墨：「哥哥若欠錢，這項鍊也拿去典當吧，這裡頭的含銀成分挺高的，應該可以抵償些費用。」

李墨看了銀製的十字架，想一想鎔掉後，應該可以充足一枚小錁。自己倒也不好意思，取下脖子上的黑漆木牌，心想這幾日在水仙宮上受的冤枉氣，自己或許不是個當頭家的材料：「你給我白銀項鍊，要不然我這黑漆項鍊給你保管，就算是我向你質借的，你可別弄丟了！這項鍊可都是歷代頭家的信物。」

李硯聽不出來，哥哥的話裡有弦外之音，只是傻呼呼地說：「哥哥要我保管項鍊，我便保管就是。」

「你這性格就與水仙尊王頗為神似？」李墨看了他一眼：「蠻牛的力氣、泅水的技巧，就跟寒奡大將軍一樣。寒奡能當『過邑之王』，一樣也能做個精明幹練的商人！」

「水仙尊王幹啥要當個精明幹練的商人？」李硯還是不明就裡。

李墨搖了搖頭，他邊笑邊拿了銀製十字架往自己房間而去：「傻弟弟！真是個傻弟弟！」

過幾天，一輛牛車拉著李夫人和李墨，便往北邊的方向而去。因道光皇帝之後列強侵擾，白銀大量流出國外，造成金融混亂、物價飛漲、國庫空虛。朝廷不得不增加收稅名目。進出港口的商船收關稅，市面上的鹽有鹽稅、鐵有鐵稅，但各地制度與徵法也不一致。

例如徵船稅，是依入港船隻大小而定，但船隻大小並無具體規範，是由徵稅員目視後自行決定，也就常常發生大船少徵、小船多徵的爭執；朝廷以各種名義徵稅，引起不小反彈，權衡之下「大稅」變「小稅」，朝四暮三變朝三暮四，模仿太平天國的制度，始稱「釐金」：對商家每月固定收取釐金，是「坐釐」，各地關隘和一定距離的路程收取釐金，叫「活釐」，全國各地廣設釐金局，開店有開店費、門市有門市費、過路有過路費、過橋有過橋費，官道通衢、水道運河皆不放過。最後釐金制度更是發揮得淋漓盡致，無稅不徵，諸如百貨釐、鹽釐、洋藥釐、土藥釐。

就在鐵線橋庄外，遇到了幾名把守官道，收路費釐金的士兵。鐵線橋是原本倒風內海，急水溪下游的一個河口，溪上原先有座小木橋，但因終日溪水湍急而被沖毀，後來康熙年間的諸羅知縣周鍾瑄，以鐵線加以牢固修復，進而得名為「鐵線橋」。至同治年間，倒風內海也逐漸淤積，官道上早已不見這鐵線橋的蹤跡。

一個士兵嚷著：「你要往哪而去？載哪些貨？停下牛車，要收釐金。」

李墨下了牛車：「大人，我是府城的港郊領首李墨，正與我義母要去淡水廳的擺接堡找我家舅舅。」

李墨不像李三泰那樣急公好義，也不像其他商人一般善於交際，許多人都沒見過李墨的長相，那個士兵聽他這麼一說，便嚷著：「你真的是尤重行頭家？何以證明？該不會是江洋大盜冒充了殷實的商人？」

雍正以後，朝廷官僚之氣頗盛，各道各縣官箴敗壞，標、協、營、汛，無論是將官或班兵，大多良莠也不齊，勒索之事時有所聞，特別是負責收釐金的官兵，常常巧立名目，狐假虎威成了當地的土霸王。道光之後幾年旱災水災，台灣百姓生活困頓，偷盜搶拐之事也是家常便飯，衙門防不勝防。

府城裡裡外外，到處都豎有示警碑，大東門外的「嚴禁竊砍竹城碑」，禁止民眾偷砍大東門外的竹子；「嚴禁藉端勒索大船船隻碑」，禁止船總勒索船費；「嚴禁徵收錮弊碑」，禁止胥吏藉辦理公務時收取規費；「嚴禁棍徒藉屍嚇差查勒索碑」，禁止民眾藉無主屍體恐嚇取財；「嚴禁惡丐強乞吵擾碑」，禁止乞丐不按規矩，隨意行乞；「嚴禁兵民乘危搶奪商船碑」，禁止班兵乘人之危，藉商船遇海難之時豪奪財物；「嚴禁汛兵藉端勒索縱馬害禾碑」，禁止士兵惡形惡狀，藉勢藉端勒索民眾；「嚴禁佛頭港貨物分界獨挑碑」，禁止佛頭港兩個蔡姓苦力集團，強占碼頭卸貨區域，獨攬小船挑貨業務，這兩個蔡姓集團一個稱為「大崙蔡」，一個叫做「前埔蔡」，民間有說法，兩蔡惡鬥時，是「蔡堵蔡，神主牌弄弄破」，兩蔡各成勢力，分據一方惡霸。諸如此類之事，不勝枚舉。

「我真的是尤重行的頭家！」李墨心知對方故意刁難，說得口乾舌燥：「大哥這要我說分明，可就給我出了個難題。」

「聽說尤重行世代傳承一面黑漆木牌，你若是大頭家，身上應該有那個東西！」另一個士兵嚷著。

李墨心裡一急，忘記自己已將木牌，和弟弟李硯的項鍊掉換過，伸手從脖子上拉出藏在領口裡的項鍊：「我自然有這面黑漆木牌！」

士兵一看，那並非什麼黑漆木牌，而是一個銀製十字架，一個士兵家在看西街，受到了謠言的影響，對洋教自有偏見，他歇斯底里嚷著：「好啊！原來你是洋鬼子邪教裡的宣教僧人：會吃人肉，會剜人眼珠子！你怎麼長得漢人一般模樣，難不成你會施什麼魔法妖術？把自己變成這副模樣？」

李墨這下百口莫辯，伸手拿了些碎銀子出來準備行賄，一個士兵看了那白花花的銀子，心裡頭軟了下來：「原本你打這裡進入嘉義，只要收幾個鳌金錢就可以，但我看你也非什麼善類。要嘛！將銀子全部留下，我就當什麼事情都沒發生，放你們一條生路！」

這分明就是土匪打劫。李墨頗為無奈，正要掏出身上所有銀錠，沒想到那些士兵們卻是先內訌起來：「這鬼子會使妖法，那些銀子全都是戲法變出來的，你們拿回家後就成了石頭。我們奉命守在這裡，再怎麼說也不許這鬼子過去！」

拉扯之中，一名士兵提起武器，一把就砍向了李墨，他中了一刀，頓時血流如注，倒地就死。牛車上的李夫人見狀大叫，兩個拉牛車的尤重行工人也下了車，跪地求饒，李夫人大聲嚷著：「你們要錢就拿錢去便是，怎麼不分青紅皂白就砍死人？」

另一個士兵眼見事態嚴重，拿起大刀就是一陣亂砍，李夫人還有兩個負責拉牛車的工人，全慘死在他刀下，砍完後他氣喘吁吁地說：「與其爭辯不下，不如就取捨了他的性命。一不做二不休，我們兄弟們劫了他家的元寶銀子，以後也不用在這裡把守要道，收取釐金，找個沒人知曉的地方隱姓埋名，過些快活的日子去了。管他們這幾個是港郊的商人，還是魔教的僧人，他們現在可全都到奈何橋上去報到了！」

李硯在家中等了幾天，噩耗傳回家中。李夫人與李墨一干四人的棺材推回府城時，家奴全都哀悽欲絕，李硯心裡頭不安，但不知什麼是悲傷、什麼又是痛苦，他嘴裡說著：「你們這是貓哭耗子著什麼啊！誰都得死，我這哥哥和義娘只是早些死；你們和我李硯晚些死，大家以後都要死，有什麼好哭的？」

駝子公上前說：「二少爺不要這樣說，從今以後，你就是尤重行的頭家了。說話要自重，點撥要分寸。這裡面哪些話該說，哪些話不該說，可都要句句斟酌！」

這件事情傳到三益堂裡頭，更是引起了極大的騷動。原本眾人以為李墨承諾的賠償金會石沉大海，沒想到李硯竟然派人，把一萬八千銀元送過來，還託人跟各路頭家說，剩下的二千兩將要分三年攤還，他會代哥哥還清了這筆冤枉債，三年後尤重行可就不會欠任何一個行號，或任何一個頭家一毛錢。

眾人聽了都啼笑皆非，心想傻子就是傻子，呆瓜就是呆瓜。三益堂裡林老闆代筆，跟他說明不需要他剩下的二千兩了，和洋人和談的餘款將由其他郊商補充齊全。他的哥哥打腫臉充胖子，他的弟弟卻也憨直，眾人皆笑：人若蠢呆，見他的臉就知道。

蕭老闆在公議堂內已經忍無可忍，站起身子便說：「找個人給尤重行送幾副輓聯過去，給亡者拈個香。也跟他家現在的頭家說，這三益堂裡頭事務繁忙。李硯頭家往後若有其他要公不克前來，也就不用再來了！」

李硯聽到別人這樣的回話，當真以為以後都不用去了，便準備差人送了一帖謝函過去，感謝各路頭家體恤他分身乏術，廩守基業，不用他去三益堂裡計較商務，議論政事。駝子公踱步過大廳，見李硯為了這封謝函，在那裡絞盡腦汁，洋洋灑灑寫了好幾張白紙，僅剩的右眼珠子差點掉出來，搖搖頭喃喃自語說：「三泰公造了什麼孽？會收這樣的人當螟蛉子！」

英軍收了三郊的賠償金後，果然退兵。但三益堂卻已不見以往威風，永順行林老闆想當然耳，當上了新的霸主，他知道那個霸主之證：「紅珊瑚」還在尤重行手上，上次李墨迎回自家後，就沒拿回來三益堂裡頭擱著，這公家的東西變成私家，自己可也沒老臉去要這東西，畢竟尤重行糊裡糊塗，就籌了一萬八千銀元充作賠償金。李墨態度一開始雖然是搖搖擺擺，這退敵的大事若認真說起來，尤重行還是出了相當大的心力，現在若取回紅珊瑚，會讓人感覺到三益堂為人做事太過刻薄。沒想到幾天後，李硯派人將紅珊瑚送還三益堂，林老闆見紅珊瑚完璧歸趙，笑得闔不攏嘴。

李硯淡出三益堂後，專心地做他尤重行的頭家，原本眾人都不看好。但他憑著對數字的敏銳度，守著帳房的那本冊子，每天過目進貨出貨紀錄，帳房裡頭負責核實的銀師們，都不敢偷雞摸狗、苟且造假。於是帳冊愈發精實準確，帳目也無半點虛假。

就這樣過了賣掉吉利行糕餅鋪子的頭一年，整體算計下來，尤重行竟然還有盈餘。對數字愈來愈有興趣的李硯，又知道了「錢莊」與「銀號」這樣的行業，便在府城竹仔街上開了一家「元寶錢莊」，做鑄幣與度量衡的工作；第二年又在統領巷外開了「寶鈔銀號」，專做信貸、儲蓄與質借生意，李硯憑著對數字的敏感，進而大發利市、日進斗金。隨著規模變大，寶鈔銀號和元寶錢莊分號愈來愈多，到了往後幾年，北至淡水、新竹，中到彰化鹿港、笨港、斗六門、嘉義、旗後、鳳山等地，皆有這兩店的分號，兩店分號合計達到二十餘處。

鑄幣流通的制度，自先秦時代以前就已經存在，商周初期用貝殼，之後出現了青銅仿製的「銅貝」，隨著時代發展，齊燕趙等國有「刀幣」；三晉兩周有「布幣」。秦朝統一後，變成了「秦半兩」，到了漢代又有三銖、五銖，漢武帝第六次改革後，定下了「漢五銖」的規矩，三官五銖的錢幣，和重量有了連結，「錢」與「兩」成了重量與貨幣單位。

稍後至唐代「開元通寶」，鑄幣成了各朝代的習慣。再進到了元明兩代，商業大興，國際貿易日遽，白銀大量流入中國，又出現了「寶鈔」和「元寶」；寶鈔又稱「大明通行寶鈔」，是紙鈔形態；「元寶」則為白銀鑄造的錢幣，上承唐代「開元通寶」，元代時改流通銀錠，因此將銀錠視為「元朝之寶」，而眾人簡稱為「元寶」。在清代規定，元寶為五十兩足重銀錠，且外觀為兩邊翹高的船形；元寶底下又分中錠，俗稱小元寶，乃為錘形或馬蹄形，約十兩；第三種是小錁，有五兩、三兩、二兩不等，為小饅頭狀。其他日常生活雜用，就是不足一兩的「碎銀子」，官方除了戶部寶泉局，和工部的寶源局可以製幣外，地方的常關、鹽道、海關、釐金局也可自行鑄幣，甚至私人的銀號、錢莊亦可私造。

李硯從洋人那裡學習了西班牙銀元的鑄幣法，將這樣的技術導入「元寶錢莊」中，所鑄之小元寶銀錠純度極高，元寶底部的氣泡較少，成色又足，一入市場便被眾人稱為「海龍王元寶」，李硯又訂了規矩，這海龍王元寶側面正中央，上寫「元寶錢莊」四個楷體字，兩翼寫著「日進千貫金」、「月入萬兩銀」，背面又提以懸針篆刻「師承秦半兩」、「學規漢五銖」十字，元寶底下以工整隸書體，寫著鑄師姓名與製造年分等。就因海龍王元寶工藝技巧極高，信用頗佳，很快就在台灣流行開來，被人拿來當作餽贈物或保值物收藏。

另外，李硯也仿造「大清寶鈔」的樣式，發行儲蓄兌票，功能就是交子飛錢，很快又被府城百姓稱為「海龍王寶鈔」，寶鈔規格，全都依據易經裡「用九」和「用六」規定長寬，鈔長九寸、鈔寬六寸，字面寫「寶鈔銀號擔保」，兩邊寫「信商誠賈」和「童叟無欺」，寶鈔銀票每張面額又分一百兩、五十兩、十兩和五兩，另外也有錢票，可換咸豐通寶或同治通寶。凡是各地商人，便能將元寶銀錠或通寶存在「寶鈔銀號」裡，又能在其他分行提領為銀兩和錢幣。

鑄銀造幣的事業成功後，李硯也發現大江南北的度量衡單位不同。市場上雖多用十六金星秤，此秤上承至秦始皇，商界內有一句行話：所謂短人一兩無福，短人二兩少祿，短人三兩折壽。

雖眾人皆知信用重要，「秤器」在市場上到處都有，但「標準器」卻非常混亂，也造成錢莊匯兌上的困擾：這市面上徵收租稅有庫平，上海江蘇有漕平、港口的海關又有關平，其他尚有公砝平、公估平、司馬平等。每個秤器用不同的秤砣，每個秤砣也不一定標準。於是李硯便叫人統一了度量衡裡的標準器，造了幾個花崗石做的秤砣，引述「銅駝陌上會相見，握手一笑三千年」裡的「銅駝陌」，始叫這花崗秤砣為「大公駝」。

秤砣以「司馬秤」為基礎，每個秤砣重達三百斤，相當於英國人的四百磅，也接近法國人萬國公制裡的一百八十斤。每個大公駝都會刻上「港郊」二字，字寬字高和字深，全都整齊劃一，大公駝正面填上標稱的重量數，每個秤砣彼此誤差不超過兩錢。

除了大公駝外，還有單位不等的小公駝，羅列開來放在兩個錢莊中，蔚為壯觀。這些東西相當於近代的砝碼，重量的準確度，都是經過李硯自己反覆確認，一絲不苟、剛正不阿，因此被眾人稱為「港郊之駝」。每天都有工人負責確認公駝的精度，凡是外觀損傷或有裂痕，這個秤砣便捨棄不用。

因此無論是市集裡的秤米、秤糖、秤肉，還是店家需要挑石、挑水、挑木，凡是市場上的各種交易，大家便會想到至錢莊裡質借公駝一用，好求個彼此安心。錢莊從一開始租賃公駝，僅收個幾錢幾釐，到了現在每天從立過契書的行號上做保證的依據，便能回收個百金千金，尤重行的影響力，早已不能同日而語。

錢莊裡幫忙打理秤重事務的夥計，便被叫為「小司馬」。小司馬精通各國重量，和各種單位換算機制，就因港郊之駝極富盛名，最後連洋人也不得不甘拜下風，拜託元寶錢莊和寶鈔銀號，協助打理買賣物產與貨物秤重事宜。很快的，尤重行就將樟腦之戰所賠償的一萬八千銀元，賺了絕大部分回來。

李硯看了黑漆木牌上的「港郊之駝，尤為公重。信商誠實、童叟無欺。墨守既失、鼎新輒利。」二十四個字，這天心血來潮，他便叫人將這些字寫在錢莊和銀號的大牆壁上。

眾人一見，都說李硯深記祖訓，但他卻反過來說：只覺錢莊的牆壁太過空虛，想寫些東西填飾牆面而已。眾人聽到後，不禁莞爾：「這癡人說夢話，傻人有傻福啊！」

這一日林老闆求見，駝子公敞開了宅門，讓林老闆進到屋裡。林老闆劈頭就問：「不知我那個傻賢姪近日可好？」

「多謝林老闆關心，我們頭家最近身體康健安泰，無病無痛，無憂無慮，過著神仙般的生活！」駝子公說起話來似乎話中有話，似譏似諷。

「這賢姪經營事業的功夫，與我們這些常人，大大的不同啊！他當個兒現在人於何處？我要親自給他恭喜一下。尤重行府城裡這兩間錢莊銀號，可出盡了鋒頭！」林老闆說著：「還請駝子家長帶路。」

駝子公原本無意帶路，心不甘情不願地，帶著林老闆來到屋子的後花園。彎過長廊，就見到李硯已脫去了上衣，打著赤膊，辮子盤在頭頂上嚷著：「該妳了，妳說妳要扮楊貴妃，要來個雲想衣裳花想容，春風拂檻露華濃。妳這貴妃見過唐玄宗後，就要跳個『霓裳羽衣舞』，怎麼妳說不跳就不跳？」

「相公這樣說，不是在占娘子我的便宜嗎？相公說只要娘子扮楊貴妃，你就要扮高力士：相公不扮那個閹掉的豎人，怎麼要我先扮楊貴妃？看我不拿幾個妃子笑，就範你腌軟的札八？」那個假扮楊貴妃的青樓女子又笑又嗔，鶯聲燕語，說有多下流就有多下流。

花園裡幾個青樓女子，拿著紗巾，把長髮盤成髻，粗略地裝扮成唐代的仕女模樣：各個鶯鶯燕燕，巧笑倩兮，美目盼兮。老鴇叫了一聲，裡面帶頭的頭牌倡優轉過身來，一下子就楊貴妃上身，走入木造的涼亭裡，招呼了樂師，準備跳舞。

涼亭一旁坐了三個高鼻子外國樂師，演奏中亞音樂，一人執烏德琴，一人吹嗩吶、另一人打薩滿鼓與魚皮彈指鼓，全部演奏出來，聽起來就像是亞塞拜然，或是土耳其的樂曲。曲罷後舞孃退下後，眾人拱李硯上場。

「這個好玩，那我不當宦官了！」李硯站直身子：「當閹人有什麼好玩的，又不會跳舞。讓我來演安祿山大將軍，我就來跳一支胡旋舞！」李硯露出孩子般幼稚的表情，轉著身子，露出肚皮，他拍了拍手，樂師又彈出另一個曲目，他隨著音樂跳舞，姿態豪邁奔放，雄渾威武，跳起舞來就像是遠古時代的突厥人。

舞罷，老鴇拱著他再跳一曲，李硯不肯，他走到柿子樹下，底頭放了兩個大公駝，「港郊之駝」每個重達三百斤。他深呼吸下馬步，在場的男男女女見了他的姿態，都已知道他要做些什麼，便驚聲尖叫，四散逃了起來。他蹲好姿態，站穩步伐，先側轉了一圈，換個方向又轉了半圈。他伸出兩手，手掌攤開向下，左右手各抓一只公駝，就像是手搖鼓般左右晃動著，倏地鬆手，一個公駝飛到涼亭旁，擊塌了黏土矮牆；另一個公駝則飛入魚池，就像洋人的加農大砲一般，威力無比，激起了兩個人高的大水花。

在後園子裡笑聲尖叫聲此起彼落，林老闆撇過頭去跟駝子公說：「他當真是個蠢驢蛋，這樣的白癡竟然也能賺大錢？這真是聞所未聞。他這般酒池肉林、驕奢淫逸，你當尤重行家長的，也不管他一管？」

「不瞞林老闆說，老朽真的無能為力！」駝子公嘆了一口氣。

林老闆氣到快說不出話來：「枉然！枉然啊！國之將興，必有禎祥；國之將亡，必有妖孽。」

李硯的荒誕不羈，完全無法掩蓋他在事業經營上的才華。他用易經卜算過後，開始買入大量的茶葉，沒想到英國人繼樟腦之後，開始鎖定「糖」與「茶葉」，進行大量收購。尤重行原本就是產糖的商行，加上茶葉的投資，很快就讓尤重行坐回府城最大商號位置。

港郊諸商仍奉尤重行為郊首，李硯許久未進水仙宮拜水仙尊王，三益堂也已歷三年沒去過，水官解厄日更是年年不出席，但他的成就與光芒，沒人能抹滅。雖不出席任何活動，港郊竟也沒人敢除卻他、罷黜他，隨隨便便、糊裡糊塗地，就又被港郊眾商推舉為水仙宮董事。

其他兩郊商人見了咬牙切齒，不甘心也不服氣。但話說要把尤重行除名，人人都是吭哧老半天，面有難色，畢竟現在尤重行的光芒更勝三益堂，把他逐出了家門，以後更難辦理事情。

同治六年，先有「羅發號事件」，花旗國（美國舊稱）人遭龜仔角社人殺害。四年後，琉球船隻在八瑤灣遇到風浪，溺死三人，六十六人登陸。同樣遭台灣高士佛社人殺害，十二人逃了出來，在當地漢人協助下，抵達府城，輾轉福州，再回琉球。日本假藉此事，決定出兵台灣，引起國際注目，史稱「牡丹社事件」。

清廷派林則徐的女婿沈葆楨來台當欽差，上任之後立刻購置甲船和水雷，調用官將。沈葆楨來台坐鎮安平，在二鯤鯓設立砲台。清廷聘請了法國工程師協助規畫，外有壕溝，內城為方，四角凸出，中央凹陷。城四角擺列大砲，以利遠攻；內凹陷處配置洋槍陣，以防敵人近撲。

三郊眾商又被動員，將之前被英國人炸毀的熱蘭遮城殘遺，分出可用的石材與磚頭，載至二鯤鯓做為新砲台的建築材料。最後新砲台城高一丈，城厚兩丈；壕溝十尺，裡頭配置五門英國阿姆斯壯大砲，其他三面各安二十磅及四十磅的小砲，沈葆楨親書「億載金城」與「萬流砥柱」八個字，安在正門與內額處，終日派兵三百人在此駐守。

日軍出兵恆春後遭瘴癘之氣所苦，損兵折將慘重；清廷也擔心海防空虛、新疆回亂未平，不願和日本正面起衝突，於是雙方訂了《北京專約》，清廷賠了五十萬兩，日軍撤出台灣。光緒元年，沈葆楨改革了行政區，大甲溪以北增設了台北府，枋京街以南設恆春縣、中部設埔里社廳、中央山脈東側設卑南廳。三年後，丁日昌敷設府城到旗後的陸上纜線，台灣第一次有了電報，文明的巨輪從來未曾停歇，它讓歷史順著這個軌跡持續前進，永不停留。

安平有了英國人的德記洋行，又有德國人的東興洋行，國際貿易更加繁重。糖與茶葉出口量大增，船務事業蒸蒸日上。李硯和外國人有了商務往來，接觸也就較為親暱，三郊其他商人看在眼裡，一邊是忌妒，一邊又不屑。

李硯醉心在天文上，觀察了「紫微星辰」，時而與伎館女子為伍，專研禦女之術。他的個性愈是荒誕離譜，事業就愈成功，連外國人都知道府城有個奇怪的海龍王，人稱傻子李老闆，很有賺錢的頭腦。李硯外表看來雖然癡癡傻傻，但他腦子裡某些部分可是絕頂聰明：除了數學、天文和曆法外，他學語言的速度也是相當驚人，不出幾年，他便能用簡單的英語和德語，和洋人們溝通。這也使他結交了不少外國朋友。

這日，李硯受邀到英國商人陶伍德家中作客。陶伍德天生就是樂觀、開朗的商人，他在府城待了好幾年，底下有幾個漢人買辦。雖然身在遠東，但他總關心家鄉事務，光緒三年，遙遠的英國家鄉，由「全英草地網球和門球俱樂部」主辦的溫布頓網球賽正式開打。往後幾年，陶伍德也來個依樣畫葫蘆，要求買辦、通譯們換上西式衣褲，然後在他安平洋房的後花園裡，和其他商人們切磋網球技藝。

李硯穿著西式的衣褲，露出結實的臂膀，一條辮子垂落在背上，拿起木製的網球拍，赤腳便在草地網球場上奔跑，陶伍德看出了李硯有過人的爆發力與靈敏度。

「李老闆真是個武狀元，打起球來臉不紅氣不喘！溫菲爾德少校若見到你的模樣，一定會改變遊戲規則。」陶伍德叫傭人倒來法國的葡萄酒，拿起酒杯，對正在球場上廝殺的李硯致意。

李硯跑過球場底線，翻了個大跟斗，竟然救到了殺過來的球。

「哎呀！」陶伍德見了這驚心動魄的畫面，忍不住拍手叫好：「這盤又是李老闆贏！」

跟他對打的德記洋行經理，垂下頭來猛摔了木球拍一把，氣沖沖往旁邊的餐台而來。傭人遞上葡萄酒，經理用手一揮，把酒杯撥開，頓時在地上摔得粉碎。

「紳士是不會這樣做的！」陶伍德輕輕地說著。

德記洋行的經理似乎沒聽見似的，自顧自地走開了。李硯退下了球場，其他人接替他們上場打球，陶伍德看了一眼李硯：「李老闆神乎其技，我帶你到我房間裡看一些好東西！」

李硯神采奕奕，伸手從女傭人那裡，拿了一瓶葡萄酒，大口牛飲起來。陶伍德哈哈大笑，順著屋前的石板路，李硯邊喝著酒，邊跟著陶伍德進了屋子裡。

洋房中有一面牆，牆上掛了許多槍枝。李硯頓時睜大了眼睛，垂下拿酒瓶的手。陶伍德說著：「我的曾祖父參加英軍遠征花旗國的獨立戰爭，最後死於弗吉尼亞。他有一把佛格森式來福槍，遺留給了我父親。」

李硯知道花旗國，見過他們的船艦，也瞧過他們的國旗：十三條紅線，前面一個四方形的藍色區域上，有三十八顆白色的星星。也有人稱花旗國為「美利堅國」。

陶伍德繼續說：「十多年前我和我的父親自不列顛出發，要來這個東方世界經商，我的父親最後卻因熱病，死在檳城航往麻六甲的大海之上。眾人灑了些蘭姆酒，幾個海員們吹著風笛，眾人高唱牧師約翰牛頓所寫的〈奇異恩典〉，簡單而隆重地將他海葬在茫茫的大海中。父親死後，我到臥艙內收拾父親的遺物，赫然發現這把佛格森式來福槍，自那個時候，我便帶著這把槍走遍全世界。」

李硯又看了看陶伍德其他收藏，陶伍德安平的家，就像大英博物館一樣：櫥櫃上的唐風羅漢俑、印度濕婆面具、新英格蘭的馴鹿頭標本。一張畫著蘇伊士運河的地圖掛在牆上，下方擱著一個阿努比斯的木雕，旁邊擺著三頭地獄犬刻耳帕洛斯。

李硯好奇地看了一看那個地獄犬的模樣：「那是什麼？」

「刻耳帕洛斯！」陶伍德拿起兩個酒杯，收走了李硯手上的葡萄酒瓶。他倒了一點蘭姆酒，遞給李硯一杯，陶伍德輕啜了手上那一杯：「古希臘神話裡的『地獄守護犬』。另外這個胡狼頭人身的是埃及的守墓神『阿努比斯』。」

陶伍德說：「你們漢人的〈大荒南經〉也曾提過相同的生物，長相三頭相併，是一隻青獸。只不過我不知道，祂是不是你們地獄的守護者？」

「我的父親要來東方當商人前，曾在蘇伊士運河公司擔任過顧問，那時他在埃及遇到了強盜，就是用家傳的佛格森式來福槍救了自己，也救了與他同行的博物學家。這個木雕的阿努比斯，就是當時與他同行的博物學家送給他的。」陶伍德喝完了自己手上的那杯蘭姆酒：「找個時候，我教李老闆射擊。我們再一同至山上打獵。」

李硯看了那把槍，滿心期待。陶伍德想到了一件事：「聽說李老闆醉心於一個禦女嗜好，我有個稀奇古怪的東西，就送給李老闆當作禮物！」

陶伍德拿出放在櫥櫃裡，一個摺得好好的東西。李硯打開一看是羊皮縫成的裸婦人形娃娃。肌膚雪白，頂戴金絲假髮，李硯一見這稀奇古怪的東西，便大聲叫好。早在同治年間，直隸臨城縣學訓導夏燮，所著的《中西紀事》一書中便提到：「洋人能製物為裸婦人，肌膚骸骨耳目齒舌，陰竅無一不具，初摺疊如衣物，以氣吹之，則柔軟溫暖如美人，可擁以交接如人道，其巧而喪心如此。」

至此，李硯的事業飛上了青天。大街小巷都在議說，肯定是李老闆在家更發齷齪，才使得事業威若猛虎出柙。

晨光從玉山那一頭透露出來，李硯手上握好陶伍德借給他的佛格森式來福槍，那種槍是後膛填彈，早先被英軍用於美國獨立戰爭之上。李硯畏縮著身子，躲在林投與黃槿交雜的四草樹林裡。這個潮間帶樹林之中，埋伏了許多獵手，他們各持槍械。洋人用好槍，漢人則土洋參雜、新舊並陳，雖不算壞，但也稱不上好，漢人與洋人各自分組，兩兩成對在紅樹林間競賽，享受英式的打獵時光。

可能再沒有人像李硯這個漢人這般好運，能得到這樣一支最先進的英製來福槍，這支來福槍有漂亮的螺旋膛線，胡桃木的槍托把柄之上，還刻著一枚鳶尾花形的十字架。李硯不喜歡和別人一組，原來和他同隊的德記洋行買辦，在進入紅樹林前，早就和他分散了。

李硯所持的來福槍有了來福線的導引，更加穩定了槍枝擊發子彈後的準確度。對李硯而言，一個專業的獵人，就是需要這樣一把好槍，他抬望眼，看著初升起的太陽，心底想著：或許后羿就是得到了天帝賞賜給他的那把朱弓，才能射下九個太陽的吧！他也有心試上這麼一試。

他端正好槍枝，把槍搭上了肩膀，眼睛視線與槍管成一直線，準心對正了林投樹梢間的浮雲翳日，正要扣下扳機，忽然碰地一聲，天上落下了一個東西，是一隻鷸鳥。那隻鳥掉到泥水窪地裡，飛濺出窪地中的泥水與土漿，那些泥水土漿，一部分潑在李硯的衣服上，幾個泥點子濺在他的臉頰上，他嚇了一跳，他先壓低了身子，接著整個人蹲到地上。

原來是其他獵手開了槍，打中了那隻鳥，李硯不甘心：「好啊！讓你們瞧一瞧什麼叫百步穿楊。」

防風林裡響起了某種暗號似的口哨聲，連續而不絕斷的一個長哨音，細細地、尖尖地，像山魈的叫聲。哨音中止之後，樹林裡又傳出幾聲槍響，天上又掉下來兩隻高腳鴴，這個哨音是獵人們的信號。

接著短促的口哨聲又響起，那聲音像被青竹絲偷吃了卵蛋的喜鵲的哀鳴，李硯知道，獵人們更靠近了。他左手食指摳探著槍管內的膛線，他把鼻子輕輕地靠近槍口，聞著那裡頭終日擊發之後，存在於槍管底裡的硝磺味。他閉上雙眼，極其奢想而滿足地體認那種烈火煙硝之後的餘韻，一種絕對致命、絕對殘酷的殺機，一股文明卻又野蠻的香水味。他倒臥在泥水地上一會兒，想了一想，心底覺得不妥，一會兒又像虎紋貓一樣曲躬著身子、聳起背肩、像瑜伽般疊坐雙腳，全身蜷曲在兩棵林投樹的中間。那種難度頗高的躲藏姿勢，就像是一隻試圖把自己完全縮入花殼之中的寄居蟹。

碰地一聲，李硯從林投樹上，朝林子裡行走過來的兩個獵人開了一槍，其中一人便是陶伍德。他們兩人嚇了一跳，陶伍德以為自己中彈，摸了摸身子，發現一切安好如初。

李硯從樹上跳下來，眾人又驚又氣，陶伍德氣到臉色發紅，嘴唇發紫，他大聲嚷著：「獵人不會在狩獵時開玩笑！」

「我可沒有開玩笑！」李硯帶大家走到幾棵黃槿樹外，大家看見了一條蛇，牠的蛇皮與泥地顏色相當，不容易被發現，那是一條鉛色水蛇的屍體，這隻蛇的蛇頭中了子彈，李硯說著：「我這不是打到東西了嗎？」

陶伍德驚訝不已，從那棵林投樹到水蛇這裡，至少一百碼，子彈穿過他們身邊，飛越遮蔽物頗多的樹林，還打中顏色與泥地相當的水蛇，果真不是常人所能，陶伍德驚訝得嘴巴差點說不出話來。

在陶伍德眼中，李硯是個充滿好奇心、又有過人體力的東方人。陶伍德特別教授李硯射擊的技巧，兩人就像是朋友，感情也似兄弟。夏季兩人在內新豐里山上狩獵；冬季就在四草溼地，以陶盤飛靶進行練習。李硯對於這種西方用來殺人的武器，感到熱中，甚至趨近瘋狂崇拜的地步，這也使他的射擊技術愈發精進，乃至無人能敵。

光緒十年，清法戰爭開打。滬尾油車口庄後方的山丘上，清軍正準備裝置三門克魯伯洋砲，二十餘艘平底民船，載滿了奇萊平原運來的花崗碎石、蓋台北城時北勢湖打石場內，所剩下的金面山的山石，和一部分唭哩岸石，緩緩地駛向淡水河的中央，淡水河的水面波光粼粼，海風順著河口緩緩吹來，中秋將至，但卻讓人感覺不到任何一絲涼意。

導引的小船撤離後，岸邊指揮的士兵手裡，高高地舉起一面方方正正的小黑旗，猛然一揮下，水雷營依序爆破橫列在河中央的載石民船，頓時船身與碎石四落、白鷺與水鴨齊飛。清軍想利用這些碎石雜物，堵塞淡水河口，用以阻絕敵船深入河港的咽喉，直取台北城。

淡水河繞過五虎崗，形成一塊平坦的沖積扇，沖積扇在出海口北側的地方，露出一塊明顯開闊處，滬尾娘娘信眾在淡水河口集資，設置了一座號稱「海港燈樓」的望高樓。望高樓頂上祭祀著娘娘聖像，每天晚上，就由福佑宮的廟祝負責點上花生油明燈，濃濃的黑煙順勢飄散，外國船隻見這燈塔冒出的黑煙，都暱稱這裡是滬尾的「黑燈塔」。

為了避免遭到轟炸，已經連續十五個夜晚，黑燈塔都沒有點上明燈了，儘管在大白晝底下望高樓仍顯得絕傲獨立，但秋風一吹，戰雲密布的氛圍，徒增望高樓坐困。燈塔正前方，有著幾個穿著綠營軍服精兵蹲坐在那裡，他們先後在淡水河裡投了十顆水雷，接好開關後，將電纜線一路拉到那個沙灘地上，水雷匠再三調整引信與線路，確認無誤後，就快步躲到林投樹叢之中，像是獵人精心設計一個陷阱，等著不要命的獵物們上鉤。他們伏臥在眾多林投樹氣根圍繞的沙地之上，身上披著五節芒編織的偽裝衣，這裡就是清軍的第二道防線，而他們正是負責遙控水雷爆破的水雷兵。

收到英國領事館的通知，昨夜大批英國人集結到滬尾的德記洋行上，鴉片、珠寶、頂級茶葉全由漢人買辦協助自大稻埕搬運過來，英國的偵查船金龜子號，在淡水河口的外海轉了個彎，眼見無法穿越法蘭西船艦的封鎖線靠近滬尾，只好掉頭往南方駛去。

法蘭西船艦的這一封鎖，讓滬尾地區上的英國商人各個臉色凝重，全攏聚在英國領事館前，許多人翹首盼望來自香港轉運的水運郵遞，無論是寄自遙遠不列顛家書、發自淡馬錫的商務信函，還是先轉運到英屬印度，再進入遠東地區的《泰晤士報》、《每日電訊報》，全都原封不動載回香港去。

洋人出逃台北城的消息很快就傳遍艋舺一帶，這可急壞了台北城內的許多大商賈，他們得知基隆已經被占領，清軍退守獅球嶺砲台，便開始劫教堂，燒洋舍。龍山寺的三邑商人，在太陽還沒下山之時，就派幾名郊行夥計輪流守候在台北府衙門前，幾個時辰之後就有人發現，劉大老爺帶了千餘名士兵，準備連夜護送金銀財寶要往新竹地區逃，隊伍才步出台北府署沒多遠，轉了個彎，繞過登瀛書院、考棚，途經艋舺，就被泉州三邑商人們號召的人群層層包圍。

眾人都以為欽差大老爺要夾著尾巴逃走，人龍一圈又一圈，緊緊扣住劉銘傳的隊伍，幾個情緒較為高漲的頭家，指揮著那些底下生性如鬥雞般模樣的店夥，交雜圍觀看戲的好事者吆喝聲、地痞無賴們的怒罵聲，一陣推擠之後，眾人推倒了儀仗隊伍裡的鑼鼓護壯，扒開轎子的錦色垂簾，硬生生自官轎裡，將欽差大人劉銘傳拉出轎外毆打。大家踩爛了他的翎帽、扯斷了他的朝珠，最後將他監禁在龍山寺內。劉銘傳摀著臉上的瘀青，急忙在觀世音菩薩神像面前向艋舺商人們發誓，會死守台北城內不會逃跑，才獲得眾人的釋放。

昨天英國領事館就給清軍透露消息，說法蘭西人準備砲轟滬尾地區，於是一大早油車口後方山腰上，才剛裝好的新砲台，砲口全對向北方海面而來。漳州總兵孫開華穿著輕便的軍裝，無視海面上法船零星的砲聲，和幾個幕僚在滬尾官邸外的菩提樹下，悠閒地吃著西洋式的早餐，喝著法蘭西的黑皮諾香檳酒。

孫總兵可沒有將軍百戰死、壯士十年歸的雍容氣度，餐桌底下裡還藏著一瓶，輾轉來自越南的人頭馬牌干邑白蘭地。

他端起銀製的刀叉，亮閃閃的三叉子，讓他想起《西遊記》裡豬悟能的齒釘耙，他小心翼翼地用銀刀切著培根肉，嘴裡嘟囔囔地插起那肥滋滋的早餐，正要送進口中。一枚砲彈倏然飛過眾人頭頂，在馬偕開設的醫生館附近爆炸，震得旁邊的小教堂石膏天花板崩落，木刻的基督受難像蒙上了灰塵。孫總兵還是泰然自若地把培根送進嘴裡，安心地吃著早餐。到了巳時，孫總兵發現法國人可能登陸滬尾，立刻帶了民壯、民勇，敢死先鋒等三千餘人埋伏在樹林間。法軍利士比總指揮，率領「雷諾堡號」的五個陸戰隊連從沙崙缺口登陸，雙方在樹林間形成遭遇戰。清軍人數較多，且戰鬥時井然有序，至未時，已經殺死了法國的旗兵，擊斃了幾名隊長，法國人潰不成軍，死傷慘重，清軍最後守住了北台灣，史稱「滬尾之役」。

另一方面，台南府城內也是人心惶惶，台灣兵備道劉璈駐守府城。在滬尾「西仔反」戰役之後，法軍敗北，稍後，孤拔改強攻澎湖，打下媽宮港，法蘭西人改採封鎖台灣島的戰略，北至台北府宜蘭縣的烏石鼻，南至台灣府恆春縣的南岬，全都被法軍封鎖，自中秋之後，已經沒有人敢再出洋。

台南城內異常安靜，這天一大早，李硯沒發現駝子公的身影，這才想起來，似乎已經好久沒見到他了，忽然見到家丁阿福正好穿過門前，李硯叫住了他：「怎麼這一陣子都沒見到駝子公？」

「頭家您忘記了，駝子公在三個月前，留了一封辭書，告老還鄉去了！」阿福說不出口，其實駝子公早就看不慣李硯的行為，與其在這裡與他同甘墮落，倒不如回家鄉種菜去：「頭家您瞧，那封辭信還在桌上呢！」

李硯看了一眼桌子，果然見到那封信，三個月來都原封不動地擺在那裡，裡頭洋洋灑灑，規勸李硯改正失當處，駝子公老驥伏櫪，原本打算利用這封信給頭家當頭棒喝，沒想到李硯只看了一眼信封，信也沒拆開便對阿福說：「走就走了，這也是沒辦法的事情，這辭信你就拿去文昌閣外的敬字亭燒了吧！」

阿福表情一變：「頭家真的不看一下書信內容？」

「這內容有啥好看的？他要走就走，我留他也無處用。等一下把我的獵槍拿來，這外頭春燕飛來飛去，吵得我心頭亂紛紛，一夜不成眠。」李硯喝了一口濃茶，便坐在大廳上。

阿福轉過身子，嘴巴嘀咕，發了幾句沒出聲音的髒話，心裡想著：頭家果然如大家所說的，是個爛貨胚子。

劉璈大人與師爺穿著便裝，乘著兩頂抬轎，從鎮北坊一路巡視過來，進到西定坊便見到天上有許多飛燕，劉大人嘴裡說著：「這些燕子該不會是要指示我們一些事情？古有諺：池中之魚，堂上之燕，這法國打越南，結果波及台灣，可也始料未及。」

「群燕飛舞，是要順應天理，我想不出數日，我軍就能凱旋而勝。」師爺安慰著大人：「滬尾、暖暖、月眉山皆大捷，只剩澎湖媽宮，勝利已經不遠了。」

「希望如此！」劉大人笑了一下，但心中仍悶悶不樂：「但姚瑩大人的殷鑑不遠矣。」

轎子到了尤重行宅子外，劉大人忽然聽到一聲槍響，猛然抬起頭一看，就見到天上的燕子被打下來，接下來一槍一燕子，合計五連發，幾乎彈無虛射，五發五中。

「這是誰在這兒練槍？」劉大人問了師爺。

「回大人的話，這是港郊尤重行李老闆的公館，人稱『海龍王』，對西洋的槍術頗有研究，他跟安平的英國洋行有往來，跟洋人的交情不錯。」師爺把李硯的來歷說了一遍。

劉大人聽得津津有味，說道：「難不成他也知道西洋的武器，知道兵法戰術？」

「這個我就不知道了！」師爺揮了揮手，抬轎放下：「大人要不跟李老闆招呼一聲！」

「也好，我要親自問一問他，看他知道不知道如何趕走法國人？」劉大人也下了轎子，兩人一同走向大宅子門前。

家丁阿福帶了劉大人與師爺到了後院，果然見到李硯在試槍，地上滿滿的燕屍，看來既壯觀又恐怖。

「李老闆！」劉大人喊了一聲。

李硯放下槍枝，轉過頭就見到劉璈：「你是誰？」

「無禮！他是台灣兵備道的劉璈大人！」師爺怒斥。

「沒關係，這李老闆不擅交際酬酢，沒見過我，當然不認識我。」劉大人說：「李老闆知道槍術，想必也懂一些兵術，剛剛外頭見你在這裡頭射燕子，一時好奇便進來拜訪你了！」

「這火槍一發一個，燕子何時打得完啊？」李硯天真地說：「若是有一門大砲擱在這裡，何須在此飛土逐肉？」

劉大人一聽此話，感覺他意在言外，並不知道李硯本來就是個傻瓜，他根本沒想那麼多：「李老闆果然憂國憂時，知道這時局動盪！剛剛聽您說大砲二字，不知先生知不知道砲術？」

李硯聽到「大砲」兩字，眼睛睜得大：「你說火砲啊，當然知道……」李硯滔滔不絕講著各種火砲特性。

劉大人聽得非常滿意：「我想李老闆就陪我到億載金城一趟，我就讓李老闆見識一下我軍火砲的威力。」

李硯一聽，拍手叫好。眾人來到億載金城，李硯站上土堤，借了劉大人的望遠鏡，拿起來一看，果然見到安平外洋停了一艘法國的鐵甲戰船「馬賽號」，法國人知道億載金城砲台的射程，故意躲到射程外，這僵局已經持續了一個多月，眾人早已受不了。李硯看了土堤上的風旗，風旗顯示現在吹微弱的北風，李硯內心像小孩子般雀躍，高聲說道：「要不請砲兵聽我的指揮，我就打出三砲，逼那些法國人就範！」

台灣鎮總兵嚷著：「這法船在射程外，哪打得到法船？」

李硯笑了一聲：「我就與你賭，這三砲絕對是驚心動魄，保證打得中法國船。明日法軍便會再撤個五十浬。」

「賭什麼？」台灣鎮總兵問。

「就賭我家全部產業，跟你項上人頭！」李硯說著。

總兵不堪譏諷，大聲怒斥：「好，就賭這個，若是李老闆打得中法艦，我立刻提刀自刎。」

劉大人本要安撫總兵的情緒，沒想到李硯已到砲陣後方，交代士兵們調整砲台角度，李硯拿出一個沙漏，擺在兩門阿姆斯壯大砲中間，要他們依時間發射。劉大人叫人搬來幾張椅子，眾人坐在夯土的操場內看這場好戲。

到了午時，李硯站上高台，舉起紅旗，第一砲發射。砲彈飛過海面，筆直朝法艦「馬賽號」飛來，船上官兵見了大笑，猜想這砲彈一定會半途掉入水中，正當大家輕敵時，沒想到砲彈壓了下去，在水面上低飛，緊接著碰到水面，又飛彈了上來，就像是孩童打水漂一樣，砲彈又多飛了數十浬，最後擊中法艦船首，炸出一個破洞，船上官兵驚聲尖叫，大家轉過砲台，準備回擊，不一會兒，法艦回射一砲。億載金城上也射了兩砲過來，清軍第二砲和法軍的砲彈在空中正面對撞，砲炸產生了巨大的震波，嚇得法船上的士兵退了幾步，這回清軍的第三發砲彈又飛了過來，在法軍填彈時，已經快速飛向「馬賽號」右舷，法船上的指揮將軍用法語大叫：「快發射，快發射，他們會打中我們！快發射砲彈，把那枚飛砲打下來。」

「馬賽號」上砲彈立刻射了出來，朝那砲彈打去。清軍的第三砲是個啞彈，只有鐵殼，因此飛得特別遠，兩砲相擦，鐵殼彈輕飄飄地，掉到海中，但法軍的砲彈卻被這偏角的空彈，擊中側邊反彈回去，落在馬賽號甲板上爆炸。

馬賽號雖未沉沒，但甲板上死傷慘重，艦長嚇出一身冷汗，這一幕怎麼看都驚心動魄，億載金城這頭官兵士氣大振，直說李硯用砲如神，現在不能叫他「海龍王」，而是直呼他為「李三砲」。

台灣鎮總兵一見此狀，羞愧難耐，拔起長劍就要往脖子上一抹，李硯轉過身子一看，立刻從地上撿了個石頭，彈了過去，力道正好擊中長劍中心，那劍身從中竟然硬生生地斷了。

「先生會奇術啊！」劉大人又驚又喜：「沒想到用三砲便能退敵。」

李硯說著：「這不是什麼奇術，而是『物理』……」李硯講了一大串科學理論，要解釋這一切，眾人聽不懂，但只能在旁邊尷尬陪笑。

總兵上前問：「為何要救我？」

李硯說：「你可別在這抹脖子，要抹脖子就出去跟法國人抹去。」

李硯其實並非安慰他，而是想到，若你死在這裡，這劉大人以後便不給他玩這火砲了。若是你去與法國人死在一塊，以後想要玩砲有的是機會。

劉大人聽完後點點頭，心想：人說李老闆常常倒行逆施，做事古怪，現在看來，頗有豪俠義氣，可與忠良賢士相提並論了：「李老闆教訓的是，這輸了便要抹脖子，你就是一百個頭也不夠抹！」劉大人教訓起總兵來。

砲戰後，法軍驚覺台灣砲兵技術又增加，往外又退了五十浬，使得圍堵政策出現了大漏洞。到了光緒十一年春末，法軍孤拔將軍已經受不了，透過安平的英國領事仲介，上岸準備求見劉大人，想要談和。

劉大人的師爺建議：「法國人狡猾，大人若前去，恐對您不利！」

劉璈一笑：「我可是頭湖南騾子，我才不會如劉銘傳那個合肥人，這樣夾著尾巴逃走。不去，人家就說我怯戰，說我劉蘭洲貪生怕死！」

守砲台的台灣鎮總兵說：「大人若是執意要去安平見法軍的孤拔，期間發生事端，敵人對我們開砲，大人您在敵人的帳中，我們又該如何？」

「這點無庸置疑，你們開砲還擊便是了！」劉大人豪氣干雲地說。

到了安平，在英國領事的陪同下，劉璈在宴席上見到了孤拔。大家把酒盡歡，劉璈說：「今日與孤拔司令相見，純粹是為了友誼，其他的事情無須再言！」

孤拔透過通譯講著：「你們府城的城池那麼小，兵力又那麼弱，如何和我法軍一戰？」

劉大人先是一笑：「就如孤拔先生所說，我們的城池只是一堆糞土，我們的士兵能力也像一張薄紙，但是民眾抵抗外侮的心情，卻如鋼鐵般堅毅。」

孤拔說不出話來，雙方喝完酒後，孤拔便退出安平，不再封鎖台灣，但法軍依舊占領澎湖。到了六月，法軍在澎湖爆發瘟疫，孤拔也死在媽宮，清法戰爭就此結束。

第八章：黃虎旗

光緒十三年，台灣建省，台灣府與台灣縣移往中部，「台南府」這個地理名詞，正式出現在清廷的行政版圖中，原來的台灣縣變成「安平縣」，台南府管轄嘉義以南的區域，「台南」逐漸從台灣的核心，轉變為台灣的邊陲。

劉銘傳和劉璈在清法戰爭時結下了梁子，最後演變為劇烈的朝廷政爭，劉銘傳誣告劉璈，使得劉璈遭到流放，劉銘傳雖然獲得最後的勝利，但自己的名聲也沾染上了污點。劉銘傳在台灣擔任首任巡撫的期間，加大了基礎建設的腳步：建設鐵路、敷設電纜、郵務電報、開礦採媒，劉銘傳在台督辦洋務新政，立意雖為良善，但過程貪官汙吏頗多、部分業務經營不佳，政策規畫不當而弊病叢生。劉璈離台後，又過了陳鳴志大人一任，唐景崧來台擔任台灣道，頗好文風的唐大人，聘請了施士浩主持東海書院，接著成立了「斐亭吟社」，常與文友在道署內的斐亭戲台前喝酒看戲，擊缽射謎。

「邀各位來斐亭一敘，我特別找了兩個倡優童伶來此助興。」唐景崧說著。

席間一位文人林大成說：「敢問大人，這些童伶可都是在上元節唱夜戲，鬧花鼓的『金枝號』當家小生與小旦。」林大成是三郊永順行林老闆的兒子，喜歡詩文，自然就和這群文人親暱了一些，他也喜歡看夜戲，因此知道不少曲藝的事情。

「林老闆說得沒錯，這兩個童伶，可是府城裡頭號戲班金枝號的優人，金枝號白天唱高甲，晚上唱歌仔。他們什麼都唱，各種戲路也難不倒這兩個小娃娃。」唐景崧繼續說著：「你們可別看這個演小旦的童伶年紀小小，而瞧不起他。你們看他站姿多麼高雅，兩手貼得規規矩矩，你們可知道這戲班子演出功力：舉手到目眉、分手到肚臍、拱手到下頦，毒錯到腹臍，所謂旦角十八科母，姿態巧妙各有不同。若非學得三年五載，恐怕還不得其門而入。」

旁邊坐著另一個人，名叫丘逢甲，他說：「小伶唱戲，人爭目采：所謂『伶童青娥聳翠環，場連午夜昌縉鑾』，小伶一個眉目傳情，就鬧得夜戲裡人人爭風吃醋。今日兩個小童在這裡演，我可也有此等眼福啊？」

童伶唱夜戲乃是民間的重要活動，而唱戲的旦角皆為男童巧扮。童伶不剃髮頂，扮起花旦來更顯青娥玉齒，百媚千嬌。童伶在戲台上與觀眾眉目傳情，這個眼神動作便叫「駛目箭」，或稱「爭目采」，觀眾往往會拋以銀兩或玩物餽贈童伶，嚴重時還會因此而爭風吃醋，鬧出人命來。

東海書院的院長施士浩虧了丘逢甲：「難不成仙根也有意蓄個小伶？」

丘逢甲一聽臉上倏紅，正襟危坐：「山長這樣說，豈不是折煞仙根了。」

兩個童伶分開一站，一個皮膚白皙，一個身體黝黑，丘逢甲一見，便說：「兩個小伶皮膚怎麼不一樣啊？你們一黑一白，難不成是漢人和侏離。」

「回大官人的話，我旁邊這位是我的師弟，他確實是個番童子！」那個皮膚白皙的童子說：「我請我師弟先為各位官人來段『跳加官』，踏個戲棚。也給各位老爺添添喜氣，加官晉祿！」

丘逢甲一聽，笑得很開心：「這好，那你就給在坐諸爺們來一段！」

番童從斐亭戲棚後面取來一個木雕的假面，假面上塗成白色的，臉蛋留有兩個腮紅，假面上又黏著長長的鬍鬚，那個假面便是所謂的「天官殼」。番童換上戲服，用牙齒咬住假面後面的橫桿，又拿了一面玉笏，擺開了架勢，這下可成了不折不扣的喜神。

另外一個童子架了班鼓，又取來拍板。他左手執板，右手司鼓，就這樣匡啷匡啷演奏起來。擺演加官時，演出的戲子不能說話，天官殼上笑吟吟的表情，頗為討喜，那個番童扭動的姿態也非常靈活，忽來一個雙手拱，又來一個單手拎。演到一個段落後，他從戲服裡拿出加官條子，伸手一拉，上頭寫著「福至維卿」。

底下眾人一見，便哄堂大笑，這「維卿」正是唐大人的字號。沒想到那演天官的番童轉了個身子，又換了條子，這一打開便是「官陞一品」；再換就是「加官晉祿」。

曲罷眾人鼓掌，席間另一個文人譚嗣裡說：「唐大人今日見小童在這裡『跳加官』，他日定能加官又晉爵。」

唐景崧笑得闔不攏嘴，一拱手：「不敢當，不敢當。」

施士浩說：「我來做一句對子，也給唐大人添添喜氣：這喜神鬍子可漂亮，要不就『到枕喚醒同夢客，登場首出美髯公。』」

「不好！不好！你想做官，我可不想，你這『到枕喚醒同夢客』可不行，我可不與你做這等白日夢。要不就對成『聞聲驚起雄心客，獻頌先來假面人。』」坐在他旁邊的文人譚嗣裡說。

唐景崧聽兩個文人在那爭辯不休，自己笑了：「嗣裡的『雄心』兩字用得不錯，我也來做個對子好了……」唐景崧想了一下後便說：「雄聲一喚光明界，厚臉先登熱鬧場。」

「這兩個小童功力真是極好，我倒要看看他們等會兒如何謝場，如何唱金榜，又如何尪婆對？」丘逢甲這一說，眾人更加期待小童的演出。

過了一會兒，兩個小童換好小生與小旦的衣服，然後上了戲台。扮演小旦的童伶說：「我與我師弟今天就為各位大官人唱兩首！一首為上路戲的〈趙貞女〉；一首下南腔的〈鄭元和〉。」

從乾隆年間開始，北郊廣泛邀請大陸北方劇團來台灣演出，在蘇州、上海崑班亦有許多團體曾來過台灣，這些戲班最後組成「台灣局」。大陸和台灣兩地交流往返頻繁，台灣各地戲班自然而然就學會了大江南北的曲調。福建的高甲戲因李羽而起，最後也傳入台灣島內，在府城四處流行。各路戲碼更是百花爭放、百鳥爭鳴，這兩個童伶會唱下南腔，自然也會唱北方的崑曲。

在戲曲界，「上路」便是指北方諸曲；「下南」則指閩南潮汕諸調。兩童交唱。漢童巧扮旦角，左來螃蟹手，右來鷹爪手，把趙五娘唱得貞懿賢淑；番童則扮小生，內喉飄浮浮地，把蔡伯喈演得斷情絕意。接過另一曲後，又是一番風格：番童的鄭元和風度翩翩，青樓女子李娃則是鼓琴獨唱，幾絲風塵、幾絲綽約。

曲罷，唐景崧非常地高興，賞了兩個童伶銀子。唐景崧吟道：「一曲亂彈新演戲，幾篇張本舊傳奇；蘸灰火母溫茶灶，傅粉童男侍酒席。」

「好詩，唐大人吟得一首好詩啊！」丘逢甲見眾人開心，也造了一段竹枝詞：「肩披鬢髮耳垂璫，傅粉施朱似女郎；斐亭戲台鑼鼓鬧，侏離唱出下南腔。」

「逢甲的詩詞也不錯！」唐大人又拿了些銀子，叫下人們到街上的酒莊裡多打些酒來。眾人就在斐亭戲台前，度過了一個歡樂的午後時光，沒有人知道，台灣的局勢即將發生劇烈的變化。

水官解厄日又將到來，水仙宮前擺開了一場亂彈夜戲，許多孩童蹲在戲棚旁又叫又跳，大人將板凳一字排開，甚是壯觀。三益堂的大旗高掛在戲棚上，雖然威風，但今夜竟然一點風也沒有，原本應該旌旗偃蹇，現在卻也無精打采地低垂下來，怎麼看都存著一股由盛漸衰的敗象。

眾人一聽水仙宮又是要演亂彈戲，自然吸引不少人氣。這亂彈北管鑼鼓喧天，很有年節的氣氛，一曲官音開場鬧台，戲台上梆子、提絃輪番上陣，眾人雖不懂京腔唱些什麼，但劇情是大略知道的。扮仙戲後的頂六柱與下四柱出場：無論誰是老生，誰是小旦，戲班子團長總是笑吟吟祕而不宣，吊足眾人胃口，團長不提點還好，提點了以後，更是引起大家議論，眾人愈是討論，便愈是期待，很快地戲台前的板凳便有八九分滿了。

所謂天官賜福、地官赦罪、水官解厄。府城有俗：欠債還錢，天經地義，但無論是討債的，或是欠債的，端不能在水仙宮水官酬神戲台前拉拉扯扯，更是禁忌因債務問題而在戲台下大打出手、僵持不下，或因討債還債的事情而彼此惡言相向，否則定會遭到三益堂所有商家的白眼。結果這一規矩，便成了府城內所有欠債人家，避災躲厄的好藉口。有欠巨債的人紛紛選在這幾日，霸占水仙宮戲台前的板凳，連看他幾天幾夜的亂彈戲，凡是能一路躲到水官解厄日那一天，再辛苦也沒關係。

以前在北郊元龍號裡擔任夥計的一個漢人，諢名叫做「阿七」，負責督導元龍號中，從浙江一帶進口髹漆到台灣的事務。「漆」這種東西在先秦兩周時代，就已經出現，所謂「舜做食器，黑漆其上」。漆器藝術於唐代傳入日本，在宋元時期興盛，在明清時代昌隆，清代許多地方都設有官廠，負責漆器製作。

「生漆」指的便是割開漆樹皮，使之徐徐流出的乳白色汁液。生漆收集後，還要做其他加工，生漆用文火慢慢烹煮，乳白的汁液就會變成褐色，在裡頭加些白酒，又添一些漢方，將這種漆膠捏成丸狀，便成了具有通經、驅蟲、鎮咳藥效的藥丸；漆樹種子能榨油、漆樹果皮能取蠟、漆葉能煉出栲膠，經濟效益非常大，相傳在梅雨季節製作生漆，溫度與溼度最為適宜，所做的硬化生漆則是最頂級的商品。

阿七在元龍號內批發「髹漆」，往往不是上品，但憑他三寸不爛之舌加以潤飾，黑的都能說成白的，死的說成活的。光靠他那張嘴，就替元龍號騙到了不少冤枉人家的銀兩。但是經營生意要講求信用，一次受騙後，大家就學乖了。元龍號的商譽也因此大受影響。阿七招搖撞騙的功力實在令人難忘，府城裡的大小商賈，不得不給阿七安了一個稱號，名叫「白漆七」。

街上的鄉親父老，左一個白漆長，右一個白漆短，不久就發展出了一套俗語，人說「黑漆變白漆，卡贏暗暝去做賊」，元龍號的頭家知道後，頗為生氣，因此辭退了愛說謊的阿七。阿七離開元龍號後卻不知悔改，仍到處招搖撞騙，白天在大街上嘻嘻笑笑，夜裡就在妓院賭場裡吃喝嫖賭，阿七這幾年依舊靠他那張不爛的嘴舌過活，久而久之便成了眾人口中的「白賊七[4]」。

阿七離開元龍號後這幾年，早已被商界眾人看破手腳，騙術老早已經行不通，因此他向一個漳州人借了些錢，這個人名叫：丘蒙舍[5]，以前在漳州可是個大尾流氓，來到台灣後改住在風神廟附近，以放高利貸發跡，為了躲避官府的追緝，名字也改成了「丘罔舍」。街頭巷尾裡謠傳著丘罔舍前世是個鱸鰻精，添附了許多敗家子的故事在他身上，有人謠傳他的父親和吳恆記的鹽商吳尚新是世交；亦有人說他與府城內出了名的浪蕩子周金隆，兩人是酒肉好友。西定坊一帶有這樣的諺語：「丘罔舍鬥陣周金隆：有樓仔內的厝；沒有樓仔內的富。」

月色昏暗，水仙宮前點起了大紅燈籠，戲台上正上演著亂彈好戲《姑嫂比劍》：戲劇內容是薛丁山之妹薛金蓮掛帥，欲爭戰功，故意派樊梨花去運糧，自己帶兵打仗，結果兵敗。薛金蓮身為巾幗大元帥，竟然兵敗，因此惱羞成怒，假藉兵敗之事，指責嫂嫂樊梨花未依軍令運糧，導致出師未捷，論令當斬。此事驚動哥哥薛丁山，經他苦勸良久，小姑薛金蓮方息怒。回到京師後，樊梨花已忍無可忍，

4 白賊七：台灣民間傳說欺騙取巧者的代表，日本時代發展到巔峰，常見歌仔戲歌仔冊，甚至成為客家「李文古」或「膨風七」之原型。
5 丘蒙舍：又稱丘罔舍，台灣民間傳說敗家子代表。後續版本與台南富商吳尚新形象結合，發展出「周金隆」或「憨人仔舍」故事。

奏請皇上准許兩人在金鑾殿上比劍，姑嫂一番比試後，由樊梨花勝出。

阿七悠閒地來到水仙宮外，原本走起路來還愜意自在，正當他要入水仙宮去拐騙香客一些油水時，恰巧見到債主丘罔舍從水仙宮的大門，跨過門檻走出來，他心頭一驚，就像穿山甲見到了石虎，蜷著身子往戲台下鑽去，阿七看了一眼戲台前方，發現戲台前的觀眾席裡，一個板凳上正好空著沒人坐，阿七身子滑溜溜地，像條泥鰍一般鑽了進去人群之中，一個屁股就挨坐在那空位上。旁邊一個守位置的壯碩漢子，嘴裡不屑地哼了一聲，轉過頭來看一看他：「欸！你這瞎子也想挨坐大位，不知道這位子已經有人頂占著了！」

「這位子有人的？」阿七嘻皮笑臉，跟那個人哼哈了兩句：「哎呀！你忘記我了？我跟你是個老世交，老相好啊！」

「啐！誰跟你老相好？你是誰啊，我又不認識你。」那個漢子說著。

「你記性怎這麼不好，前幾天我們倆才見過面，你就把我給忘記了？」阿七故意拉高聲調。

「你是阿源？還是阿明……該不會是在總趕宮無尾巷裡，賣夜壺的阿清！」那壯碩的漢子說著。

「對！對！對！我就是賣夜壺的阿清，你總算認得我啦？」阿七裝模作樣，和尚對著尼姑庵傻笑，那張嘴笑吟吟的，幾乎整個臉都快裂開了。

那個漢子笑了一下：「白賊七就是白賊七，睜眼睛說瞎話可以臉不紅氣不喘，你真是厚臉皮啊！」他一說完話，便站起身子，兩手把阿七背上的衣服這樣一拎，就像提米袋一樣把阿七拉了起來，喝了一聲，將他抬舉過肩，然後往人群外一拋。

阿七飛過了看戲人群頭頂，摔在看戲的人群外頭。他揉揉屁股，站起身子：「說話就說話，怎麼這樣粗暴！」他看了看那些人群，沒半個人回頭理會他，嘴裡嘀嘀咕咕：「全是一些死沒良心的戲羔子，沒血沒情的潑狸。」

「白賊七，可讓我逮到你了！」丘罔舍在人群外守了許久，深知水仙宮前看戲的規矩，等了許久，不得其門而入，現在這傢伙可自己送上門來，這下可得來全不費工夫。

阿七抬起頭，正見到這個凶神惡煞，心頭涼了半截：「丘爺、丘老爺、丘大老爺呵……我的爺爺唷！可這麼湊巧，讓我在這兒遇見你！」

「前陣子你躲我可躲得挺勤快？我說乖孫子，許久見不到你，可真想煞爺爺我了。海龍王面前沒脫逃的蝦；閻羅王面前沒有放回的鬼，今天讓我見到你，算是你運氣好，等會兒就請你到爺爺家裡頭坐一坐，讓我來用算盤給你點算點算，這幾回核算的利息錢。」丘罔舍皮笑肉不笑，更顯陰森可怖。

「爺爺好說話，這利息錢也沒多少，不必到府上去叨擾了吧！」阿七邊說話，自己的身子就快龜縮成一團，冷不防學著一隻癩痢狗，蹲下身子，打算慢慢地，從他站得開開的雙腳中間爬過去，丘罔舍伸手一抓他的衣領口：「龜孫子想逃？」

丘罔舍話還沒說完，冷不防就從阿七的衣服中，掉出了一個紙團來。丘罔舍看了那紙團一眼，立刻彎下腰去撿了起來，丘罔舍攤開紙團一看，上頭密密麻麻的西洋字，不清楚寫了一些什麼，丘罔舍問：「這是什麼東西？」

阿七一手貼著額頭，做出了痛苦又懊惱的姿態與表情：「唉唷喂呀，被爺爺發現了。這天大的祕密可不能說的呀！」

「有什麼不能說？」丘罔舍問。

阿七比出了食指，豎在自己的嘴皮上：「噓！小聲一點，這無本生意可不能四處張揚。爺爺不要到處亂說啊，這是英國的寶順洋行，要我幫他們準備的東西，他們只要我能把國姓公墓前，兩匹石馬順利搬到安平，明日讓他們載去香港，他們就要給我十萬兩！」

「洋人要國姓公墓前的石馬做什麼？」丘罔舍問。

「這個爺爺就不知道了，人說這國姓公墓地裡的石馬有靈性，洋人得了這兩個石馬，就能把牠們安在香港上海滙豐銀行，香港總行的正門口，洋人也信風水之說，凡是得此石馬，就能聚集財氣，發大財呀！」阿七胡亂扯了一通：「丘爺爺可有興趣賺這一筆，寶順洋行的買辦交代了，只要明早前將洲仔尾的國姓公墓前石馬，運到安平去，這十萬兩白花花的銀子，馬上就能進自己的錦囊裡！」

戲台上的樊梨花大喊：「小姑姑要我去運糧秣，心底可有其他詭計？」

阿七心中七上八下，看了丘罔舍一眼，眼睛骨碌碌地打轉歪主意。丘罔舍這一聽，心裡頭砰砰跳，心想我才借白賊七本金一百餘兩，加上利息錢算一算也才湊合五百餘兩，今晚若搬了石馬，就能拿得好幾倍的報酬，乾脆一不做二不休，獨占那十萬兩運銀。

戲台上的薛金蓮壓過雙劍：「誰有詭計？嫂嫂好大的口氣，犯了軍令還敢大放厥詞，不如就領賞我手上這一劍！我這一劍落地，二五對分。」

台上鑼鼓點子又起，鑼鼓鏗鏘，阿七又壓低了聲音：「爺爺，我這就和你二五分了：我拿五分，你拿五分。這事誰也別說出去！」阿七眼睛轉呀轉。

戲台上面唱詞再起：「妳這話起說起來太絕情，小姑姑想二一添做五，我和妳有姑嫂之實，來去卻無姑嫂之禮。廢話多說無益，小姑姑也領我這一劍！」樊梨花橫起長劍也砍殺過來。

「不成，不成，五分太少，我要全拿，喝乾抹盡這一碗十全大補湯……」丘罔舍想了一下後，雖覺得這事情稀奇古怪，但這洋文密密麻麻，應該不會有假。這事情若是為真，怎能讓阿七這崽子吃香喝辣。他掐住阿七的大腿肉，讓阿七疼出了眼淚來，丘罔舍嘴裡嚷著：「你這裡頭有鬼！我看你這賊兒嘴皮子忒壞，誰知道你要拿什麼東西去訛騙洋鬼子，不給你一些緊箍咒，孫猴子還想戲弄唐三藏啊！」

「唉唷！」薛金蓮橫豎脖子一歪，差點就腦袋落了地，所幸她身手機靈，橫閃過那一劍：「嫂嫂定是要我性命，拔劍不知輕重！」

底下阿七哀嚎著：「唉唷唷，爺爺好說話，要喝大補湯就喝大補湯，怎捏起了孫子的大腿肉了，我這腿肉可不是人參、白朮，也不是當歸、川芎，爺爺說話就說話，怎要動起粗來。大爺爺您行行好，快痛死孫子我啦，孫子快撐不住了，我快不行了！」

薛金蓮閃過那一劍後氣喘吁吁，樊梨花喊著：「怎麼？小姑姑要投降了！」

「放肆！我乃一個堂堂大元帥，怎會向妳這個犯上小卒求饒！」戲台上的薛金蓮喊著。梆子聲又響，薛金蓮清嗓高嚷：「妳一定是嫌我哥哥老了，又不定看上哪一個小白臉吧？樊梨花啊樊梨花！想妳當初逼父獻關，殺夫嫁夫，可以由著妳的性兒反，今兒個由不得妳吧！」

樊梨花西皮快板唱道：「梨花低頭自羞慚，金蓮說話理不端。就此與她對刀刃，婆婆對我恩如山……」隨後嚷了一聲：「小姑姑休得胡言！若非婆婆待我不薄，我必定一劍刎了妳。」

「我若把石馬運到安平，要跟誰聯絡？」丘罔舍問著，但捏著阿七大腿的手仍未鬆開。

「疼！疼啊！爺爺先放開我的腿，我再同你說分明！」阿七又是裝可憐，又是假惺惺。

丘罔舍總算鬆了手：「量你也不敢調皮搗蛋！」

「祖爺爺教訓的是……」阿七跪在地上猛磕頭，然後隨便謅了個不存在的洋人名字，又加了些油、添了些醋，讓丘罔舍深信不疑。

戲台上也正好進入了尾聲，薛金蓮比劍輸給了樊梨花，雙劍落地，雙膝一跪，抬頭大喊著：「小妹知錯了！小妹見識淺薄，得罪嫂嫂，還請嫂嫂原諒。」

樊梨花橫過長劍哼了一聲，高高站著，一抹笑意掛在臉上，薛金蓮拎著兩個翎子，鳳眼和柳眉倒豎，銳氣未減，跌坐一旁。這台上兩個刀馬旦過招之後，底下掌聲吆喝聲四起。

「你若誆我，非讓你死無全屍！」丘罔舍在掌聲和吆喝聲中，舉起高高的手，在手的陰影之下，露出半張惡狠狠的眼神，對阿七要脅著。

鄭成功遷葬回福建覆船山後，墓穴騰空甚久。至林爽文事變時，鄭其仁戰死於放索莊，追加都司銜，謚忠勇，世襲雲騎尉，清廷將之葬於原址。

依據清律，五品以上文武官員死後得於墓前設立「石象生」，鄭其仁為四品，設石望柱、石馬、石虎各一對。墓地原來葬的是國姓公，本來還有翁仲、石羊等物，這些多餘的石象生被移至二鯤鯓外的沙洲掩埋，後被洋行挖出來當為風水鎮煞之物。洲仔尾墓前就剩原來的石望柱、石馬、石虎等物，丘罔舍拿了那張寫滿洋文的紙團，喜孜孜地雇了一台牛車，請了十幾個大漢，連夜趕至洲仔尾，到了鄭其仁的墓前已將近丑時。

眾人見石馬安裝得相當穩固，便在石馬底下敲敲打打，一些人拿鐵錐、一些人按鐵鎚，好不容易敲開了，用糯米蚵殼灰塗黏在地上的兩座石馬。接著眾人合力將兩座石馬搬上車，大夥驅動牛車，從內武定里往安平方向移動。繞出鹽行庄一帶，已快天亮，丘罔舍擔心東窗事發，命人驅動牛車加快速度，結果高速奔行的牛車，壓到路上一顆鵝卵石，整輛牛車騰空飛起，一隻石馬從牛車上飛了出去，掉在旁邊的甘藷旱田中，這下丘罔舍更是心驚，再也不顧那掉落石馬的下場，心想車上能載一隻算一隻，命人繼續往前行，但擔心石馬再飛出去，只好放慢車速，緩緩前行。牛車又行三里路後，接近六甲頂庄，丘罔舍聽見了官道旁一個早起的農夫，在芒草堆後面一邊拉屎，一邊唱歌的聲音。

這下丘罔舍更是驚恐，心想若是讓人看見了，然後跑去報了官，自己肯定要吃上官司。於是命人停下牛車，將石馬搬下牛車，合力推倒在官道上。然後眾人回到牛車上，趕緊抄另一條小路，離開了六甲頂庄。

農夫走出兩邊長滿超過一個人高度的芒草堆，赤腳踏在官道上，剛剛蹲在芒草堆裡方便，確實聽到路上有蹄踏聲、車輪聲，一點點稀疏的搬運聲，然後是巨大的撞擊聲，原本以為是哪個大老爺，趕著返回府內衙署，他僅是一個賤民，只好縮在草叢裡，等著官輦通過，以免衝撞尊顏。現在車子已經走遠，農夫用路旁的石頭，抹乾淨了屁股裡的屎，悠悠哉哉地出了芒草堆，就見路旁一座石馬倒在地上，心想這不是國姓公墓前的石馬嗎？這農夫老實古意，見到這墓地裡的石馬竟然出現在這裡，還沒想透事情原委，壓根沒想到有人在打石馬的歪主意，又驚訝又害怕，糊裡糊塗的就聯想到神怪的事情上頭，他立刻奔回六甲頂庄，拿起一面鐵鑼四處敲啊敲，全庄男丁全都聚攏過來，甲長見識較多，跟著這個農夫一起到官道上看個究竟。

「奇怪了，這不是鄭其仁將軍墓前石馬？怎會在這裡？」甲長左看看右瞧瞧：「真是太奇怪了？」

眾人七手八腳，找來一台牛車，合力將石馬運上車，徐徐往洲仔尾方向而行。走了三里路，接近鹽行庄時，發現另一群人，鬧哄哄地圍在一畝田地邊。

甲長看了一看，活了大半輩子，還沒見過這樣的狀況：「這是怎麼一回事？另一頭石馬在田裡？」

鹽行庄的百姓拉起草索，套住甘藷旱田裡的另一頭石馬，合力將它拖出甘藷田。許多老實的農民跪地焚香，在田邊燒了一些金紙。

「難不成這石馬自己會走路？」甲長才說出這句話，背脊便發涼起來。

鹽行庄和六甲頂庄眾人面面相覷，大家喊著：「這裡兩匹石馬自己會走路，還走下甘藷田中吃甘藷葉，肯定是妖怪！石馬原本就是國姓公墓前的鎮守獸，長時間吸收了國姓公的怨念，現在成了活生生的妖精啦。」

甲長愈想愈不對勁，指揮著兩庄百姓合力，把兩匹石馬送回鄭其仁墓前，原本大家打算用糯米和蚵殼粉，將就著把石馬的腳黏糊回去，但眾人以訛傳訛，把石馬說成了會動會跑，又會偷吃農作物的妖孽，老實可愛的村民，擔心這兩匹石馬今夜裡還會出來逛大街，七嘴八舌討論後，決定打斷這兩匹石馬的前腳。眾人紛紛拿起圓鍬鋤頭，三兩下就斷了石馬的兩條前腳，這下大家才放心地把石馬的身子，黏回鄭其仁將軍的墓前[6]。

丘罔舍擔心自己失去了運石馬的契約，錯過了財神爺，一路奔到了安平洋行外。攔住了洋行的漢人買辦，拿出了那張紙團：「小哥哥，寶順洋行要的石馬我沒運來，給香港上海滙豐銀行的東西，可否寬限個幾天。明天我再給你們送過來。」

那個漢人買辦丈二金剛摸不著頭緒：「你這說的什麼話？寶順洋行要石馬做什麼？寶順的行棧在台北大稻埕，你這手上的紙，便是寶順洋行的『福爾摩沙烏龍茶』要運往美國的船憑單，你瞧這上頭還寫了幾斤幾兩，產地在柑仔瀨庄的契作地！」

丘罔舍愈聽臉色愈青，將紙團揉成丸狀：「可惡的白賊七，竟然把我騙得像小黃狗一樣團團轉，要是讓我再撞見你，非把你碎屍萬段不成！」說完便把紙團塞進自己嘴裡，咬了兩口後吞進自己肚子中。

6 石馬傳說：台南民間傳說，鄭其仁墓前石馬夜裡會自走，緣起已不可考。今石馬置於赤崁樓一側，馬腳被破壞，並重新塗糊石膏。

李硯在錢莊與銀號生意發達後，更彰顯了他陸離光怪的行徑。他先後納了三個小妾，年齡都與他自己相去甚遠。鴛鴦被裡成雙夜，一樹梨花壓海棠。商界人士迫不及待給他送上喜幛賀詩：「商人老去鶯鶯在；賈客歸來燕燕忙。」李硯疏離三郊後，眾人名義上雖稱他為港郊領首，但實際上眾人已經不管他的死活，送來的喜幛對子，一個比一個辛辣、一個比一個露骨，字裡行間盡是調侃的意味，但李硯卻不以為忤，仍是將這喜詩對子高懸在廳堂外。

紅幬高掛，夜燈闌珊。幫三益堂各行號跑腿送喜幛的工人，忙著問李硯：「頭家納了三個小妾，誰是正妻？誰是側室？」

李硯淡淡地說：「我不納正室！全都是小妾。」

「都是小妾？沒有髮妻？如何行三書六禮？沒有元配，哪有嫡子女？」工人見他這樣說，更是不知這其中的道理。

李硯不知是真不懂還是假不懂，他非常堅持這樣的形態：「我不會有嫡子女，全都是庶子女！反正我不會迎正室就對了！」

此話傳到大街上，眾人更是將他描繪成「好德如好色」之人，他也不甘示弱，拿了孔老夫子「唯女子與小人難養也」的話，掛在嘴邊。之後，三個小妾合計生了三女四男，李硯作風更是離經叛道，不但沒給孩子們請好的老師，教他們讀書，整天就把他們塞給下人們看顧：姑娘們跟婢女丫鬟睡在一起，少爺們則和長工奴僕的孩子們打打鬧鬧。

至於李硯自己，則更加醉心於西洋科學，他從洋行那裡，弄來了一個約兩個人高的反射式天文望遠鏡，將這個望遠鏡架設在李勝興大宅子的戲台頂上，外表看起來就十分壯觀，李硯每天晚上就會爬上戲台，從目鏡中觀看天文星象。李硯閱讀了快三百年前，威尼斯科學家伽利略所著的《星際信使》一書，他用英國商人陶伍德給他的牛頓望遠鏡作啟蒙，開啟他長久以來的天文觀測夢。

陶伍德返回英國後，他把牛頓望遠鏡大卸八塊，然後重新組成了新的望遠鏡，並修正了望遠鏡的色差。但望遠鏡除了色差外，還有其他問題，不久他便自己動手磨鏡片，改造望遠鏡的性能，大幅減少了鏡片產生的像差，創造出一個全新的「折反射式望遠鏡」，德國的施密特卡塞格林在三十多年後，才會發展出這樣的望遠鏡製造技術。而這個獨一無二的望遠鏡，更是比俄羅斯帝國的工程師，馬克蘇托夫所發明的望遠鏡，早了四十年的光陰。

連續好幾天，他從娥眉月、上弦月、盈凸月，通過滿月，一路觀察到下弦月，李硯發現月亮上亮光處，布滿了一個又一個的環形山，這個發現更增加了他的好奇心，他一路為那些環形山命名：太陰、嫦娥、玉兔、寶蟾、吳剛、桂樹等。

這天，他以望遠鏡端看天空的月亮時，在星夜之中，一顆巨大飛天隕石劃過天際，在望遠鏡裡頭，他看見了那隕石擊中了月球表面，光亮與黯淡交界的地方，產生了一個新的巨大隕石坑，揚起了更多飛天隕石，其中一部分朝地球的方向飛來。李硯立刻放下望遠鏡，他知道這事情不妙了，在《台灣府志》中曾有記載：「癸亥年夏六月二十六日，是夕有一大星殞于海，其聲如雷。」康熙二十二年，農曆六月二十六日，台灣府城外海有一顆大星落入海中，眾人都聽到那隕石飛行的轟天雷鳴，也見到了劃破天空如火焰般燃燒的煙塵。當時引起府城百姓的驚慌，大家四散奔跑，奔相走告。最後這件事被寫進《台灣府志》中。這是台灣在清代歷史中，唯一有紀錄的隕石襲擊事件。

李硯再度端正好望遠鏡，往天市垣方向一看，天市左垣和天市右垣包圍的星空，起了很大的變化：列肆、斗、斛、宦者諸座，以「帝座星」為起點，開始星隕如雨；接著屠肆、帛度、宗也開始星隕，最後「齊」星旁的一顆星星倏地發出巨光，就像爆炸了一樣，接著「東海」星附近，亦有一顆超新星爆炸。

「齊？東海？難不成山東一帶將發生災難？我可要提早應對才是！」李硯說完，爬下了戲台，找來了阿福，首次以港郊領首的身分傳令，要他通知港郊諸商，近日最好不要出海，若是出海，也莫靠近山東一帶。

阿福一開始還不知道李硯的意思，李勝興雖是港郊的領首，但自從他的大哥李墨死去後，也至少有將近二十年，沒有以這個身分下令了，港郊內部向心力早就如散沙。阿福勉為其難地點點頭，心想：你這個老妖怪，放任自己兒子與女兒在宅子裡自生自滅，還有心情在戲台頂上，拿那西洋人的怪東西看星星，你在上面「以管窺天」，我卻要給你「承顏順旨」，哪有這門子的道理？這天上數不盡的幾千幾萬顆星星，哪會知道這人間福禍禎祥？我若同你辦這事情，大街上的人不笑我是個傻愣子？

阿福嘴上笑嘻嘻稱是，但內心早已不屑李硯，決定不去理會這道指令，也不會把這話帶到三益堂那裡。此時一大群孩子跑到戲台下玩耍，李硯的兒女們，最大的已經十二、三歲，最小的也有四、五歲，李硯先生了孩子再納三個妾，行為早就令人不屑，況且三個小妾所生的子女，李硯全沒有給他們起名字，僕人們叫李硯最大的兒子為「狗豆子」、二兒子為「狗腿子」、三兒子是「狗爪子」，四子叫「狗屁蛋」。

二兒子追著他的大哥跑：「狗豆子大哥，我也要上戲台去用爹爹的管子看星星！」

大哥站定了，說著：「不成，那西洋人的『觀星管』，是爹爹的寶貝。」

狗腿子看見李硯和阿福在說話，於是跑到了父親的旁邊，抱著李硯的大腿央求著：「爹！孩兒要看星星！」

李硯看了狗腿子一眼，嘴裡說著：「這是誰家的孩子？在這裡撒野？」

阿福一聽，臉色驟變，心裡想著：這也太胡扯了，孩子都已經八、九歲了，竟然還不認得自己的娃娃：「頭家！這是您的『狗腿子』少爺，您與三姨親生的二公子啊！」

「我的孩子？哪時出生的，我怎麼不知道？這孩子叫『狗腿子』？我的孩子怎麼不姓李？」李硯一臉狐疑。

阿福心中暗罵著，你這個畜牲、禽獸，連自己的孩子都不認得，李硯啊李硯，你真是比牛屄還牛屄，比龜蛋更龜蛋！

阿福解釋了半天，李硯總算搞清楚，這男女合歡之事的來龍去脈。原來自己和三個小妾幾番燕好後，就會生出這麼一堆孩子。阿福搖搖頭，這「人之初、性本善」的事情，也只有李硯這樣不知羞恥的呆子，才會大剌剌搞不清楚，他嘆了口氣：「頭家，您的孩子們都還沒有起名字呢！」

「對，我記得當爹的，都是要給孩子們起名字！」李硯總算還知道這些道理，他看了看天空，正巧見到一顆明亮的星星，他立刻明白那顆明亮的星星名字：「金星！出於晨曰『啟明』；現於夕約『長庚』。」

李硯說：「大兒子就叫『李太白』好了，二兒子『李金星』、三子『李啟明』、四子就叫『李長庚』。」

阿福這下總算高興了：「真是恭喜頭家了，四位公子可都有名有姓，孔老夫子說『名不正而言不順』，以後公子們出入我們尤重行，可都有頭有面了……頭家可別忘記，您還有三位千金啊！」

「女兒也要起名字！」李硯又看了看天空，滿天星星如織，天上還有火星、土星、木星，乾脆全部當作名字好了：「大女兒叫『李熒惑』、二女兒叫『李鎮星』、三女兒叫『李歲星』好了！」

清法戰爭開打後，日本人見清廷忙於對付法國人，於是策動朝鮮開化黨人發動政變，袁世凱率兩千精兵入朝鮮救援。光緒十一年，清廷與日本簽訂《中日天津條約》，雙方都自朝鮮撤軍。光緒十七年，唐景崧任台灣布政使，改駐台北。光緒二十年，國際局勢急轉直下，朝鮮又發生了東學黨起義，中日再度進軍朝鮮，清廷以船艦「濟遠號」與「廣乙號」增兵朝鮮牙山，返航時和日軍的「吉野」、「速浪」、「秋津洲」三艦相遇，發生了「豐島海戰」，開啟了甲午戰爭的序曲。

李金星這天一早，便和大哥李太白到外頭去玩。李金星手裡塞了一支剛剛自大街上買來的「烏李仔糖」。烏李仔便是俗稱的「山楂果」，山楂果和冰糖一起熬煮後，用紅花米染成鮮紅色，再將山楂果以竹籤穿刺，插在藁束上沿街叫賣，北方人稱這種小吃叫「糖葫蘆」。

兩人一路吃一路玩，不久便來到二老口街，眼前是一家開在亭仔腳下的西洋醫生館，醫生館外寫著幾個大字：「將自己奉獻給上帝」，一看就知道這是一家宣教西醫館。這個醫生館是馬雅各自英商怡記洋行的行夥，也就是許建勳那裡頂來的「金繼成」行號，馬雅各醫生將「金繼成」的招牌拆了下來後，第一進改做藥局、診間、手術房、病房；第二進做禮拜堂；最後一進則是僕人的房間、客房和倉庫。

馬雅各醫生在「看西街事件」後，到打狗一代傳教行醫十餘年，之後又返回台南，由英國商人必麒麟的引介下，陸續在台南郊外的木柵、拔馬、崗仔林、柑仔林等地傳教。馬雅各醫生有意買一塊地，蓋一座新的醫生館，因此四處募集資金，馬雅各醫生今天正好外出，但醫生館前依舊門庭若市，外頭就聚集了許多人，其中一個漢人拿著聖經，在醫生館前講解著〈馬太福音〉，那個人正是李豹牧師。

李豹是鹽水港南溪人，原來是在戲班裡工作，好賭成性。一日路過二老口街的醫生館，恰巧見到牧師吳文伯講述聖經創世記裡，惡貫滿盈的所多馬與蛾摩拉兩城，被上帝毀滅的故事，他的內心大為感動，最後受洗為教徒。

馬雅各先派李豹至羅漢內門的木柵地區傳道，但因地處郊外，物資缺乏，生活並不像以前在戲班裡工作時那樣如意，有時甚至無米能炊。李豹之後返回台南，內心感嘆，心裡想著：以前在戲班裡還不愁吃不愁穿，如今落得捉襟見肘，無米無糧，每天為了有沒有飯吃而煩惱。一日在台南的大街上，遇到一位似讀過書的老先生，老人見他是基督教的牧師，便和他爭論。

李豹說：「信仰上帝講求一個『信』字。」

那個老人立刻反駁：「信字為人言，人言而非神言，你一個漢人卻誤信洋人的言論話語，你都不知道那些西洋人，全都是在欺騙你。」

李豹聽到後，對信仰開始動搖，失望之餘又返回戲班工作。一日不注意，李豹竟從戲台上跌了下來，內心又開始徬徨，深覺是上帝在試煉自己，於是再度回到二老口街的馬雅各醫生館。李豹不敢從正門進出禮拜堂，只好偷偷從小門鑽進第二進，卻發現吳文伯牧師正好帶領信徒，正在為他背叛上帝的行為祈禱，李豹內心大為感動，從此不再懷疑自己的信仰。

李豹牧師在醫生館前慷慨激昂，眾人坐在醫生館前，聽李豹牧師布道。他以〈約翰福音〉第八章第三十二節的「真理使人自由」，做為今日布道的標題。

底下忽然有個聽眾嚷著：「李豹牧師，澎湖已被日本人占領，聽說日本人對我們台灣有野心？不知是否為真？」

李豹臉色一沉，他知道這則訊息，馬雅各醫生和英國領事館有聯繫，從領事館那裡知道不少消息。日本人要求割讓台灣的消息，早就在海外諸國傳得沸沸揚揚，教會裡放著一些來自領事館的《倫敦時報》，雖然是數個月前的報紙，但報紙上頭寫得明明白白，日本人對台灣島的企圖，早已是司馬昭之心，路人皆知：「各位兄弟姊妹，大家不要害怕，要相信真神上帝，我們一起來為國家祈禱、為台灣島嶼祈禱，為這片土地所有上帝的子民祈禱。」

李豹看到李氏兄弟兩人，在醫生館外頭看熱鬧，招了招手，招呼他們兩人一起參與這場布道。

李金星和大哥走進亭仔腳，見到門口掛了一幅耶穌像，小聲地指著那幅耶穌像問大哥：「那個就是西洋的大鬍子真神啊？」

「應該是西洋的上帝公！」李太白其實也不太清楚，隨口附耳對弟弟說。

弟弟又看到旁邊一排照片，照片依序是馬雅各醫生、安彼得醫生、德馬太醫生……

「這頭一個大鬍子醫生，跟西洋上帝公真像！兩個簡直就是親兄弟。」李金星忍不住說出口。

李豹聽到李金星的話，笑了出來：「馬雅各醫生是為上帝服務，是上帝的兒子。」

李金星聽李豹這樣一說，還是不明白：「西洋上帝公是大鬍子醫生的爹，那大鬍子醫生的娘親是哪一位？媽祖婆？觀音媽？」

這話一出口，眾人皆哄堂大笑，只見李豹牧師抿著嘴脣，想要竊笑，他熱情地左右拉住兩人的手：「來！來！來，大家來禱告，來為台灣禱告。」

大家手拉著手圍成一個圈圈，由李豹主持：「父神啊！我來和撒旦的請求相對抗。我以耶穌基督我主的名來到你面前，宣告台灣是我們的，是你所答應賜給我們的產業，撒旦絕不可以擁有此地……」

眾人跟著他嚷念，李豹牧師繼續下去：「我請求你打開眾人的眼睛，開通眾人屬靈的耳朵，使眾人的心清醒。求主施慈愛，赦免悖逆不認識你的罪，賜給他們一顆悔改的心，能為罪、為義、為審判，自己責備自己。藉台灣的得救來榮耀您的名。阿門！」

「阿門！」正當大家念完祈禱詞的時候，天空忽然一閃，接著是一聲巨大的聲響，嚇壞了所有人，眾人站出醫生館的亭仔腳，發現遠方的街廓中還冒著濃煙，李豹先是想起了創世記中，所多馬與蛾摩拉的故事，隨後便叫嚷著：「是上帝！是上帝！」

一個內心較激動的信徒喊著：「神蹟！是神蹟，真神允諾了我們的祈禱！」

但李太白覺得事有蹊蹺，拉著弟弟李金星，兩人往那個方向跑過去。

在鴨母寮菜市裡的一間客棧，依舊是忙碌擾攘的一天，人聲鼎沸，車水馬龍。正當大家還沉浸在慵懶平凡的白日之下時，沒有人預料到災厄即將來臨。一顆小小的隕石，在天空閃了一下火光，擊中了鴨母寮菜市裡的客棧，這間客棧算是台南最有名的旅館。兩層紅磚樓房，裡頭四、五間客房，每個房間都沒有窗戶，每個房間都有一張木板，和一帖草蓆，床鋪旁邊擺著一碟蠟油與燈心草。

雖說是台南最有名的客棧，裡頭房間其實臭得要命，因為住在這裡的苦力，都會在床上吸鴉片，有時候還在房間內小解，裡頭鴉片味、尿騷味、臭屎味混在一起，極為惡臭難聞。牆上與地上整晚都有不明的昆蟲爬來爬去，客棧中央有個小天井，小天井底下有個乾泥灶，供住宿的旅客在此生火煮飯，供人煮飯的天井兩旁，衛生差到了極點。泥地裡有的是旅客帶出門的小豬在打滾，小黑狗蹲在一旁偷吃旅客煮好的晚餐，走廊上一隻大公雞，跳到大母雞身上。另一頭大白鵝叼著野草吃、母菜鴨搖著屁股，走來又走去。

正當外頭菜市如往常一樣喧鬧時，一團火球打進客棧天井正中央，頓時把這間台南最豪華的客棧夷為平地。

眾人回過神後，圍了過來，七嘴八舌討論著。李金星和李太白從人群外鑽了進來，看見了客棧的慘象：不管是雞鴨白鵝，還是毛豬黑狗，全給烤成了黑炭，木板底下壓著一隻手，兩隻腳，半片頭顱。慘不忍睹。廢墟之中有一個拳頭般大小的黑色石頭，冒著煙。聽到消息，被派來協防台灣的黑旗軍劉永福大老爺，坐著轎子來到鴨母寮菜市。

大家讓了個空間給劉永福大老爺進來，劉永福打過清法戰爭，什麼場面沒見過，但天外飛來這一砲，威力如此嚇人，他從戎這麼久，還沒見過這等武器，捋了一下鬍鬚：「這就怪了，澎湖雖被日本人占領，但今日外海沒見到日本人的鐵甲船，這日本人怎麼能把火砲打到這裡來？真是神妙至極？」

劉永福走進廢墟裡，看到了隕石殘骸，這下又更迷糊了：「這是哪一國的武器？怎麼看都像是一顆石頭？」

他看了看那發黑的石頭，實在不清楚：「真是奇怪啊？這是什麼武器，竟然能用石頭當砲彈，這是什麼砲？克魯伯大砲？阿姆斯壯大砲？」

李金星說著：「這不是砲！」

劉永福轉過身子：「這不是砲？你這小娃娃可識得這東西？」

李金星點點頭，大哥李太白本想摀住他的嘴，卻是來不及，李金星說著：「這是天外飛隕，這是月亮上掉下來的石頭。」

眾人一聽面面相覷，都覺得這小鬼在胡說八道，不相信世間會有這麼奇怪的事情。

劉永福忽然臉色鐵青：「你怎知這是月亮上掉下來的石頭？」

「我的爹爹有一個可以看星象的西洋『窺星管』，前一陣子他就見到這顆隕石了，這東西確實是天外飛隕！」李金星說著。

劉永福接觸過洋務，知道西方科學的東西，相信這孩子的話：「你爹爹是誰？洋行的買辦還是通譯？」

「就是港郊的頭家：李硯！」李金星此話一出，眾人竊竊私語起來。

「你帶我去見你爹爹吧！我倒要見識那『窺星管』的威力。」劉永福說著。

李太白轉過身子，順手撿了一塊黑色的隕石，藏在自己的衣袖裡。大老爺坐著抬轎，就跟著李氏兩兄弟一路回到家裡，大家跟在大老爺後頭，也想看看熱鬧。

到了尤重行門外，眾人被擋在門口，只有劉永福大老爺能進去。阿福站在門前大嚷著：「大家吃飽閒著，跟人家看什麼熱鬧，回家去做自己的工作去！」

「我們看熱鬧，礙著小哥哥哪裡了！」幾個三姑六婆在門口和阿福吵起嘴來。

幾個年輕的小夥子，爬上旁邊的圍牆，等著看好戲，阿福忍不住酸嚷了幾句：「看什麼啊，也不怕眼睛長了髒東西爛掉，跌下來摔死！」

阿福見劉永福等得不耐煩，轉過身子立刻就變了臉色，活脫是茶室的龜公攬客撵客的嘴臉與功夫，他笑吟吟招呼大老爺入屋，然後一把關上大門。眾人穿過戲台，劉永福就看見戲台頂上，那支巨大的望遠鏡。在大望遠鏡旁邊，還擺設了個短短的折反射式望遠鏡，劉永福大人第一次在台灣，看到這麼壯觀，這麼齊全的天文觀測工具，張開的嘴巴幾乎要闔不上來。

「這就是西洋的『窺星管』！」劉永福問。

「回大人的話，這的確是西洋的『窺星管』！我們頭家自己磨鏡片、自己組裝的。」阿福說著。

「我能不能試一試！」劉永福問。

「當然可以！」阿福招呼家裡的長工，拿來一個長木梯，固定好位置，讓劉永福大人可以爬上戲台頂上。

劉永福回頭問：「怎麼沒見到你們尤重行當家的？」

「回大人的話，頭家一大早就到四草沙洲上練洋槍了！」阿福說著。

「喔！你們家當家的，也會使用西洋的槍啊！」劉永福站上戲台後說著。

阿福將頭家在清法戰爭、億載金城裡的神奇事蹟講述了一遍，劉永福聽得連連點頭，劉永福又捋了一下鬍鬚：「奇人啊！真是奇人！」

劉永福心裡想著，今日清廷與日本宣戰，這尤重行頭家如此神勇，朝廷要我協防台灣，坐鎮台南，以後若戰事吃緊，李老闆是個不可多得的人才，心裡想著如意，嘴裡笑著得意：「很好！很好！」說完便把眼睛靠向望遠鏡的目鏡，望遠鏡平挪了一下，大白晝底下，視野穿過低矮的屋簷頂，劉永福看見了安平外海作業的舢舨小船，由於望遠鏡的倍率相當高，連漁家的長相也一目了然，活脫那個人就在劉永福的面前：「唉唷！這東西不得了，比一般望遠鏡更加清楚呀！」

劉永福就像是小孩子拿到了自己的玩具，開心地四處端看，接著他手搖了望遠鏡底下的轆轤把子，齒輪帶動的平台竟然開始向後轉，接著望遠鏡本體跟著平台一起轉了個方向，剛剛是望遠鏡朝西，現在成了往東，劉永福又把眼睛湊向望遠鏡，一會兒便看見了大天后宮屋簷的剪黏，再往北偏一點點，又瞧見了軍工廠屋頂的天窗，看了約一個時辰後，他才心滿意足地爬下戲台。

「找一個好日子，我再來拜訪你們頭家！」劉永福看了看尤重行房舍四周，牆上爬滿了看好戲的人，他嘴上笑吟吟說著：「沒想到尤重行當家的，真是個奇人啊！」

甲午戰爭後，李鴻章乘坐德國的「公義號」，赴日本馬關港簽署條約，期間遭到一個激進派刺客——小山六之助開槍，子彈打入李鴻章臉中，傷及左面。為了這件事，以後李鴻章出訪德意志帝國，還特別請外國的醫生，幫他觀察臉部的傷勢，成為第一位照射「倫琴射線」的中國人。日本內閣總理大臣伊藤博文，擔心演變為國際事件，減少索賠一萬萬兩白銀，強行協商。

李鴻章包裹紗布，像一條落水狗般狼狽地，坐在赤間神宮旁的河豚料理店「春帆樓」談判桌上。

伊藤博文揶揄他：「想當年中堂大人是何等地威風，談判不成就要打仗，如今真的開打了，你瞧見了這結果是怎樣呢？我曾經給過中堂大人一句忠告，希望貴國迅速改革內政，否則我國必定後來居上，如今十年過去，我的話應驗了吧？」

李鴻章摀著臉：「改革內政，不是我不願意做，是因為我們國家太大了，君臣朝野人心不齊，不像貴國一樣上下一心。如果我們兩人易地以處，結果會如何？」

伊藤博文想了一下後說：「如果你是我，在日本一定做得比我還強；但如果我是你，在中國不一定幹得比你好。」

兩人客套話之後，轉回了正題，李鴻章說：「貴國要求割讓台灣，實屬不可。台地瘴氣甚大，昔日清兵在台灣傷亡甚多；就因瘴癘之氣頗盛，因此台灣百姓多吸食鴉片菸，以避免染上瘴氣。日本若要了台灣，不容易治理啊！」

伊藤博文說：「我國日後統治台灣，必禁鴉片。」

李鴻章聽伊藤的口氣非常急切，立刻說：「台灣人民吸食大菸，由來已久，恐不容易戒斷，我只怕貴國管不來。」

伊藤博文立刻反駁：「鴉片之物還沒有問世前，台灣亦有住民；就像我們日本嚴令禁絕鴉片進口，日本人不抽大菸。我國統治後，禁絕進口，台灣以後當然就不會有人吸大菸。」

李鴻章說：「台灣人民兇悍成性，戕官聚眾紛嚷也是常有的事，總理大臣他日不可怪我李鴻章沒有警告你。」

伊藤博文笑了一笑：「清國只要將統治權讓出就可以了，台灣以後即是日本政府的責任。」

李鴻章垂頭喪氣之餘說出口：「台灣已立一行省，不能送與他國。」

但伊藤博文不聽，李鴻章又言：「總理擬請割讓之地台灣，如果勒令中國照辦，兩國子子孫孫永成仇敵，傳至無窮矣。」

但伊藤博文態度更加強硬，臉上青筋暴露，感覺就像父親在斥責孩子：「我們大日本帝國飢餓是甚！中國照辦就是了。」

最後李鴻章迫於無奈，簽下了《馬關條約》，鑄下了台灣半個世紀，淪落為異族子孫的悲慘命運。

李鴻章簽名落筆前嘆了一口氣：「日本將成為我中國的終世之患！」

消息傳至台灣，引起了相當大的騷動。台南各地人心惶惶，劉永福收到唐景崧的電報，為了安撫人心，派了個衙門裡的筆吏出來安撫眾人，這個筆吏站在兌悅門正前方，對往來西邊的百姓解釋說：「中堂大人反對割讓台灣。這事若是成真，那還有天理嗎？台灣是不會被割讓的，割讓這件事全是大家以訛傳訛，倘若這事情為真，那台灣島上的百鳥便無語、千花便無香，華夏子民們對倭國沒有感情，倘若讓日本人統治台灣，所有附庸於其底下的台灣人，人人必定男不情、女不義，紛紛起而抗之！」

這話原本是這樣說，從大街傳到小巷，再從小巷傳入小弄，愈傳愈廣，話也被加了油、添了醋。隨著割讓台灣的真實性愈加確認，那句話就訛成了李鴻章在春帆樓，對伊藤博文說：「台灣鳥不語、花不香、男無情、女無義[7]，台灣割讓給日本亦可！」

割讓後不久，唐景崧發布《臺民布告》，說出了悲憤的心情。接著發電報給各地官署，表明獨立的心情：「伏查台灣為朝廷棄地，百姓無依，唯有死守，據為島國，遙戴皇靈，為南洋屏蔽。」

接著唐景崧發布《台灣民主國獨立宣言》，轉譯成外國文字，送交各國駐台領事館，並在第二日進行獨立典禮，宣布「台灣民主國」成立，以藍地黃虎的「黃虎旗」為國旗，頒布「民主國寶印」，改國號為「永清」，誓做永遠的清國子民。

台灣民主國成立，唐景崧被推為大總統、劉永福為大將軍、李秉瑞為軍務大臣，民主國首都設置在台北。枋橋頭「林本源」富商林維讓，也就是李硯的舅舅，被推為國會議長，他堅持不肯接受，就在民主國成立第二天，和弟弟林維源一起搭船逃到大陸廈門。

《馬關條約》簽訂後，樺山資紀在沖繩會師後，向台灣北部靠近。和李鴻章之子李經芳，在基隆外海交接文書後，日本正式展開對台登陸戰。台灣有廣勇、新楚軍、滬軍、淮軍、黑旗軍等，但各路軍隊良莠不齊。澳底登陸後，情勢更是急轉直下，基隆、獅球嶺砲台先後落到日本人手中，廣勇自潰退入台北城，燒殺擄掠，連唐景崧之母亦死於廣勇手裡。台北人心惶惶，民主國大總統唐景崧，連夜扮成婦女的模樣，搭乘德國商船逃往廈門。稍後，客家人進士丘逢甲也逃至廣東。艋舺地區的泉州人，辜顯榮歡迎日本軍進入台北城，台灣民主國首都淪陷。

在群眾有氣無力的歡呼下，劉永福大老爺在大天后宮前，宣示就任民主國第二任的大總統，這個民主國的「第二共和」總統府，就設於台南「大天后宮」裡。台南街上家家戶戶懸掛黃虎旗，旗子上的黃虎腳邊兩朵祥雲，畫虎不成反類犬的滑稽虎頭歪向一邊，猛虎早就成了落水狗，氣若游絲的怯戰之情，飄蕩在總統府外的空氣之中，台南首都上上下下，裡裡外外完全沒有建國獨立的喜悅。三郊勢力在洋人進駐安平後，早已經每況愈下，加上五條港年年淤塞，清淤不及陸化的速度，三益堂的勢力早就大不如前。台灣割讓給日本，也嚴重影響了尤重行的利益，元寶錢莊和寶鈔銀號，紛紛關閉鹽水溪以北的分號。台北失守後，台南道庫僅剩七萬兩，府庫不到六萬兩，劉永福為了籌措軍餉，特地拜訪了李硯，要求尤重行的銀號，協助印製「台灣民主國鈔票」，但李硯拒絕，因此劉永福改設籌防總局，要求局長莊明德印製官銀票應急。這下莊局長更急了，找了數十個帶槍的士兵，強行徵收台南各處的

7 鳥不語、花不香、男無情、女無義：廣泛流傳李鴻章對割台的言論，然未見於任何文書紀錄中。唯李鴻章於馬關條約簽訂後奏摺中提出：「台灣兵爭所未及，而彼垂涎已久……然而敵焰方張，得我巨款及沿海富庶之區，如虎傅翼，後患將不可知。」敘述割讓給日本的營口、台灣等地為「沿海富庶」之區，顯然與傳言態度不同。

「寶鈔銀號」分行，充公擔任印製「台灣民主國士擔幣」，及「台灣民主國股份票」的印刷廠。

三益堂裡頭分成了兩派，主和派認為，日本人武力強大，連清政府都打不過日本人，更遑論三郊自己的力量，因此主張與日本人媾和；主戰派則認為，自從洋人在台灣經營後，郊商式微，不如藉此機會「驅逐韃虜、恢復中華」，將日本人趕走後，一併驅逐安平的洋人。

三益堂吵了幾天後，主戰派勝利，三郊找上了武秀才林崑崗，結合台南周邊各堡，成立了「十八堡軍」，宣示和台灣民主國共存亡。但在此時，民主國帶槍的士兵跟著辦員，卻是挨家挨戶對各行各號，沿路兜售官銀票，票券上書寫「護理台南府正堂忠」，「正堂」是對官府的稱號，「忠」字則代表忠於滿清。面額分為壹大員、伍大員、拾大員，若是售出票券，辦員還會以紅泥大印章，加蓋「台南府局務員關防」，一併開出一式三聯的收據，收據上寫著「此票准照現銀通行通用：不法棍徒，行用假票，軍法究治」。

北郊勢力較大，郊下諸商買官銀票，起跳單位為五千張；港郊勢力較小，但也需湊足一千足張，民主國賣官銀票、郵票、股票，全是一分推銷、三分利誘、六分脅迫，不管大老闆願不願意，凡是負責賣票的辦員嘴裡，哼哼哈哈幾句，輕輕柔柔地叫一聲「大頭家」，哪個老闆不搖搖尾巴，做個聽話又忠心的哈巴狗。但隨戰局驟變，票券愈賣愈多，往往是早上才賣過一輪，下午又有辦員來兜售，搞得眾人莫不怨聲載道、哀鴻遍野。

抗日行動如火如荼，台灣北有簡大獅、中有柯鐵虎，南有林少貓。林少貓原乃是阿緱城內的攤販，《馬關條約》簽訂後，他便起而抗之。近日來到台南，受到劉永福的熱情接待，並提供一些軍火，正打算南返，穿過內關帝港後面的米街，便見到幾個沒事可做的亂彈戲子，在路旁練唱著《鬧西河》，這齣段子劇情是說宋朝時，番邦單單國駙馬姜統領兵來犯，三個妖精：狗精高風豹、貓精魏文龍、鶴精胡仁寶與之大戰的故事，頗有和當前局勢呼應之處，林少貓和幾個英雄好漢駐足在旁，聽得是如癡如醉，鼓掌叫好，這戲團的團長便是扮演小生高風豹的戲子，唱完後臉色一沉。林少貓想起了這台灣人民如今悲慘的命運，英雄眼淚不禁落了下來。

團長見狀便問了分明，知道他是民軍首領後，不禁大為感動，對眾人說：「朝廷將台灣割給了日本人，從今爾後，我們變成了倭國子民了。我這一個心底仍是一輪明月，一抹丹青。」

話鋒一轉，團長清了清嗓子，搭配簡單的梆子聲，嘴裡悠悠唱出：「春花秋月何時了，往事知多少？小樓昨夜又東風，故國不堪回首月明中。雕闌玉砌應猶在，只是朱顏改。問君能有幾多愁？恰似一江春水向東流。」

離開米街後，林少貓途經尤重行，聽見宅邸院子中發出巨大的聲響，後院的門扉並未關上，林少貓和幾個義軍將領覺得好奇，往內一探，就見到李硯的三個女兒圍著他，看他拿兩個「大公鮀」練提舉，林少貓一見便大驚失色，話說這公鮀也有好幾百斤重，武舉人連提個一顆，都可能氣喘吁吁，更何況李硯是兩手各提一個，還臉不紅氣不喘。

「滬尾的簡忠誥，能在南靖舉起宗祠前的石獅子，因此被人稱為『簡大獅』，現在看來，此人力量不亞於他！」林少貓又說：「他若加入我們義軍，必定能為我們立下大功。」

林少貓顧不得自己闖入別人的宅邸，嚷聲叫道：「這位英雄豪傑且慢，敢問英雄尊姓大名？」

李硯的大女兒李熒惑轉過頭，一見英俊瀟灑的林少貓，不禁起了好感：「你是誰？怎麼擅闖進我家大院？」

林少貓自報家門後，說明了來意：「我們正和日本人交戰，尚欠英雄這樣的人才，不知英雄願不願意助我們一臂之力。」

李硯放下大公駝，嘴裡嚷著：「阿福！你這後門是怎麼看守的，都讓賊人進來了。」

阿福一聽，趕緊從茅廁裡跑了出來：「頭家真是對不住，這後門我忘了閂上了。」

李熒惑一聽父親的口氣不善，立刻打圓場：「爹爹也不必生氣，我看這個哥哥不像壞人，聽他說說便是。」

林少貓回了個禮數：「多謝小姐替我說情，擅自入府確實有失禮數，還盼望英雄見諒。」

「要我去打日本人，我可是沒有興趣！這劉永福大老爺不分青紅皂白，收走了我家的寶鈔銀號，想到這裡我心底還有氣！」李硯說著。

林少貓一聽，便知道他是府城眾人口中所說，離經叛道的李硯頭家，故意說了這句話：「原來是寒寡將軍再世，人稱府城水仙的李硯頭家！」

「我爹爹哪是水仙再世，你少在那拍馬屁了。」三女兒李歲星說著。

李硯卻抬起頭望著他：「你說我是水仙再世，這話是誰說的？」

眾人見他臉色驟變，以為他會生氣，一時語塞。沒想到他立刻發出三聲朗笑：「說得好，這給我抹粉擦面的人，講得確確實實、真真切切，一點都沒錯。我的確是寒鼒再世，無人能及啊！」

林少貓心裡竊笑，心想你這老英雄，褒獎你幾句，屁股就翹了起來，竟然也不害臊：「李大老闆竟是大英雄，是水神再世，那可要顯顯神蹟啊！」

「你以為日本人很好打啊？他們的武器可不輸英國人、德國人，你這與他們鬥法，分明就是以卵擊石。」阿福在一旁說著：「前些日子三郊也打算籌設十八堡義軍，前來邀請我們頭家，我們頭家早已拒絕，我們頭家不是怯戰，而是明哲保身。」

李熒惑見林少貓臉上困窘，有意幫他，便說：「爹爹，我前些日子看了洋人的報紙，上頭介紹日本東京的帝國大學理學部，有一個亞洲最大的天文望遠鏡，或許打敗日本人，你便能用上那個望遠鏡一用。」

李硯一聽亞洲最大的天文望眼鏡，眼睛睜得大，心想散盡家財還復來，有錢還不一定能買得到那個東西：「那好，要我幫你可以，打敗日本人後，我要那個望遠鏡。」

林少貓苦笑：「當然，當然。英雄要什麼有什麼！」

乙未戰爭歷經隆恩埔戰役、分水崙戰役，日軍在中壢、桃園、新竹等地，進行無差別掃蕩法，後又歷經台中、八卦山、斗六大戰，日軍殺入嘉義城，另兩路日軍，北路由能久親王領軍自布袋嘴；南路由乃木希典大將領軍，自阿緱的枋寮地區登陸，打算三路夾擊台南，形勢變化頗快，日軍壓境之際，台南百姓早已聞風喪膽，如鳥驚弓，眾人預料台南將有大戰，還算有錢的大爺，乘舟出洋往廈門；沒什麼錢的，出逃城邑避居郊外：正所謂「肥馬大刀無所酬，皇恩空沿幾春秋。斗瓢傾盡醉余夢，踏破支那四百州。」[8]日本武裝精良的皇軍，便是處在這樣氣勢熏灼、盛氣凌人的狀態上向四處推進。他們自大傲慢、洋洋得意，無論是乘著戰馬，手拿軍刀的親王，或是胸前別滿勳章的大將，全都是外表看似吸足了西方思潮的奶水，舔吮了現代文明的燔肉，但冷不防卻露出那野蠻的爪牙，狠狠地噬人一口，足以證明牠們的本質還是走獸。

幾日後，伏見宮貞愛親王進入鹽水街，原來的港郊富商葉瑞西義軍不敵請降，並捐出一座漂亮的八角樓，供親王下榻。葉家承襲自李勝興的鹽水分號，接手後十餘年苦心經營，籌「葉連成商號」，零售港郊諸商所產的紅糖，竟然也能成就自己的一番事業。葉家原本就無意反日，要不是眾人拱他出來反日，他也不會被那些虛妄縹緲的英雄主義沖昏了頭。且古諺有云「良賈深藏若虛」，一個好的商人，是不會輕易表達自己的立場，使自己陷入絕境之中。但鹽水港葉家少爺便是犯了這樣的大忌諱。

北白川宮能久親王在普魯士留學過，是貞愛親王的哥哥，大軍占領鹽水街後，日軍準備展開台南包圍戰：能久親王由布袋嘴，領一支近衛師團，朝蕭壠的佳里興前進，途經學甲堡外，和三郊十八堡義軍，在營頂、崁頭寮短兵相接，日軍遭到游擊，準備不及擔心落入陷阱，便退守到急水溪以北，三郊十八堡眼見日軍槍砲武器精良，從苓仔寮棉被窟裡補充了許多棉被，將棉被捆束成盾牌狀，當作防彈裝備。雙方僵持到第四日，林崑崗登上竹篙山的小山崙，舉手發誓：「懇求天上眾神明鑑，若是日本人順應於天理，就讓我遭到他們的槍擊；如果不是，就讓我軍所戰皆捷，將日軍驅逐出台灣。」[9]

此時，李硯和四個兒子，在林少貓的幫助下，潛入了敵軍後方，在坔頭港附近埋伏。李家大女兒李熒惑許給林少貓，二女李鎮星、三女李歲星分別嫁給林少貓的部下，李硯成了林少貓的岳父。尤重行大小男丁和阿緱城出來的民兵，混合編成了「和字營」，由李硯擔任總指揮。坴頭港郊外，大戰一觸即發：李太白將雞母珠果實搗破，使毒素滲出，並將毒汁抹在匕首上，再將匕首插入腰際的鞘套之中；李硯交代李長庚、李啟明和李金星，李家四個兄弟，端好來福槍躲在無患子樹上，其他眾人分別躲在茂密的樹林裡、蓬亂的草叢中，或藏匿在不甚湍急的急水溪淺灘河石後，大家都在靜靜等候狙擊的最佳時機。

遠遠地，他們就看見一支近衛軍，旗手領著　支大大的太陽旗，穿過茂密的樹林，後面一個蓄留鬍子的日本大將軍，配著軍刀，戴著手套，頂著盤帽，穿著黑色的軍服，胸前配戴各式各樣的勳章，威風凜凜地騎著棕色戰馬，慢慢地行過碎石子斜坡，樹上埋伏的狙擊手心裡哼唱著西皮快板，一曲〈華容道〉從腦子裡的縫隙鑽了出來，猶似眼前過來的大將軍，正是那抹白了奸臣臉的曹操，這曲兒在他腦海裡是這樣唱：「非是某忘卻了舊日報答，奉軍令捉拿你豈肯輕饒。來、來、來，請上了華容道，試一試關某的偃月刀。」這腦子裡義薄雲天的關雲長唱完，接下來便著是京胡的西皮唱曲：「一見關公臉變了，嚇得曹操魂魄消。虞公之斯豈忘了，你本是大英雄怎忘故交。」

狙擊手嘴裡默念著曹操的獨白：「二將軍，想你熟讀春秋戰策，豈不知戰國時虞公之斯，追子濯孺子之事乎……」

8 時任甲午戰爭第一旅旅長的乃木希典，於廣島出發酒會上獻此詩給前來祥行的天皇。
9 林崑崗祝禱詞：原紀錄說法為「如若是日本人的天年，則讓我林崑崗中頭銃」。演說地點現存歐汪大廟前及竹篙山頂兩種說法。

日軍愈走愈快，也愈來愈靠近，忽然大軍停了下來，四周安靜無聲，連一聲鳥鳴也沒有，大將軍停馬四望，一道陽光穿過葉隙，形成光束，筆直地打在他身上。那個狙擊手見到這狀況，腦海裡西皮聲音也戛然而止。李金星小小年紀拿著槍，穩定度尚且不足，豆大的汗水流過額頭，表情僵硬且他稚嫩的手開始發抖。那個大將軍在光束下左顧右盼，像鬼魂一般的眼睛望了樹林深處一眼，他沒有察覺異狀，於是舉起軍刀向前喊了一聲，軍隊又開始緩緩移動。

李硯端好槍枝，心裡數著一段節奏，暗記著拍子，就等獵物上門。他已經看好擊發點，只需那個騎馬的大將軍再走幾步路，就能進入他的射擊熱區。李硯數著數字，由一至五，打算心裡頭數到了五便開槍：一、二、三、四……

砰地一聲，領著太陽旗的旗手立刻倒地，李硯心裡暗想：完蛋了！

從另一頭樹上，已經有人不待命令觸發了槍枝，這一槍打中旗手的左肩，日本軍隊頓時大亂，這一槍是躲在無患子樹上的李長庚發射，原來他是要射擊那個大將軍的眉心，但準心卻偏掉了。日軍拿起步槍，對樹林回開了好幾發子彈，一個義軍因此而緊張掉下樹來，活活被亂槍打死。所幸無患子樹林茂密，日軍雖持精良的毛瑟槍，但並未再打中在樹上的任何人。

河面上一抹閃光，這是暗號。此時樹林內槍聲再起，義軍從四面八方回擊，又擊斃了四五個日軍，日軍隨即反擊，但仍未打下任何狙擊手，李硯端起前膛來福槍，將火藥用布覆後，壓至槍管底部，然後將鉛彈壓到火藥的前面，因為裝彈時間較久，往往開了兩槍只中了一個，現在槍管正冒著白煙，正要再開第三槍時，放火藥的盒子已經掉到樹下，這下引起了日軍的注意，日軍對這棵樹開了幾槍。李硯壓低身子，閃過幾發流彈，一腳勾到另一個樹枝上，就像是猢猻一般掛著，他心想這樣不妥，倘若大家都僵持在這裡，自己必死無疑，他看了李太白腰際插著的匕首，把腳縮了回來，然後伸手就是一抽，他將匕首綁在來福槍的前端當作刺刀，接著跳下樹，那個大將軍著實嚇了一跳，戰馬站起兩隻前蹄，李硯力大無窮，用左肩去衝撞戰馬的身體，禦戰馬被強大的力量衝撞，偏了一個方向，李硯順勢揮起刺槍，匕首尖端正好劃破大將軍的喉嚨，他立刻從馬背上跌了下來。

日軍立刻攏了過來，眾人掩護大將軍，另外還有人對李硯開了幾槍，山坡上架好機槍準備掃射，噠噠幾聲掃蕩，竟然活生生將李長庚，自樹上打落了下來，李硯拋下來福槍，自旁邊舉起一顆大石頭，朝日軍拋了過去，日軍慌慌張張閃開了，大石頭擊中山坡上的機槍，武器被大石頭壓得稀爛。無患子樹上的義軍狙擊手又開了幾槍，日軍立刻亂成一團，大家往後撤退，樹上的義軍見狀，紛紛跳下樹反擊。好幾個日軍被擊斃，兩個日軍抬起了癱軟在地上的大將軍，往岩石後面躲去。戰馬狂奔，李硯對天吼了一聲，扛起李長庚，帶領眾人往急水溪邊撤退，所幸日軍無意追擊，讓李硯一行人能全身而退。

能久親王被狙擊的消息，很快就傳遍了台南各地。為了掩人耳目，貞愛親王穿起了哥哥的軍服，揮軍攻打台南郊外的大目降街，不到一日，便拿下人目降周邊十二個村莊，貞愛親王下榻在首富鍾家，日軍四處派人在周遭漢人村庄裡，打探狙擊手的消息。很快就逮到了三郊十八堡義軍的林老闆，林老闆便是永順行庶子之孫：林雙雙。他是南郊現任的領首，他與武秀才林崑崗是堂兄弟，在義軍裡擔任軍師，人稱「小諸葛」。林崑崗戰死竹篙山，三郊十八堡軍師又被抓，義軍頓時鳥獸散，日本人將林雙雙，押至大目降街上的玄天上帝廟，直接就在拜殿中訊問他。

「那日無患子樹林裡，傷了能久御前殿下的是誰？」日本軍官惡狠狠地瞪著被用刑，滿臉是血的南郊領首林雙雙，手中拿著馬鞭，腰際插著軍刀。

林雙雙還是一身傲骨：「我呸！你們倭國亂我台灣，我乃是堂堂正正的清國子民……」

「混帳東西！」軍官拔出軍刀，一刀便削掉了林雙雙的嘴皮子。

日本人如發了狂的野獸，在蕭壠地區進行大屠殺，在土角厝的牆壁上，留下滿目瘡痍的彈孔，街上的百姓聞風之後，躲到郊外的甘蔗田之中，大軍開拔至郊外，已經殺紅了眼的日軍早已沒了人性。躲在甘蔗田裡的一位年輕的母親，抱著未足一歲的小娃娃，哄著他入睡，沒想到這個嬰孩竟然放聲大哭。日軍發現後，封鎖了甘蔗田各處出口，對內加以掃射，無論男女、不分老少，三百多條無辜的性命就這樣斷送了，屠殺完畢再放火燒了甘蔗田，空氣中甜甜的焦糖香味，好幾日盤據在蕭壠的天空，久久無法散去。

「蕭壠大屠殺[10]」這事傳入台南城裡，大戰將至，人心惶惶。劉永福跟唐景崧同一個模樣。劉大老爺早在日軍接近台南城時，就已寫了信給北白川宮能久親王，說到「欲想抗戰唯有台灣人耳」，和台灣人徹底畫清界線。

此話遭到日軍官兵的恥笑：原來清國的狗官全是貪生怕死之徒。北白川宮被狙擊後，日軍就像是發了狂出巢的蜜蜂，四處大開殺戒，劉永福雖曾是黑旗軍首領，也得了越南三宣副提督之職，但畢竟也是個貪生怕死的傢伙。情勢急轉直下，劉大老爺腳底抹了油，搭英國商船「賽里斯號」逃往廈門，途經廈門外的公海上被日軍登船臨檢，但礙於國際法，且英國大使向日本嚴重抗議，日軍只好放走劉永福，讓他安全回到大陸去。

但這事從此讓台灣人恥笑不已，大家都說劉永福是「阿婆仔弄港」，大家都知道，通常敲鑼打鼓，說自己為這片土地而戰的高居上位者，全都是虛張聲勢的紙老虎，他們滿嘴盡忠報國，實乃道貌岸然的龜縮子。嚷得最大聲，往往是逃得最快的，唐景崧這般模樣、劉永福亦也如此。市井小民失望之餘，把怒氣發洩在台灣民主國的國旗上，掛在大天后宮總統府前的那面「黃虎旗」，敵不過眾人連日吐口水和亂塗鴉，兩天後這面台灣民主國象徵：「黃虎旗」就被眾人給扯了下來。

李家父子返回台南，城外早就傳得沸沸揚揚，李硯從三郊十八堡戰敗，逃回城內，躲回自己的房子裡，他知道日本人想盡辦法要揪出他，雖然三郊幾個重要領袖，落在日本人手上成為戰俘，嘴巴緊得很，沒把李硯給抖出來，但日本人可是出了柵欄的猛虎，誰也擋不住。

李硯原本天真浪漫，以為殺幾個日本人，便能得到帝國大學理學部裡，亞洲最大的天文望遠鏡，沒想到殺得了日本的大將軍，卻殺不完整個龐大的日本帝國。李硯第一次感覺到，一股巨大的壓力，如天上的隕石掉下來，擋也擋不住，防也防不了。死亡是如此的接近他自己，李硯知道大事不妙後，便交代了遺言，擬了遺書。心情鬱悶到不行。

受了槍傷的李長庚，在宅子裡躺了三日後，便嚥下了最後一口氣，撒手人寰。這日李硯穿過戲台，

10 蕭壠大屠殺：發生於西元一八九五年農曆九月三日，日軍於蕭壠（今台南市佳里區）進行大屠殺，傳聞約兩千多人死亡，但無任何文書紀錄可證實。佳里地區耆老多稱該事件為「走番仔反」。

看到老管家阿福，正拿著軟布，擦拭著李硯最愛的天文望遠鏡。李硯嘆了一口氣。他獨步回到書房，坐在藤椅之上，思索著尤重行的未來，這是他有生之年以來，第一次感覺到挫敗與懊惱：以往他的自大、他的狂妄、伴隨著他做事荒誕不羈，行為古怪，沒有世俗禮教與道德的觀念，在這當下就從猛虎轉變成了病貓。李硯感覺這房間的巨大、四周的寬敞、屋頂的高聳，也感受到了房子的空虛、寬似天涯、高如登天，那些冷涼涼的空間裡，充滿了蜂巢般的空洞，深不可測、寒氣逼人，乃至於屋子中散發一股螫人難熬的氣氛。

他一直獨坐到太陽西下，皎月東升。李硯望著窗外，不發一語。月光灑入窗內，李硯萬念俱灰，懊惱不能得到那只高倍的望遠鏡，他現在自己的望遠鏡，僅止於看見帶環的鎮星、木紋的歲星還有如火的熒惑，這些東西就是他現在的小宇宙。太陰雖然明亮，卻是不能和太陽的光芒相比，他知道人外有人、天外有天，銀河裡還有成千上萬的星星，更浩瀚的宇宙深度。

今夜的月亮是這樣清明如鏡，黃檸色的庭院，吹起一股涼風，遠處傳來一曲下南腔，不知是誰在大半夜正低謳著，大戰之前更顯深沉與悲涼，宛如從黑暗的喉頭裡掏出來似的：「國破山河在，城春草木深。感時花濺淚，恨別鳥驚心。烽火連三月，家書抵萬金。白頭搔更短，渾欲不勝簪……」

夜裡找不到鳥巢的大捲尾，飛到關帝廟的火焰龍珠上，對著月光下的樹影鳴叫著，聲音急切悲涼。月光灑入窗中，照亮了懸掛在牆上的李三泰墨寶，隱隱約約地，李硯發現在書架子上有一個特別的錦盒，鎖頭非常地精緻，李硯以往不曾發現這樣的錦盒，特別是在這樣的夜晚裡，那盒子似乎抹了某種礦石粉末，在月光下發出淡淡的螢光。

李硯伸手拿下書架上的錦盒，鎖頭的機關簡直精緻至極，就像是當朝皇帝的多寶格，鎖片寫了首小詩，字體很小，每個字大小不一，且排列方式也不對襯，若沒有仔細去看，實在不容易發現這些字體，從前後次序貫讀，整個詩文便是：「韞櫝藏金於塵跡，萬世前程僅咫尺」，在這裡頭，鎖片底下好像能塞進什麼東西，方方正正，稜稜角角，李硯想了又想，忽然想起了黑漆木牌正好符合這個大小。於是便到臥房裡把黑漆木牌找出來，扯掉頸項掛繩後，把木片放入這個精緻的鎖頭中，按壓一下，啟動了機關與齒輪，錦盒果然應聲打開。

「好個精緻的鎖頭鑰匙啊！」李硯忍不住驚呼。

盒子裡頭是李萬利的兩本舊冊和一張肖像畫，這兩本書的其中一本是李萬利的製糖方法，另一本是帳貨清冊，另外一張肖像背面提了首詩。李硯發現，這盒子似乎從來沒被打開過，兩本冊子封面雖然泛黃、出現大片書斑，但冊子裡頭還算乾淨，開口也無任何翻閱所遺留下的痕跡，顯然歷代祖先皆無人過目。李硯看著帳冊裡的碼子，他想起了美國一位機械工程師維爾，發明了短音和滑音組成的電報發送方式，他看著那些符號，漸漸理解這裡頭有種特殊的規律性，有些符號像某個字，或一個詞、一句話的一部分。他望著書冊，想像著眼前的這些符號快速移動，集合成方陣又立刻快速散開，紛亂卻有秩序。猶如螞蟻雄兵走過歷史的軌跡，搬運延續家族生命的餅屑；恰似群蜂大軍翻過歲月的山頭，攜回育養後代的花粉。

李硯腦子清明，猶如電流穿過，他拿起硃砂筆，依序在冊子上評點，最後拼湊出一個完完整整的文章。這篇解密後的文章有兩個部分：一個交代了「某個事件」對家族的影響；另一個則是談及帳房老先生的身世。拼出一段小詩：「天理昭昭有時盡，港郊公駝有黃金；若詢兒孫後世好，水神拈花笑古今。」李硯嘖嘖稱奇，他看完預言書後有種「不知有漢，無論魏晉」的感觸。

李硯知道要保全尤重行事業，只能按著老先生的預言法子走，且這天機斷不能洩露。想通了裡頭交辦的方法後，就把預言書放回錦盒中，他把另一本製糖，且無關緊要的書冊拿了出來，坐在書桌前看著那幅肖像，找來另一張紙，依樣畫葫蘆，把老先生的肖像謄在那張紙上，接著他振筆疾書寫著計畫，直到第二天的天明方休。

一大早，李硯拿一幅墨跡未乾的畫像，和那本製糖方法的書冊到大廳上。他把阿福叫過來：「阿福啊！自駝子公走後，你就當了家長，你在我這做了幾年？」

「過了今年中秋，就滿二十二個年頭了！」阿福說著。

「過一陣子，厚葬了我那短命的兒子狗屁蛋後，我就將尤重行頂讓給你。你也知道尤重行在鹽水港郊外，善化里一路到官佃，有大片的甘蔗園，我若是贈與給了你，讓你好好經營，想必你也能發揮出一番實力來！」李硯說著。

阿福眼睛瞪得大大的，嘴裡嚷到：「頭家做這事，不是在折煞阿福嗎？」

李硯說到：「你知道『鹽水煮糖』這事兒嗎？這一本是製糖的方法，給你參考，裡頭附了權產地契，全給你自個兒運用了。這東西是李逵老頭家留下來的東西，現在由我繼承，此番全部託付給你，你可不要辜負了我的一片心意。」

李硯最後遞給阿福那張肖像畫：「這是我家上祖李逵，打福建帶回來的王爺像，你也知道這王爺助我家事業興隆，今日我尤重行劫數難逃，念你在我家為僕多年，可也給你保個平安。」

李硯手上的這些東西，躲過了事業的變遷、無情的戰火，最後存在於尤重行的書齋之中，壓在李三泰書房的錦盒裡。李三泰因肝病猝逝，自然沒跟李墨交代過，李硯倉促接任頭家，當然也就不會知道這檔事。不過現在李硯知道了，就不能坐以待斃。李硯想起來就覺得事情的奧妙，這命運早就把世間的結局給寫了一遍，他知道「看西街事件」是個引子，那引子要引出那個能幫尤重行保全事業的人，而現在也只有那個人，能幫尤重行度過這個難關。

阿福不解問著：「頭家何出此言？為何託付我如此之重任？」

「我這些東西給你，並非無功而受之，我這尤重行來日不多，我要你幫我找個洋人，也只有那個洋人能幫我們尤重行度過危機……」李硯說著。

「願聞頭家說分明！」阿福從李硯手上接過冊子，翻了一遍：田地、房舍、白銀、牛車，每筆帳目地契都是天文數字。

「亭仔腳街上的基督新教長老宗的禮拜堂，裡頭有個牧師叫做『馬雅各』，與我曾有一面之緣……」李硯拿出身邊那本不知名的書冊：「這是阿基米德的書，是『看西街事件』時，馬雅各牧師送給我的，你將這書送還給他，並替我把這封信捎給他，我想他定能幫尤重行度過此劫。」

阿福第二天，便隻身前往亭仔腳街。禮拜堂前圍著許多百姓，大家都聽說日本人的殘暴，台南在劉永福逃走後，府內早已群龍無首。巴克禮和李豹分別安撫想擠入禮拜堂避難的人民，李豹輕聲說著：「各位兄弟姊妹，如果大家都擠進禮拜堂，爭先恐後會發生意外。」

「牧師！日本人已經兵臨城下，他們手上有機槍，難保不會進行屠城。只有禮拜堂最安全，就讓我們躲一躲吧！」那個大聲說話的男人捧著一尊媽祖塑像：「如果你們要我們捨棄這些信仰，我們就捨棄。」話一說完，便把媽祖塑像往地上一摔，塑像頓時粉碎。

此舉引起眾人譁然，大家七嘴八舌地接說著：「我們要受洗為基督教徒，請讓我們躲進禮拜堂吧！」

巴克禮站到前面，緩緩說道：「大家先冷靜一下，我湯姆斯不會讓大家受苦的，請各位鄉親父老稍安勿躁。」

巴克禮看了李豹一眼：「我想，就讓兄弟姊妹們到禮拜堂裡休息，只要禮拜堂還有空間，人人都能入內。」

李豹聽巴克禮這樣一說，立刻指揮大家排好隊伍，依序進入禮拜堂，接著李豹站在門口嚷道：「等一會兒我給鄉親父老講解福音，說一說摩西出埃及的故事。」

眾人全入內後，李豹也進到禮拜堂中。巴克禮轉身正好見到阿福，說著：「你也是來求個安穩的吧！這位弟兄也進來禮拜堂聽一聽福音，向上帝禱告，請求上帝賜福台灣。」

「請問您是馬雅各牧師嗎？是我頭家叫我來找您！」阿福遞上那本書，附上給馬雅各的那封信。

巴克禮一見書的封面，上頭正是馬雅各簽名的花體大字，便說：「我不是馬牧師，他已經返回英國，我是巴克禮，他是我的老朋友，有什麼忙需要我幫的嗎？」

「真是糟糕，我頭家急著要我找馬雅各醫生，他若回去英國，這事情可就糟糕了……日本人四處搜索他，頭家性命和尤重行，皆在旦夕，還請巴牧師幫幫忙。」阿福說著。

巴克禮一聽，知道這話題敏感，趕緊說著：「別在這裡說，到診間裡詳談！」

阿福和巴克禮在診間裡談了許久，阿福將看西街事件始末說了一遍，巴克禮聽得仔細，又看了李硯給馬雅各的書信。兩人相談甚歡，巴克禮知道自己責無旁貸，最後對阿福說：「回去跟你頭家說，雖然我不是馬牧師，但我一樣會用盡生命的力量，保護台南百姓，請他寬心。至於他要我幫忙的計畫，一切就依他的意思辦理，我認識馬雅各牧師，我會另外寫封信和他說明這件事。」

阿福回到尤重行，將結果報告李硯，李硯心中的大石頭落了下來。這幾天他叫工人將元寶錢莊裡的大公駝，請石匠在柴房裡敲敲打打，不准任何人靠近那裡，石匠做完換鑄匠入內，鑄匠做完又換石匠進房，沒有人知道他們在裡頭做什麼，柴房門窗緊閉，終日不見陽光，一些下人問了李硯頭家，他始終是神祕兮兮，不肯吐實。

乙未年十月二十日早晨，紳商拿了請願書來到禮拜堂。巴克禮簽名畫押，傍晚便和宋忠堅牧師帶了一面英國國旗，唱著聖歌往城外日本第二旅軍團而去。兩人高舉燈火，哨兵攔下他們，巴克禮牧師拿出英國國旗，表示自己是和平大使。日軍態度有禮，邀請兩位牧師入營帳，巴克禮牧師對日軍說：「劉永福將軍已經逃走，敵對的行為早已結束。」接著展示《台灣人紳商請願書》。

日軍見到請願書後，帶兩位牧師去見乃木希典大將軍，乃木見他們是來使，態度親切。乃木請翻譯對巴克禮說：「巴牧師、宋牧師遠道而來，遞送請願書，吾等已經知悉台南百姓訴求。還請兩位早點返回台南城。明日還請兩位牧師為本軍開啟城門，只要是和平投降的人，絕不加任何傷害，然而，若稍微以武力抵抗者，必毀滅街市。」

巴克禮和宋忠堅牧師返回城內，派人發布告示。就在這樣平和的狀態下，打開了台南城門，日軍浩浩蕩蕩進城，戰爭的不安與對峙就此解除。

但日軍可沒閒著，四處打聽行刺北能久親王刺客的下落，李硯的長相已經曝光，日軍四處張貼他的畫像，重金懸賞，百姓知道李硯是義軍指揮，感念他的義舉，均無人向日本人報告，過了三日，日軍展開大規模搜捕，仍無所獲。乃木希典大將軍終於忍無可忍，以資助三郊十八堡叛軍的名義，下令逮捕三益堂的兩席董事，水仙宮被迫關閉，日軍打好了如意算盤，打算從台南最大的商業組織下手，拷問出刺客的身分。

二十五日上午，尤重行大門開啟，但眾人卻異常低調。家丁從裡面抬出了一口棺材，放在牛車之上，棺材上畫了個巨大的十字架。隊伍前導有一個長老教會的牧師帶領，送葬的全是尤重行家的下人，男男女女、老老少少，人人都穿了黑色的衣服，手拿聖經、鮮花與十字架，安安靜靜地跟著出了尤重行大門。

出殯隊伍分成三部分，第一部分是運棺的牛車，由七至八位男丁分列牛車兩旁，擔任扶棺；第二部分是一輛加了車蓋的牛車，四周垂著黑紗的帷子，一個長得高高男子快步鑽入裡頭，看起來像是李硯本人，但他卻異常低調，似乎不想讓人見到他的面目，他上了牛車後，便示意阿福快些放下布簾；第三部分是三輛牛車裡頭最大的牛車，上頭放著五個元寶錢莊的公駝，李家的三兄弟皆在此牛車上：棺材出了尤重行後，大門便這樣敞開著，似乎也不怕小偷光顧，四鄰見狀都覺得奇怪，大都都不知道，從今天起，尤重行將從此消失在這個世界上。出殯隊伍一路往城東，過了媽祖廟脫去最後一輛牛車，接著轉往城南，抵達魁斗山後，中間那輛牛車也脫隊，然後運棺材的牛車獨自轉向北。

能久親王被人抬入台南城內，眾人議論紛紛。日軍放出假消息，說親王在台南城外得了瘧疾，現在正下榻在豪門吳汝祥的「宜秋山館」中。大批日軍封鎖了莊雅橋街、孔子廟、下橫街、馬兵營等地，甚至連西邊的做燈街、新興街也遭到管制。又隔一日，能久親王在宜秋山館中去世。幾乎是同一個時刻，乃木希典將軍，從已經用刑打爛的三益堂爐主嘴中，得知了李硯的真實身分。大軍殺至尤重行外，發現早已人去樓空。

阿福想著李硯對自己所講的話，腦海裡浮現過去在尤重行裡的點點滴滴。他知道從今天起，尤重行就要在台南的歷史中消逝了，內心不免感嘆唏噓。

「阿福啊！你在尤重行待了那麼久。我還不知道這個待在我身邊，自始至終，全然忠心之人的真實姓名！」李硯說著。

「跟頭家稟報，賤名『蘇振芳』，小時候體弱多病，母親跟藥王爺爺許了心願，擔心講述真名會惹得疫鬼注意，從此便喚我為『阿福』，我乃大目降街觀音亭人，現在膝下已有兩子：名曰蘇宗永及蘇有志。能在尤重行幹活，是小的榮幸！」阿福說著。

「那可真是辛苦你了！」李硯那時心想，你把真名告知於我，那不等於我就是一個疫鬼了。你這往後性命可要自己掌握，半點不尤人。李硯停頓了一下又說：「李羽頭家時代，在水仔尾街蓋了間五福大帝廟，名叫『西來庵』。說來我們尤重行也是西來庵的董事之一。前一陣子聽聞白蟻蛀蝕了劉府千歲的金身，日軍之後將占我台南，對我們尤重行恨不得除之後快，我李硯罪孽深重，我想再過不久，尤重行便不存在於這世間上了。我給你的王爺畫像，你可要好好珍藏。我要你幫我塑個千歲金身，安在西來庵裡，好給李家祖上做個交代……」

蘇振芳在晃動的牛車上，拿出了李硯給他的那張畫，攤在膝上若有所思。

被任命為台南守備司令的乃木希典將軍，帶著大批掃蕩軍，依循尤重行四鄰的供詞往城東一帶搜索，但並無所獲。最後透過翻譯，在一個老人的口中，得知有一輛牛車載著五個大公駝，往竹溪寺的方向而去。乃木希典大驚失色，竹溪寺距離能久親王下榻的「宜秋山館」僅一華里之遙，難不成叛軍還有什麼企圖？

大軍來到竹溪寺，早已不見任何牛車的影子。日軍穿過書寫「慈風法雨」四字的山門，入內搜索，大小僧人皆被盤問。住持傳慧法師已經是個八旬的老人，但說起話來依舊聲如洪鐘，法師出來迎接：「大將軍前來本寺，入我法門，不知是來問法、習法；還是打四禪、入八定？」

乃木希典看了看寺廟四周，臉上表情嚴肅，他看了看中間大尊的釋迦摩尼佛像、觀音神像，接著用生澀的漢語說著：「吾等捉拿刺殺北白川宮御前殿下的要犯，不知大師是否知悉此事？如大師知情，速速交出鼠輩罪犯，莫要佛門重地沾染了罪孽的汙垢！」

傳慧法師坐在蒲團上，頭頂正上方是李三泰送給竹溪寺的「了然世界」牌匾，但他說話的語氣依舊沒有膽怯退縮：「大將軍所言差矣，本寺戒律森嚴：所謂眾生心者，猶如於鏡。鏡若有垢，色相不現。如是眾生，心若有垢，法身不現故。吾等潔身自愛，怎會藏汙，又何來納垢之說？」

乃木見他不願正面回應，也不與他多說。一路走到後院，只見三個小沙彌正在庭院裡打掃落葉，除了一棵大樹外，什麼也沒有。乃木希典四處看了看，穿過四大天王像，最後離開後院，回到正殿，帶著大軍退出竹溪寺。

乃木希典站在竹溪寺外，心裡覺得奇怪，但搜不到犯人是事實，這回又有一個士兵來報，指城東外有人見到牛車疾駛，於是大軍立刻往城東殺去。

日軍走後，眾人都鬆了一口氣，原來庭院裡的三個小沙彌，正是李家的三兄弟，傳慧法師本來就是李三泰的二伯，自然幫著他們。寺裡的和尚們快速地替他們剃去了頭髮，換上僧服，協助藏好了牛車。他們負責押送的大公駝，擱在正殿佛祖塑像前的供桌下。日軍從頭到尾都未見過三個兄弟的真面目，當然不認識他們。

尤重行以前甚少與人往來，許多人都不知道李硯有兒有女，雖知道他有三個姨太太，但李硯未曾舉行公開的婚宴，也沒人知道這些姨太太的長相。李硯的三個小妾，早在台南大戰前，就被遣回了娘家。李硯本身就是孤鳥，少跟三益堂有往來，日軍從三益堂那邊，能得到的情報亦不多。乃木希典又急又氣，跨上戰馬揮著軍刀，指揮搜索大軍前進：「可惡啊！不可讓鼠輩逃走了！」

乃木希典率領大軍抵達城東，果然找到了那輛加了車蓋的牛車，攔下了所有人。乃木希典大將軍要求所有人下牛車，這第一個下車的便是蘇振芳，接著是兩個女婢僕人。乃木希典見車上還有一人，心想他該不會就是李硯，立刻大叫：「車上剩下的那個人是誰？」

幃帳一掀，日軍都說不出話來。那人不是別人，正是英國籍牧師巴克禮，他頭戴大禮帽，向大將軍致意。乃木希典見過他，便說：「牧師在這裡做什麼？」

巴克禮說：「尤重行頭家的兒子得了癆瘵病，前幾天死去了，他們受洗入我基督門下，現在他的兒子回歸上帝的懷抱，我自然要給他做告別式。」他指著蘇振芳說：「這個男的是我教會裡的司會，這兩個女的是醫院裡的護士，我請她們來給死者整理儀容。」

「牧師有沒有見到李硯？」乃木希典問著。

巴克禮說著：「有！」

眾人一聽都豎起了耳朵，大家都不知道他會說出些什麼。沒想到巴克禮繼續說：「他跟他的兒子們同在那輛運棺材的車上。」

乃木希典一聽，心想牧師不會騙人，於是加快了腳步，追緝那輛運棺材的牛車去了。

日軍一路追到安平海岸邊，這裡有個洋人專屬的墓地，裡頭四處是十字架墓碑，乃木希典見到眾人圍在墓地旁，大家已經在地上挖了個大洞，準備把棺材放進去，日軍闖入墓地，眾人見日軍來者不善，全都四散逃跑。

乃木希典大聲嚷著：「把所有人抓起來，不能讓刺殺殿下的李硯罪人逃了。」

乃木希典看了一眼棺材，命人將棺材打開，惡臭立刻撲鼻而來，裡頭是具屍體：臉浮腫、身體發紫，還有蟲蛆在屍身上爬來爬去。

乃木希典見過各種場面，但看了這一幕仍不免退了一步，他命令士兵對棺材開槍，眾人盡皆失色。日軍打了幾槍後還不痛快，又架好一只機槍對棺材掃射。所有人嚇得啞口無言，被機槍打爛的屍體躺在裡頭，那惡臭與屍水從棺材旁的彈孔溢出，那臭味令人難忘，無人能再靠近一步。

「這是他兒子的屍體，李硯這個罪人逃到哪去了？」乃木揮著軍刀，另一手緊握拳頭，一把揮刀削下棺材蓋一角：「把所有人帶回去一個一個訊問，就算是天涯海角，就算是把台南城搗爛，也要揪出這傢伙。」

日軍走後兩個時辰，棺材底下有了動靜，原來李硯託人做了個凹形鐵板，反向扣在木棺材底下，棺材底開了個洞，加了一片薄木板。這個棺材機關重重，上層放了李長庚的屍體，塞了些絹綢，墊高了屍體的位置；底下另一層可藏一個活人。屍體由正上方開口進入，活人從棺材底下暗口進出。這事情誰都不知道，就連負責抬棺和挖墓的工人，全都被蒙在鼓裡。

鐵板擋住了上層的屍水與惡臭，也擋住了剛剛機關槍的掃射，李硯爬出棺材後，看了看四周，這個墓地離海岸頗近。海面上有個燈光照過來，李硯知道那燈光是個暗號，往海岸邊走去，果然是一艘洋行的小船，船上升著英國的國旗，李硯和洋行關係頗佳，登上小船後，回頭看了看這片海岸，李硯知道，他這一生不會再回來這裡了。

後來李硯逃出台灣，遊歷了歐洲諸國。稍後，他在俄羅斯帝國的西伯利亞地區，見識了通古斯大爆炸的威力，從此更醉心於天文學研究。台南人不會再記得他，大家早已忘卻了，這個與水神寒孱齊名的郊商頭家，眾人只有在仰望天上的星空時，注意到幾個流星滑過，但再也不曾深思過，那無窮不盡宇宙裡，到底曾有多少顆閃亮的恆星高掛在天空之中。

第九章：壽象園

明治三十年，雖然台灣島內還有零星的反抗運動，但日本已經取得了大部分地區的統治權。日本的人類學家，伊能嘉矩到訪台南，順道參觀孔廟，廟內大成殿東西兩廡，遭原來民主國劉永福軍隊的破壞，幾乎體無完膚。伊能嘉矩穿過大成門，進了以成書院，又從崇聖祠走出來，目睹這些破壞的痕跡，深深地嘆了口氣。

接著幾天，他參觀了幾個地方。透過通事鄭榮招的安排，邀請了阿里山番、楠仔腳萬社頭目到台南參觀，由台南縣職員宮村榮一，帶眾人參觀台南醫院，和設置在赤崁樓的衛戍醫院，最後抵達國語傳習所，頭目們和伊能嘉矩做短暫的會談，台南郊區幾個教會的牧師，也一併出席。伊能嘉矩發現楠仔腳萬社頭目的帽子上，有兩根漂亮的鳥類羽毛，身為一個研究者，竟一時不察，未更深入了解那兩根羽毛的由來，錯失了探查的良好時機。九年後，菊池米太郎在阿里山上，同樣見到這樣的山番服飾，深入研究後，捕獲了新種雉雞，菊池米太郎將這種眼睛周圍為紅色、雄鳥羽毛為藍黑色、雌鳥為褐色的雉雞，以紀念「明治天皇」之由加以命名，從此「帝雉」美麗的身影，便展現在近代的鳥類學術圖鑑之上。

伊能嘉矩使用了先進幻燈機播放燈片，機器底下放置電火燈做為光線來源，黑白的底片放在透鏡上，光線穿過透鏡，將底片的畫面投影在牆面上：先是一張大嵙崁黥面的泰雅婦女；接著是配著番刀的勇士；然後是屈尺番婦人身穿傳統服飾，站在鏡頭前面無表情；最後一張是一個織布的泰雅族婦女，身旁站著一個裸身的孩童，在那靜靜的幻燈片底下，似乎還能聽見那底片裡的婦女，低語吟唱著〈織布歌〉的歌聲。阿里山部落長老們都為之譁然，他們沒見過幻燈機，日本從明治時代，就已經從西方傳入這樣的機器與技術。頭目們沒見過照片，更遑論幻燈機。初次見到這景象，還以會是什麼會攝人魂魄的西洋巫術。

伊能嘉矩緩緩地，語氣輕慢地談論著他自台北，一路走下來的所見所聞。往後他將計畫出台南大東門，往關帝廟街而去，經灣崎庄、古亭坑庄，再到打鹿埔庄。翻越烏山山脈，進入蕃薯寮街，稍後他將再度返回台南，由海路越過尚有反抗軍，林少貓等人所占領的阿緱城，南抵恆春，再出海走水路至台灣東部的台東、卑南社，步行往北至加禮宛，完成環島踏查的壯舉。

席中有位年輕的漢人非常好奇，他舉手問道：「伊能嘉矩先生任職於總督府民政局，自己錦衣玉食，又如何能堪踏查山林之苦？你對台灣的番人了解有多少？你對番童的教育了解又有多少？清廷政策是設置隘勇防番，沈葆楨決定開山撫番，不知總督府的理番政策又是為何？」

伊能嘉矩看了看這個人，長相並不兇蠻，但他說的話卻咄咄逼人，話裡全是一針見血的東西。伊能不以為忤，他仔細看著那個人的長相，猜想他應該是個漢人，伊能忽然用起台語，向他解釋自己的踏查理念：「君子食無求飽，居無求安。我做學問，講求『五戒三法』……」

伊能嘉矩正要繼續說話，話兒卻硬生生地鯁在喉頭，他想起了過往的種種，忍不住哽咽起來：大日本帝國制定憲法的那一年，他與菊池房松、鵜飼悅彌、里見朝佑等人，參與了岩手縣師範學院宿舍騷動[11]而被退學。不久後他便隻身來台，他對這個剛納入帝國版圖的「新世界」充滿好奇，就像是哥倫布醉心在新大陸的探險。

他曾在大水氾濫的夜裡獨涉過山溪；也曾於旅行中的假寐，險遭不滿日本人統治的生番獵取人頭；他收養了泰雅族大嵙崁竹頭角社的少年，與某那吉群的少女，將他們送到台北大稻埕學習日語。這兩人是劉銘傳所謂「開山撫番」政績下的產物，他們強行將頭目的子女，押往大嵙崁的撫番局充當人質，藉以逼番人就範。

少女最終因熱病死去，伊能嘉矩還為此寫了一篇悼文。至於少年，是他的義子，亦是教導他學習泰雅族語的良師，他準備出發往台灣南部旅行的時候，少年對他揮手告別，告訴他返回台北後，要記得到角板山上見他，與他自己山上的親兄弟們飲酒一敘。此後一別，父子情深，不知何時能再相見。想著想著，伊能的心情也就沉重起來。

那個人完全沒有想到伊能嘉矩會說台語，自己也有點錯愕，又見他若有所思，表情難過，不便再問下去，只好作罷。其實伊能不只會說台語、華語，他還會說泰雅族語、一點點客語及馬來話。伊能

11　宿舍騷動：日本以軍事化方式進行師範教育，高年級生可以霸凌低年級生，大帝國憲法發布第二日，岩手師範宿舍發生學生互毆事件。

整理了自己的情緒，忍住了即將流下的眼淚繼續說：「剛剛想到一些私人的事情，真是失禮了！」

「不！不！不！是我失言了！」剛剛那個舉手發言的人，深深地向他鞠了一個躬。眾人看看他，完全不知道他的來歷。席中有另一個人看著他，這個人拿起鉛筆在筆記本，慢慢地畫出這個發言者的肖像。

日治以後，台南有了翻天覆地的改變，自從乙未戰爭結束後，幾乎年年都有大建設：明治二十九年，《六三法》頒布，台灣總督府台南病院成立，這也是台灣第一家成立的公營醫院；同年「第十野戰郵便局」更名為「台南一等郵便電信局」。明治三十年，台灣最高山被命名為「新高山」，此後數年：伊能嘉矩、鳥居龍藏、金關丈夫、森丑之助、鹿野忠雄等無數的人類學家、民俗、動植物及昆蟲學家深入台灣島嶼各處，踏查這片神祕的國度；明治三十一年，台南測候所成立，奇特的白塔，搭配八角形的底座造形，特別引起眾人側目，這是西方的氣象觀測技術第一次進入台灣；司法部分則是整併了台南地方法院，擴大管轄範圍，北至嘉義、南達鳳山、西到澎湖等地。明治三十二年，為了統一台灣貨幣，穩定金融，「台灣銀行株式會社」成立，台南支行於同年十月開張；另一方面，做為國民基礎教育，師資培訓的「台南師範學校」，亦在這一年成立。明治三十三年，台南停車場竣工，台南到打狗間的鐵道路線開通，從此「台南駅」扮演著縱貫鐵路的重要角色。

台南由上到下，快速的改變，城市也開始出現了許多西洋式的建築物，原本雜亂無章的低矮房舍，漸漸梳理出文明的華廈。這些改變，讓人們嗅到了繁華將至的氣味。但這些改變卻沒有給三郊諸商帶來更多財富，三益堂因為資助劉永福抗日，且與反叛軍有金錢上的往來，遭到日本統治者無情的打擊，日本政府先是下令解散三益堂聚會，接著又以維持秩序為由，驅逐碼頭上苦力，使得郊商運貨事務受到影響。

各商號為了生存，花大把銀兩另外雇請工人運貨，但日本掌握海關甚嚴，對於受聘於三郊的工人，往往給予白眼，且不把他們視為良民，致使各商缺工、缺貨又缺銀，少數商號勉強生存了兩三年，規模卻愈做愈小。

但日本人並沒有停止打壓：餘下的三郊諸商各號不是先後被抄家、抄店，就是被查貨、查稅，再不然就是刁難其事業的發展，任之破產倒閉。能逃往廈門的商人，都逕往廈門逃去了；不能離開台灣的，便隱姓埋名歸隱山林，棄商從農。三郊快速由鼎盛的三百餘家，縮至約五、六家商號的規模，三益堂就此潰散崩盤，商務凋零。稍後，日人又禁絕了「水官解厄」相關民俗活動，水仙宮百年來的繁華蒙上了陰霾，從此一蹶不振。

打擊一波接著一波，日本人為了增闢防火巷，與維護街容觀瞻，台南廳下令拆除水仙宮前的各式店鋪與棚架，許多小商店鋪辛苦建立的事業毀於一旦。日本人打算將廟前的「水仙宮浚津紀事碑」移至安平，然後趁人不備，將之投於水下，但遭眾人發現其陰謀而反對，台南廳擔心引起新一波反日勢力，暫時保全了這塊石碑。先將之擱置在大天后宮正前方，幾個月後，這石碑還是被日本人嫌礙眼，接著挪到了不遠外的「馬兵營」空地寄放。

但總督府有意在這裡蓋一座西式的地方法院，台南廳無可奈何之下，便將紀事碑移往旁邊的宜秋山館，此事讓總督府知道後，兒玉源太郎總督勃然大怒，認為這裡是能久親王返回天界，神聖而不可褻瀆的遺跡。幾個月後，這裡就要開始籌建「台南神社」，怎可將這塊「髒東西」放在這裡。

兒玉源太郎總督找來台南廳的山形廳長，當面把他罵得狗血淋頭，山形不敢抹去臉上兒玉總督噴濺的口水，只能連連稱是。山形返回台南當天，便命人把石碑移往龍王廟前面去，也不管它是否擋著了龍王廟的正門，反正這龍王的信眾本來就比關帝、媽祖、上帝公廟少，擱在這裡，只要不是擋住通道，反彈的力量自然就較小，就算是擱在這裡一輩子，山形心想應該也沒有人有意見。沒想到石碑多舛的命運並未就此結束，那石碑放在龍王廟的這件事，久了連山形廳長自己也忘記了。過了半年，也就是明治三十九年十月二十一日，台南廳役場前公布欄附了一張地圖，並輔以文字說明公告：

台南廳告示第百三十一號

台南市ノ內三界壇街ニ於テ火防其ノ他ノ必要ニ依リ別紙略圖縱橫線區劃ノ通道路ノ取擴メヲ為スコトニ決定ス尚龍王廟街通リ及下橫街ノ道路ハ斜線迄ノ通改修ヲ為スコトニ豫定ス

明治三十九年十月二十一日

台南廳長　山形脩人

大家圍在役場前看著公告，許多人不識日文。眾人七嘴八舌討論著：「我看這上頭寫了三界壇街和龍王廟街，但就是不知道日本人要做什麼？」

一個和日本人有生意往來的商人，見了告示，便念出了上頭的大意：「台南廳公告：台南的三界壇街，因防備火災與其他緊急事件的需要，預定依這圖紙畫網紋斜線公告的樣子，在龍王廟街、下橫街拓寬道路……」

「開通道路，那我家不就要被夷為平地？」其中一個人就住在下橫街上，一聽此言，臉色慘白。眾人為這街道改正的不公不義之處，義憤填膺著：「日本人怎麼那樣無理，台灣人的房子住了好幾世代，怎麼說拆就拆！」

大家鬧哄哄地，糾眾就要往役場裡頭找山形廳長理論，大家正到役場門口前，就見到山形廳長笑吟吟地，送一個日本軍人走出來，那個軍人腰際掛了一把亮閃閃的大軍刀，眾人見到那把威猛鋒利的軍刀，嘴巴像被人用細線縫了起來似的，一句話也說不出口。

山形廳長和那軍人正討論著，返回日本的兒玉前總督種種政績：包括台灣製糖株式會社、鴉片吸食鑑札[12]、饗老典[13]、揚文會[14]，台北的南菜園捐給台灣婦人慈善會，又蓋了台南慈惠院等。

那個軍人說：「台灣人就是冥頑不靈，要不是兒玉總督有先見之明，公布了『罰金及笞刑處分令』，對那些寧做支那鬼，也不做帝國子民的台灣人，施以鞭笞，罪犯人數也不會下降這麼快。」

山形笑嘻嘻地回應：「就是這樣！就是這樣！所以本廳才預定在拓寬的廣場上，放上兒玉總督的

12 鴉片吸食鑑札：日本時代，可吸食鴉片的執照，起先為許可制（需醫生同意），後改通買制（花錢購買），最後再改成雙軌制。
13 饗老典：兒玉拉攏漢民族的政策之一，公開和漢學耆老見面，增進情感。會中演新劇、奏洋樂，贈出席者拐杖、扇子，任內舉辦四次。
14 揚文會：廣邀台灣受漢學教育之士，清代的進士、舉人等，共商政事的種會議，由眾人各抒抱負。每年一小會，三年一大會。

壽象，以表示對他的敬意。」

役場前的百姓雖聽不懂他們說些什麼，但還聽得出日文裡頭笞刑（むちうち）的讀音，大家從山形詭異的笑聲中，便知道他們兩人談論的肯定不是什麼好事。原本打算抗議的想法，一下子就從腦袋裡消失得無影無蹤，眾人摸著自己的屁股，想了一下那個鞭笞的畫面，大家自討沒趣地慢慢離散了。

尤重行舊址被日本人強占，直到最後完全拆除，日本人將這塊地新建成警察宿舍，戲台連同院子水池，被填平後，由大日本武德會提供資金，建成武德殿。至於那個巨大的望遠鏡，則被移至台北總督府內，民政局長後藤新平見狀，驚呼連連，不敢置信台灣島內，竟然有如此高超的製鏡技術。稍後台北新公園成立，這個望遠鏡就被擺在「兒玉後藤紀念館」裡展示。

蘇振芳從尤重行這裡獲得大批糖廍產權後，返回大目降街，靠著李硯給他的製糖書籍，在鹽水港等地發跡，蘇振芳總算明白，「鹽水製糖」指的便是這麼一回事。蘇振芳的長子蘇宗永死得早，因此他便讓二子「蘇有志」接手稍後將蒸蒸日上的製糖事業。

蘇有志為人海派，他從父親手上接替西來庵董事一職，將事業發揮得淋漓盡致。西來庵內供奉的五尊王爺像，其中的劉府千歲王爺塑像，容貌正是依李硯交付的肖像所形塑而成，不知怎麼地，蘇有志愈看王爺的模樣愈覺得投緣。那日透過扶乩問了王爺一些事情，神明下降指示，說山區有塊寶地，能為蘇家賺進累世財富，蘇有志便在噍吧哖買了一塊山坡地，經營山產，果然賺進大把鈔票；接著又聽從王爺指示，開了礪米廠、米鋪，往後更是日進斗金，蘇有志從此對王爺信仰更加虔誠。

自從台灣樟腦、食鹽、菸酒、鴉片陸續專賣後，外國洋行便淡出台灣商業舞台，不出幾年，英商、德商洋行一一離開，本地糖業進入日、台商人爭鳴時代：鹽水港製糖株式會社、大日本製糖株式會社、台灣製糖株式會社、明治製糖株式會社陸續成立，各領風騷。蘇有志見時機成熟，和王雪農、張文選、陳鴻鳴等人合夥，成立「台南製糖株式會社」，自己擔任會社的監察役一職。

財富與聲望如日中天，讓蘇有志很快就得到日本人的器重，受聘成為台南縣參事；不多久，又受聘為台南廳參事，總督府還因此頒授勳章。但蘇有志並不知道，這些沽名釣譽的虛職，往後不但不能幫他留下一條活路，在發跡的這些年裡，反而為他招來了許多覬覦、訛詐和賄賂，彷彿成為蒼蠅眼前的一塊腐肉，充滿著誘惑與致命的危機。

另一方面，帶著五個港郊大公駝，自尤重行洮脫的李家三兄弟，行事也變得更加低調謹慎，在巴克禮牧師的見證下，兄弟三人皆受洗為基督徒：大哥李太白，在二老口街的長老教台南高等學校擔任講師；二哥李金星，在安彼得院長的安排下，於新樓醫院裡當藥師。至於三弟李啟明，用父親留下的財產，在牛屎埕、關帝廟附近買了些地，準備繼續從商，雖然兩個哥哥們勸誡之聲不斷，依舊不能阻擋李啟明東山再起的決心。

「啟明兄！啟明兄！」吳皆義敲了敲吳服店的大門，發現大門沒開啟，他用手推了推自己眼鏡的邊框，接著轉進旁邊的巷子內。

李啟明結婚後就和妻小定居在台南的巷子裡，他和兩個哥哥往來漸行漸遠，為了掩人耳目，並能在日本人當道的這個時代中東山再起，他行事極為小心謹慎，就照總督府公告的假日：星期天與祝祭日吳服店便不開門，住家門口亦不懸掛任何能得知他姓氏的小木牌。他和左鄰右舍來往相當冷淡，商事活動很少參加，但也不會疏離太遠，感覺上和誰都保持距離。因為知道日本人的做事特性，很快就打入商人的社交圈，犀利的口才與冷靜的頭腦，讓他逐漸在台南商場上嶄露頭角。

無人能知他的來歷，大家不了解他過去顯赫的家世，眾人都誤以為他是甲午戰爭前，才由鼓浪嶼遷居到台灣的商人，居住在鼓浪嶼的時候就已經信仰了上帝。其實大家都不知道，鼓浪嶼商人的身分只是個幌子，都只是為了隱瞞他過往的身分：而李啟明更相信，愈危險的地方便愈是安全，他愈是深入日本商界的核心，就愈不容易讓人起疑竇，探索他過去圖謀不軌的反意。

日本人毀了他的家園，殺死了他的弟弟，父親為此浪跡天涯，母親、阿姨們從此失了音訊，他沒有憎恨，也沒有哀怨：他知道「物競天擇」的道理，啟明想像自己就是叢林裡頭的食蟲植物。在婆羅洲、蘇門答臘溼熱的森林裡，只有比森林裡的任何一種生物都要更加野蠻，才能在那殘酷與惡劣的環境中存活下來。於是他開始變形，變形成更適合生存的模樣：他能在日本人的酒會上，和日本人稱兄道弟，千飲不醉。對明治天皇聖像鞠躬時，人人都是三十度的敬禮，他腰彎得比誰都低，更接近「最敬禮」的姿勢。

伊能嘉矩訪問台南那次座談會，他與長老教會牧師一同出席，原本他只是個忠實的聽眾，無意發言，然而幻燈機上展示過，一張又一張部落的照片，李啟明困惑了：日本人不該是全然邪惡的嗎？他入侵了我們的家園，占領了我們的土地，但眼前的這個人，自信滿滿講述故事的這個日本人，為什麼有這麼大的勇氣、毅力，去踏查台灣人不敢踏查的禁地，去探索台灣人不敢深入的疆域，去追尋台灣人在此生活百年，卻仍未獲得解答的學問。是漢人師心自用嗎？還是這個日本人包藏禍心？

一開始啟明不相信眼前「這個人」是這樣美好的、全然無私的奉獻，殖民者總有他們狡獪的心、邪惡的利爪，偽裝在他們面善而文明的臉龐之下。啟明的顧忌與懷疑就此而生，在針鋒相對問答中戛然落幕，他的疑惑依舊沒有獲得具體的解答。雖然這樣，但啟明可以從伊能嘉矩的語氣中感覺出來，他不是個心有邪念之人：對於伊能收養義子、義女之事，李啟明一無所悉，但他真的可以理解，他是為了某種真正發自內心的愛，一種由心底而生的感觸，觸發了內心翻騰的情緒，為了某種無法斷然處置的事情，而嘆氣而氣餒、無奈委靡、失望垂頭。從他的談吐、他的眼神、他的舉止態度，完完全全可以感受裡頭有幾分真摯的情感，於是他暫且作罷了咄咄逼人的言詞，就此坐了下來，四座竊竊私語，談論著李啟明起身發言詢問的動機，李啟明暗自嘆了一口氣，或許「台灣民主國」裡還沒有這號英雄人物：唐景崧、劉永福、丘逢甲，哪個不是貪生怕死之徒？

正當他還在思索這中間的道理時，後座有人拍拍他的肩膀，一個男人戴著黑框眼鏡，對他一笑。這個人正是吳皆義，他是個住在朝鮮半島上的漢人，甲午戰爭對朝鮮帶來巨大的衝擊。朝鮮親日派推動「甲午改革」後，他親身去了一趟日本，從此就被那繁華風貌深深吸引。他在兵庫縣白色的姫路城下，為自己加了「名倉」這個日本姓，他理解這個姓氏可溯及清和源氏的時代。

他輾轉來到台灣，拜訪各地，和日本人維持良好的關係。這日他也受邀出席伊能嘉矩的會議，吳皆義很欣賞李啟明對理番政策的關注，李啟明和伊能嘉矩的那段對話，雖然有幾分煙硝味，但他的問題正好凸顯了政策矛盾，和許多耐人尋味的細節。

事實上，吳皆義去日本後，短暫擔任日本報社的記者。因為在處理日本帝國議會的貴族院新聞有瑕疵，而被報社以出張名義，調至沖繩縣。吳皆義憤而辭職，來到台灣。他在琉球學過兩年台語，說起話來，雖然有濃厚的朝鮮腔調，但卻和李啟明非常談得來，或許兩人心中都有某種獨特的性格，致使他們一拍即合，從那次座談後，就成為好朋友。

在伊能嘉矩的座談會後，李啟明自覺空有一身金銀財寶，卻不知如何創業。吳皆義擔任記者期間，結交不少日本朋友，知道本土有許多人，都想來台灣投資。他認識一位名叫馬場德次郎的投資者，於是便介紹兩人認識。後來由李啟明提供土地，讓馬場興建日式屋舍，成立了「日吉株式會社」。就這樣，台南第一家吳服店：日吉屋，盛大地在關帝廟旁揭幕，馬場德次郎擔任會社的社長，李啟明任取締役。

李啟明和妻子、兒子就住在吳服店旁巷子裡的小房子，吳皆義時常來找他飲酒談心。這日吳皆義心血來潮，再度來拜訪。李啟明的妻子穿著普段着和服開了門：「啊！是吳先生，請進。」

「打擾了！」吳皆義很有禮貌地脫下帽子、鞋子，看了一眼懷表的時間，把懷表放回西裝內裡的口袋後，進到屋內。

玄關壁龕裡擺了一個花器，上頭插了些秋菊，背後一帖日式書法，寫著「こちら向け我もさびしき秋の暮[15]」，啟明的妻子諳花道，玄關的花器會依據四季時令，更換春蘭、夏竹、秋菊、冬梅等花藝擺設。每朵花兒有其各自的美好：芝蘭端莊、細竹飄逸、黃花脫俗、白梅高傲，四君子各有所長，展示後的樣貌形態更是令人神往，讓人見識後身心靈都獲得洗滌。

「嫂夫人今天心情似乎不錯！花藝更是一絕。」吳皆義入屋後坐在榻榻米上。

啟明穿了一件浴衣，矮桌上放了一瓶酒：「來！來！來！我正打算喝些燒酒，皆義老弟也來嚐一嚐。」

「台灣的天氣真熱，朝鮮帝國與日本都在北方，我來這裡一年多了，還是不習慣……」

吳皆義話還沒說完，外頭便有人敲門，原來是李啟明的合夥人，馬場德次郎帶了兩位朋友來訪。啟明的妻子開了門，在玄關跪迎。馬場旁邊是一個肥臉大耳的日本人，名叫「關次東」，他們後面跟著一個，穿著西裝的年輕實業家。

關次雖然穿著西裝，其實是個野蠻的色鬼，他看了一眼啟明的妻子，表情猥褻，對旁邊的那個人說：「かぐや姫[16]！嫂夫人真是美若天仙。」

馬場回了他一句：「嫂夫人若是《竹取物語》裡的かぐや姫，那你就是しゅてんどうじ[17]」

眾人聽完後哈哈大笑，大家整理了鞋子，到了裡頭。那年輕的實業家看到玄關那幅書法，點了點頭：「這可不是松尾芭蕉的俳句嗎？沒想到在這裡還能見到俳聖的諧歌。」

名倉回頭看了一眼那個人：「是蘇桑啊！快點來這坐吧，見見這屋子的主人，他是來自鼓浪嶼的殷實商人，李啟明：李桑。」

---

15 日本俳聖松尾芭蕉的俳句：「深秋矣，瞧瞧我，吾亦寂寥」。

16 輝夜姫：日本傳說的天女，誕生於竹子中。被一對老夫婦收養，最後返回月宮。

17 吞酒童子：日本傳說的妖怪，盤據於丹波國大江山，為三大妖怪之一， 張紅臉，五個角，十五個眼睛，是大鬼王。

「總督府頒有《清國人台灣上陸條例》，李桑是怎麼來台灣的？是領『茶工券』？」蘇有志說著。

啟明順著他的話回答：「我是條約簽訂前來台灣居住的，我選擇當日本人，往後若返回鼓浪嶼，就要拿『海外旅券』。」

「跟大家介紹，這位是蘇有志！」馬場先生說。

啟明看了那個人一眼，聽馬場的介紹後，心頭一驚。他知道蘇有志是以前尤重行老管家阿福蘇振芳之子。啟明從商界那裡認識他的大名，故意在商場上躲避他，就怕往後洩了自己的底細，沒想到今日煞星自己送上門來，這伸頭縮頭都是一刀，啟明臉色僵硬，看了看蘇有志，但他似乎不認識自己。啟明立刻把臉撇向一旁：「大家請坐，我請內人替各位準備菓子與茶。」

大家圍坐在矮桌子前談論政事，啟明的妻子把酒瓶收走，放上了茶碗、茶器，還有一碟菓子，啟明妻子優雅的動作，有幾分茶道的韻味。

「茶道！太雅致了……」名倉看了他的動作，從茶入、仕覆、茶筅、茶碗到茶杓子，無處不是日本原汁原味：「嫂夫人師承哪一派？」

「伊藤糸店的忠兵衛妻子和我熟識，他的夫人師承表千家，取得許狀唐物段位。是我介紹她與李桑夫人認識，茶道和花道也都是從那裡學來的。」馬場說著，眼睛沒有從優雅的啟明妻子身上離開。

「表千家啊！京都的『不審菴』舉國知名，御三家的茶頭，表千家等於是茶道界的三井財團；『瑞翁宗左』可說是茶道界的團琢磨啊！」蘇有志說著。

「只可惜，我國如此文明繁盛，竟還有人這般野蠻，抵抗帝國的統治。阿緱城內還有林少貓等匪賊在搗亂，不知台灣何時可以安寧？」馬場德次郎說著：「那些山賊不知日本帝國的強盛，寧做清國腐敗的賤民。」

大家說到林少貓，莫不義憤填膺，唯有啟明不敢吭聲，生怕對面的蘇有志對自己出了岔，哪日就被日本警察架到法院前槍斃。

「李桑以前說話鏗鏘有力、擲地有聲，今日怎麼悶不吭氣？難不成正在享受茶道的和、敬、清、寂四味。」馬場笑著轉過頭去：「我來跟大家補充介紹一下：這位是蘇有志，是成功的實業家，協助總督府平定山賊，現在是台南縣參事。」馬場伸出手來，回指李啟明：「這位是李桑……」

「……呵！馬場兄，我的事業尚在起步，也不如蘇桑那樣急公好義，那些不足掛齒的東西，就不要再說了吧！」啟明顧左右而言他，乾咳一聲打斷了馬場的話。

「我和李桑合夥『日吉株式會社』，開了日吉屋吳服店，你們瞧瞧嫂夫人身上穿的着物、啟明大哥身上穿的浴衣，都是日吉的商品。」馬場說著：「台灣剛從野蠻的清廷手上，接收到文明的帝國版圖中，台灣島裡頭許多地方尚未開發，商機無限。總督府現在做鐵路、辦郵政、開醫院，我聽聞台南也將要進行市區改正，不知道李桑是否還有投資的意願？」

啟明喝了一口茶水，眼見話題轉了個向，眼睛骨碌碌地轉，話頭還有顧忌：「投資是好，只是不知道要投資什麼好？」

吳皆義想了一下，淡淡地笑了一聲：「這還不簡單！」

他從西裝內襯裡的口袋，拿出一進門就看了一眼的懷表：「李大哥可以開『時計店』。」

眾人接過名倉的懷表把玩，大家看著那上頭精緻的設計，忍不住驚呼連連，忙著詢問他如何獲得這樣的東西？

一六三〇年擺鐘問世後，機械時鐘愈來愈精密，也愈來愈準確。一八九五年日本在台灣始政，六月二十七日起，台北實施「午砲」報時：每天十一點半，近衛砲兵聯合隊，會至海軍部校準時鐘後，於十二點準時發砲，提醒眾人時間的到來；十二月二十七日，總督府發布了六十七號公布，規定自東經一百三十五度為帝國「中央標準時間」；東經一百二十度為台灣、澎湖、八重山、宮古群島的帝國「西部標準時間」。

自從強盛的西方影響了東方文明後，東方的「時間」定義，逐漸被西方的觀念所改變：一八六〇年的淡水、打狗建立了新式的海關制度，當時的報關和船班時間，已經使用「週」這個概念。

一八七八年打狗海關第一次進口鐘表，西洋的「時間」正在一分一秒，侵蝕所有台灣人對生活認知。一八八八年劉銘傳新政，鐵路通車，火車每日早晨七點售票，每日發車四班；電報局員工每日上午八點、下午三點及隔日八點，以輪流的方式上工；雞籠煤礦的礦工，每日工作為八至十小時。這些時間的控制，全仰賴西方的鐘表進行。

西洋的鐘表，在民間主要流通在茶行、樟腦寮及貿易商手上，安平海關於一八九一年，正式有鐘表進口的紀錄。當時進口的鐘表，多為歐洲瑞士產製，到了日治初期，鐘表依舊只是富貴人家買得起的玩物。

「我認識幾個知名時計工場老闆：諸如水野吋計工場、林時計工場、加藤時計工場……這一只便是水野工場社長給我的。」吳皆義說著：「帝國到處推展守時運動，東京、名古屋處處可見時計店，我的一些朝鮮朋友也靠這個發了些財。我想這是很好的機會，李大哥或許可以試一試。」

啟明聽完後，覺得這點子相當不錯，立刻說：「沒錯，我見日本人所蓋的工場、學校，都用手搖鈴來報時上班下班、上課下課；台南側候所的報時，影響了郵便所、車站的作業；警察課日勤、隔日勤也都需要記錄時間到手帖上，鐘表需求量大，我就見過巡查部水島部長，也有一只和你同款式的懷表……」

「如果李大哥要投資時計店，那我也來投資一點好了。」蘇有志說著。

李啟明萬萬沒想到蘇有志會插嘴，心想你離我愈遠愈好，臉色一沉，話鋒一轉：「讓我想一想！這事情說起來也沒有那麼急迫。」

馬場忽然一聲朗笑：「不要猶豫了，我可是十分歡迎李桑投資！吳皆義以前是個記者，知道的資訊比較豐富，對於投資什麼，只要一說出口，幾乎都能獲利。如果時計店開張成功，我們吳服店內，一定要掛上李桑時計店頭一個販出的掛鐘。」

關次東站起身子，沿著牆壁到處看看。此時李啟明有了警戒，忽然感到全身緊繃，表情略顯尷尬：「關次桑有何指教？您在找什麼？」

「我可以參觀一下嗎？我聽說漢人也有祭拜祖先的習慣，和我們日本人祭拜的方式不太相同，頭一次到府上，想給李老太公的神位上個香，請個安！」關次淡淡地說。

「我信基督教，家裡不設牌位，不祭拜祖先。」李啟明說：「關次桑還是請入座得好，這桌上準備的茶水和菓子，可都是特地為各位嘉賓精挑細選的。」

關次不理會啟明的話，走到一個房間內，看見了牆上掛了一幅耶穌基督像，他仔細端詳了一下，畫中的基督臉龐略大，膚色蠟黃，眉毛濃黑，根本就是一個東方人的臉孔：「這牆上的基督像，好像在哪裡見過？」

關次東曾經擔任過小兵，在能久親王被狙擊的那一天，他也在無患子樹林裡，見過力大無窮的李硯，這輩子絕對不會忘記他的長相。這牆上的耶穌基督像，分明就是李硯的面貌：「李桑真的來自鼓浪嶼？」

李啟明知道他心裡懷疑，忽然覺得口乾舌燥，說話也帶了幾分謹慎：「的確是這樣沒錯！」

「哎呀！關次啊！你這是怎麼搞得，到人家的家裡這樣東張西望，這樣對李桑就太失禮了！」馬場站起身子，硬是進到房間裡，把他拉回座位旁：「嫂夫人替我們準備了茶水，你當你自己是警察課的水島巡查部長啊！到處盤問東盤問西的。」

關次回到座位後，愈想愈不對勁，嘴巴不說，依舊和眾人嘻嘻哈哈，但表情多了一分城府。啟明看了關次的舉動，知道他在懷疑自己，防備之心隨之而生。啟明那日和眾家兄弟、父親埋伏在無患子樹林中，狙擊能久親王，並非什麼愛國的情操作祟。那時他只是打算和兄弟們，一起學習槍術，心底抱著好玩的心態多過於求勝，不知道這事情演變到後面，竟是這樣局面。

兄弟離散，家破人亡。兩個大哥在教會學校和醫院裡安穩妥當的工作，自己若被掀開了底細，自己失去性命事小，恐怕牽連兩個哥哥，於是他故做鎮定：「關次桑可是在懷疑我的身分？懷疑我是不是鼓浪嶼來的商人？」

他這一說，先發制人，在座眾人先是一驚，大家都豎起了耳朵，想聽他說下去。沒想到李啟明這般笑了：「這也難怪了，我廈門閩腔較淡，大家都以為我是台灣人。我真的是鼓浪嶼的商人。我也會唱幾曲福建的下南腔，如果各位不嫌棄，我就來為大家唱一段三國的故事給各位聽一聽。」

馬場立刻拍手叫好：「那我們便洗耳恭聽！」

李啟明清了清嗓子，憑著他聽過戲班子的唱曲，一手拍著桌子當鼓，悠悠唱道：「孔明發兵分三路，聽說君臣在中途，來到東吳的國土，規勸主公心頭定……」

眾人離去後，啟明想起了一個畫面，他想起無患子樹上的狙擊手，嘴皮子開闔唱一段無聲的戲詞，透過記憶裡的唇語，畫面在他的內心世界裡產生了聲音。在他腦子裡，那聲音放大了好幾百倍、好幾千倍：非是某忘卻了舊日報答，奉軍令捉拿你豈肯輕饒。來、來、來，請上了華容道，試一試關某的偃月刀……

西皮二黃又響起，這底子裡唱道：一見關公臉變了，嚇得曹操魂魄消。虞公之斯豈忘了，你本是大英雄怎忘故交。

一個孤獨且沙啞的聲音、語帶絕望地從腦門的細縫裡迸出來：二將軍，想你熟讀春秋戰策，豈不知戰國時虞公之斯，追子濯孺子之事乎……他幻想著關二爺爺，舉起大大的青龍偃月刀，這一揮下，曹操的腦門頓時落地：「唉唷喂呀！」

啟明回頭一看，地上那顆頭，不就是自己的腦袋嗎？他自妄想中驚醒，一聲嘶吼狂叫，冷不防摸了摸自己的頸子，確定項上的東西安在。

「怎麼了？」啟明的妻子十分擔心。

「不行！這事情我可要提防著點。」他來來回回地在客廳踱步，接著匆匆忙忙往房間走去。

幾日後的某一天大早，李啟明的妻子穿妥和服，在門外灑掃庭除。不一會兒，大批日本警察包圍了李啟明的家，正當啟明的妻子要問狀況時，水島巡查部長直接帶著大隊人馬，衝進屋子裡，水島四下張望，並對屋裡頭嚷道：「我們是來搜索狙擊能久殿下的要犯！」

李啟明和他的孩子在房間內睡覺，被這突如其來的吼聲驚醒，他們走出房門，小兒子見到那些惡狠狠的警察，一時驚慌失措，嚎啕大哭起來。

「水島部長您這是做什麼？」李啟明一看不對勁，知道這一天總是會到來，但不知道竟然來得那麼快。

不等回應，警察便到屋子裡翻箱倒櫃。水島雙手背貼在後，二話不說便往原來放耶穌基督像的那個房間走去。水島冷冷地說著：「你和林少貓匪徒是同一夥？」

啟明聽到「林少貓」三個字後，背脊一涼：「水島部長您在胡說些什麼？我可是個老老實實的商人，跟林少貓沒有任何的關係！」

「啊！是這樣的嗎？」水島抬頭看了一眼房間裡的耶穌基督像，上頭怎麼看都不像東方人的面孔，心裡在想是不是情報有誤：「這基督肖像是打哪來的？」

「水島部長！這是長老會給我的，我可是個虔誠的基督徒。」啟明說著。

水島想了一下，要是這個人跟教會有關係，在總督府和英國使館中一定也有分量，說不定有靠山，抓蛇要揑住牠的頭，在這個揑緊的時刻，若是不小心被蛇滑溜逃脫，恐怕會被牠反咬一口。

大批警察在屋子內搜出了一個錦盒，院子內也找到五顆大公駝。水島看了錦盒一眼，錦盒前一個漂亮的鎖頭扣住，上頭小字寫著「韞櫝藏金於塵跡，萬世前程僅咫尺」，他問：「這是什麼意思？木箱怎麼打開？」

「水島部長，我也不知道如何打開……這可是以前一個落魄潦倒的商人，兜售給我的。」李啟明辯解著。

「胡說八道！什麼落魄潦倒的商人，分明是山賊的東西。該不會裡頭藏了破壞帝國建設的計畫書？」水島嚴厲地說著。

李啟明心想大事不妙，自己也沒見過錦盒裡的東西，若是真有以前尤重行的線索，全家性命可能就此烏有了：「這怎麼可能呢？絕對沒有什麼計畫書。」

水島命令人用槍托，把錦盒的鎖頭敲下來。他打開一看，裡頭只是一本「李萬利」商號的舊書冊，不像叛軍名冊，也不是破壞計畫。

當時李硯把製糖的方法，連同地契送給了阿福，剩下這本奇怪的書冊便留在錦盒中，做為傳家之寶。李啟明那日將這批物品運出後，就未曾開啟，這一本書冊被日本警察搜出來，李啟明就擔心裡頭有什麼對自己不利的東西。

水島看了一看，除了第一頁寫著「李萬利」三個大字外，沒有其他奇怪的符號。翻開內頁，裡頭一行又一行像是勸世歌一樣的詩文，上頭有評點的符號，但他沒發現有什麼異常。他反覆翻了幾遍，就是未見裡頭有林少貓、李硯等反賊的名字。水島想了一下，情報說這傢伙會唱戲，以為這只是戲班的歌本，既然看不出任何和叛軍的關係，也就只好作罷。接著他又到旁邊，勘驗警察從院子裡抬進來的大公駝，他看到上頭刻著「港郊」兩字，心中的疑惑，這下全都明白了，他忍不住露出了一絲詭異的笑：「原來你是三郊的商人？難怪東拉西扯自己是鼓浪嶼來的商人。你跟三郊組合有什麼關係？」

「我現在不是三郊了！我現在不是三郊了！」李啟明趕緊順著水島的話來說。

「也不是所有的三郊商人，都是匪賊。只要在我帝國內，老老實實做生意，就還有一條生路……」水島說著。

李啟明暗地裡拿出一些黃金鍊子，悄悄在他轉身時塞到水島的手上。水島手指靈活，一下子就把黃金鍊子捲進自己的口袋裡，啟明搓著手：「水島部長英明，水島部長英明。您一定會秉公處理。」

水島說：「這是當然唷。我想你也一定是個愛國的商人，要免得以後的麻煩，就要幫帝國做一些事情……」

「不知水島大人言下之意是什麼事情？」李啟明問。

水島詭異的一笑：「誘殺林少貓！」

警察離開後，李啟明想了一整夜，輾轉難眠：姊姊嫁給林少貓和他的部下，怎麼說林少貓都是他的姊夫，阿緱城內的反抗軍是自己的親戚，怎麼下得了手？但今日無恥的日本人跟他勒索，也已經知道他的家世曾是三郊的一員，雖然說他們尚不知道尤重行李硯是他的父親，但若是不配合日本人辦理事情，等他們追根究柢後，難保以後還能活命。李啟明躺在床上，翻來覆去，心情愈來愈沉重，直到七天過去了，大家見到他，都大驚失色，啟明的黑頭髮幾乎一夜全變白。醫藥尚不發達的年代，眾人對少年白頭的病理並不清楚，全都以為李啟明得了什麼怪疾，見了他就退避三舍。

到了第九日，關次東獨自一人來訪李啟明。啟明的家門是打開的，他進到屋子裡，一股身體發臭的味道撲鼻而來，遠遠就可以見到白了頭的啟明，一個人獨坐在客廳裡，桌上放的是沒收乾淨的碗筷。妻子帶著兩個兒子趕緊回到娘家去，這幾日啟明吃不好、睡不好。

「李桑！您在做什麼？」關次故意裝作親暱地叫喚著。

原本眼神渙散的李啟明，一見到關次，就咬牙切齒，他好幾日沒有洗澡，心裡想著：肯定是他去告狀，他冷冷地說：「關次桑來此做什麼？見我李啟明的笑話？」

關次顧左右而言他，啟明見他的態度輕佻，便怒斥了一聲：「你又想刺探我什麼？」

關次嘴巴也不遮攔，用手抓了抓下巴，故意說：「我是來聽你唱一曲〈連環計〉，你可知《三國演義》裡的英雄總是愛美人，不愛江山：呂布要來探索貂蟬，周瑜要出納小喬……」

啟明聽出他在輕薄自己的妻子，愈想愈生氣。好啊！這個好色之徒，早就想對妻子意圖不軌，妻子這幾日，已帶著兩個孩子先回嘉義娘家避風頭，這下可全無後顧之憂，李啟明站起身子，一腳踢開矮桌，碗盤四飛碎裂，他直接奔入臥房內抽出一把武士刀。

啟明曾捐助過大日本武德會辦理天覽試合，也捐了些錢讓他們籌建台南武德殿，大日本武德會台南縣委員部，特地贈他這一把脇差武士刀給他留作紀念。

關次也做過軍人，學習過劍道，啟明一刀揮過來，關次脖子一縮，刀尖就從他鼻子前一寸掠過：「野蠻的台灣人，真是差勁唷！」關次接著說：「尤重行李硯之子，刺殺能久親王的罪人。這罪可真重了……」

啟明一聽此言，心中一涼。放下脇差，握緊了拳頭，怒目而視：「你既然已經知道了我的底細，要殺要剮自便！」

「我要是讓你死，早就跟警察課說明白了。傻瓜！要你死很簡單，要你不死才困難。」關次笑嘻嘻地，說起話來每一句都是針、都是刺：「放心吧！瞧瞧你滿頭白髮，你這不是春秋時代的伍子胥嗎？相傳伍子胥要逃往吳國，出了昭關，後有追兵，他在江上遇到擺渡的老漁師，這個老漁師將他載過江，伍子胥感念他，欲把身上的祖傳寶刀贈給他，這個老漁夫說：『楚王追捕你，懸賞五萬石的米，還承諾加官封爵，我要是貪圖賞金、官位，怎還會貪圖你的寶劍？』我今天就當是那個揚子江邊的那個漁師……」

啟明深深地嘆了一口氣，無奈地望著關次的肥臉，心裡知道他的城府、他的歹毒：「如果我不肯聽你使喚呢？」

「你的妻子，現在住在嘉義支廳哪個地方，水島巡查部長還沒發現吧！真是遺憾啊，他不知道的事情，我可是全都知道哩！」關次威脅著他。

一八九八年，日軍屠殺阿公店百姓後，林少貓起義潮州，聯合河洛人、客家人殺死潮州警務員，焚燒辦務署和憲兵屯所，並安排了一段日本人受降儀式，羞辱日本人。受到刺激的日本人，愈發殘暴，派兵圍剿潮州城，日軍又指派「葛城號」駛至打狗近海，由陸戰隊登岸，和陸軍聯合夾攻，林少貓寡不敵眾，只好潰散。當年十二月，林少貓再度起兵，攻打恆春城，雙方在虎頭山交戰，恆春守軍立刻電報總督府，總督府派陸軍出動鎮壓，海軍的「凱旋丸」自安平開拔至車城外海，林少貓圍攻恆春二十一天後撤軍。

此時日軍也在台灣各地展開「軍事大掃蕩」，打擊台灣民主國和前清的舊勢力，凡是反抗者一律殺之：台中縣捕殺二百二十八人；台南縣捕殺兩千零五十三人。各地的反抗活動，漸漸遭到壓制，唯剩下恆春半島上的林少貓。

大家都知道，林少貓絲毫不害良民，概以屠戮日本文武官員為旨。且常搶奪日本人的財物，然後再將財物轉贈給老百姓。一八九九年，日本釋放回林少貓之子林豺業，並派出阿緱辦務署參事蘇雲梯、台南縣參事許廷光、打狗商人陳中和、鳳山商人林璣璋、鳳山街長陳少白前往加禮山勸說，並以辜顯榮為例，遊說林少貓投降於日本人，他們羅列辜顯榮作鹽業專賣的好處，威脅利誘，並保證在日本人的羽翼之下，自當富貴享受不盡，但林少貓並未接受，眾人無功而返。

林少貓自恃身強體壯，勢力堅厚，乃向日本人提出十點要求，並遷居至打狗後壁林一帶，打算專心經營製糖事業，儼然成為一個島中之島，國中之國。他不知道這樣的行為，是與虎謀皮。日本人表面上虛應故事，允諾林少貓的人馬，可以在後壁林地區施行自治，但實際已經準備攻打後壁林。這股緊張的氣氛持續相當長的一段時間，林少貓頗能收買人心，後壁林老百姓死心塌地的跟著他，日本人忌諱這一點，眼下更無攻打後壁林的好藉口，乃至於過了幾個月後仍不敢輕舉妄動。

這一天，李熒惑和村中幾個婦人，正在蔗田裡整理農務，遠遠就見到一個旅人，背著一個小包袱，頭戴斗笠，朝後壁林走來。村莊的瞭望哨台上，哨兵見到後打了暗號，婦女們擔心是日本人，紛紛要往村庄內退避。熒惑回頭定睛一看，竟然是自己的啟明親弟弟，這下原本懸著的一顆心，全放了下來。熒惑不管身上還沾著泥巴，一路朝弟弟的方向奔去，兩人就在阡陌上緊緊相擁。

「好久沒見到你，午夜夢迴都想著你！」李熒惑的眼淚不聽使喚，就這樣流淌下來：「啟明弟弟怎麼來後壁林？這一路上不都是日軍的封鎖。」

「我走無人的小徑，從草衙門、獅甲繞過來……」啟明若有所思，但見她真情流露，自己也隨口問了：「我好想姊姊們，妳們過得可好？」

「很好，你不要擔心！」熒惑順手摘下啟明的斗笠，打算幫他把額頭上的汗水擦去，倏然見到他花白的頭髮，先是一愣：「怎麼地？」

啟明奪回斗笠，原本打算戴回自己頭上，但想一想，她都已經看見了，戴回斗笠也沒什麼用處，只好將日本商人關次東勒索自己的事情，一五一十說了出來。

熒惑聽完後頻頻拭淚，大罵日本人的不是。大家回到後壁林內，林少貓擺開酒宴歡迎啟明的到訪，除了大姊熒惑、二姊和三姊也全都出席。林少貓從以前尤重行李硯那裡，得知了古早煉糖技法，在後壁林經營的糖業，現在已經小有規模，酒席上林少貓說著：「弟弟來我後壁林，若是勸我歸降日本人，那現在就可以回去了……」

「不！我不是來勸你們的，而是想看看姊姊們的！」李啟明站起身子，一一對大姊李熒惑、二姊李鎮星、三姊李歲星行禮。

林少貓開懷一笑：「手足之情，古今皆然。你今日冒險進來我後壁林，探望姊姊，想必也是個不怕死的英雄。弟弟不知道我在潮州那一戰，殺得日本人屁滾尿流；恆春虎頭山一役，大家愈發威武勇猛啊！」

李啟明舉起酒杯：「我敬勇敢的姊夫一杯！」

林少貓也回敬：「我也敬少年英雄一杯！」林少貓把酒飲盡，接著說：「弟弟可要加入我林少貓的行列，我軍隊裡尚欠你這般的英雄好漢。李硯老丈人雲遊四海，當今不知已在何處？那日無患子樹林裡狙殺狗國的親王，真是大快人心啊！」

李啟明說：「謝謝姊夫抬愛，啟明在台南有妻有子，倘若投入姊夫麾下，妻兒恐遭日本人不測，這點我不能不三思！」

「哎呀！我派人去把他們接過來就是了……」林少貓還沒說完，就被妻子熒惑狠狠地瞪了一眼，趕緊說：「那倒是，弟弟另有其他顧慮，我也就不勉強。」

李啟明講述著台南這一陣子的變化，日本人大量的建設，無端拆漢人房子；台南郊區又有軍事大掃蕩，眾人都活在水深火熱的世界裡，林少貓聽完後更是痛心疾首，他用拳頭打了一下桌子，酒杯飯碗受到衝擊，彈飛桌面一寸後又墜了下來：「可惡，要是我林少貓有更大的實力，一定殺入台南，讓大家脫離這樣的生活。」

李啟明這時臉色倏變：「尤重行的老宅，已經被日本人拆得一乾二淨，改建成警察宿舍。」啟明似乎猶豫了一下，但很快他就行動了，他站起身子走到自己包袱旁邊，從裡面拿出一個玻璃罐，那玻璃罐用軟木塞塞著瓶口，瓶子裡有一片小瓦片，瓦片大小比瓶口小，瓦片很顯然是從瓶口放進去的：「老房子的舊址，已被拆除乾乾淨淨，我在那裡撿到了一個瓦片，玻璃瓶裡頭裝了老房子的氣味，我特地帶來給姊姊。我知道大姊是個念舊的人，我和太白、金星現在都過得安好，以後恐怕也不能再來探望妳了……」

李熒惑接過那個玻璃瓶子，看了好一會兒，眼淚還是不自覺地流了下來：「我知道，弟弟一切小心為好。」接著她把瓶子遞給鎮星、歲星觀看。

「弟弟今晚就在後壁林住一宿，我要給你說說我殺日本人的故事！」林少貓豪氣未變。

李啟明吐了一口大氣：「不了！我在這裡待得太久，日本人恐怕會起疑心，我是偷偷摸摸地來，自當在夜裡就走。姊夫和姊姊們一定要好自珍重。」

啟明喝完桌上的酒後，就準備啟程回返台南，眾人在星夜下，目送他離開後壁林。啟明每走一步，就更覺得自己汙穢，內心羞愧，多想一點或多看一眼便會無地自容，他嘴裡喃喃念著：「忍一忍就過去了，姊姊、姊夫，您可別怪我啟明無情啊！我也是人在屋簷下，不得不低頭……」

一九〇二年五月二十五日，日本總督府總算要行動了，招集台南、鳳山、阿緱、蕃薯寮四廳的廳長、第十憲兵隊、陸軍第三旅團。準備對後壁林展開最後的攻擊，率先由警察發動攻擊，軍方則尾隨在後。

五月三十日早晨，鳳山廳警察隊以「傳染病流行」，要對後壁林進行消毒為由，對林少貓住宅發動拂曉偷襲，發出信號後，陸軍的砲兵猛轟林少貓的住宅，此時天降大雨，雷電交加，火砲威力盡失。溪州警察大隊人馬，立即包圍林少貓住宅。林少貓準備出面迎戰。李熒惑眼見情勢急轉直下，不許林少貓出戰，她回到房間裡，打開床鋪，床鋪底下挖了一個地道，手裡拿著李啟明給她的玻璃瓶，拉著丈夫的手：「少貓，我們逃走吧！留得青山在，不怕無柴燒。」

「妳說這是什麼話？我可不是唐景崧、劉永福、丘逢甲之流，我不逃！」林少貓奪過那個玻璃瓶，往地上一摔，頓時粉碎，林少貓大叫：「妳不要再緬懷過去，緬懷是得不到未來的。」

李熒惑見到林少貓的舉動，先是嚇了一大跳，稍後冷靜下來，也就釋懷了。房子外頭依舊砲聲隆隆，此時她聞到一股淡淡的泥草味，一開始不以為意，這時才發現是從碎瓶子中散發出來的味道。約莫一刻鐘後，她和林少貓就感到呼吸困難，李熒惑嘴裡嚷著：「毒氣！是啟明，我不懂，他為什麼……」

話還沒說完，她已經滿臉糾結，抓著自己的脖子，在地上打滾。她張開嘴巴，打算吸入更多空氣，但她的肺部已經痙攣，就像有人掐住她的脖子，不讓她呼吸。

林少貓奔出房子，對天大喊：「李啟明！為什麼？」一枚火砲擊中庭院，林少貓就此慘死在現場。台南警察課的水島巡查部長，授命到現場巡視，他先派人灑水，清除毒氣。眼見到林少貓死在院子裡，妻子則死在屋子中，忍不住說道：「光氣真是厲害啊……」

原來李啟明所承裝的玻璃瓶，是日本警察課的水島給他的毒氣。日本人早就調查透徹李啟明的底細，不讓他死，是因為水島認為，這人個性和台北的辜顯榮可比擬，只要給他些甜頭、給他享用不盡榮華富貴，就能讓他死心塌地，為大日本國賣命。水島在林少貓的屋子前，露出一抹陰森的微笑：「給我搜！」

此次戰役，日軍砲轟，當場慘死男性四十一人、女性二十五人、兒童十人。總共七十六人。後壁林屍橫遍野，包括李啟明的二姊和三姊，亦遭不測。

明治三十七年，三郊被迫改組為「三郊組合」，日本人擔心三郊藉宗教力量壯大自己的聲勢，水仙宮的各項祭典遭到禁止，五條港地區僅剩農曆七月十六日，可以進行「鹿耳門寄普」活動，由北勢街上蔡、郭、施、黃、許等五姓人家輪流承辦，但水仙宮的影響力，已經淡化不少。明治三十九年，台南三界壇街和龍王廟街上哭聲連連，警察攔住所有的人，頭上綁著布巾的工匠和身上打赤膊，數以百計的工人，拿起大榔頭，一槌又一槌敲壞百姓的平房土牆。一連拆了一個多月，這裡的居民每天都是這樣哭天搶地的。台南廳長山形到現場視察狀況，一個大漢哭得像淚人兒，臉上鼻涕眼淚混在一起，如喪考妣，抱著山形廳長的腳一路喊求饒，山形冷冷地說：「大日本帝國給台南人換一條大馬路，你們哭什麼？難不成你們是林少貓的黨羽？是反賊？破壞帝國的建設？」

「不是的，大人！我是因為祖厝要拆掉而難過，求求大人給我們留一條生路！」那個漢子連磕三個響頭。

「不是給你們補償了嗎？還想挨鞭子啊！」山形一腳踢開那個人，眾人哭得更難過了，山形冷冷說著：「沒用的東西。」

第二年，防火空地完成了，台南廳特地將第四任台灣總督，兒玉源太郎的青銅像，高高塑立在空地中央，這裡往後便被稱為「壽象園」；下橫街和龍王廟街拓寬至原來的兩倍。在新闢的下橫街上，有個新開幕的時計店，名叫「グローバル（環球）時計店」，主人不是別人，正是李啟明。

水島已升至警視，擔任台南廳警務課長，他特定送上台南保良局所製做的「良民」證給李啟明，水島笑嘻嘻地，不懷好意地對他說：「李桑，恭喜！」

李啟明收下那只良民證，就像是一根針扎在自己的肉裡。

水島立刻附耳對他說：「你真是幸運啊！有了良民的身分，你就不用擔心會被以《台灣浮浪者取締規則》[18]法辦了……」

18 台灣浮浪者取締規則：西元一九〇六年頒布，利用警察制度取締台灣人無固定住所與職業，有危害公共安全，妨害善良風俗之虞者。

啟明一聽，更是恨得牙癢癢的，水島警視得了便宜還賣乖，恨不得立刻上前咬他一口。正當他心煩意亂的時候，卻聽到一個刺耳尖銳的笑聲，李啟明轉過頭去看，果然是他。關次從人群裡走出來，啟明一見到他，臉色立刻沉了下來。

「哎呀！李桑，真是恭喜你了。」關次伸出手來，但啟明不打算和他握，關次假意開心地說：「李桑真是冷淡啊！我還以為李桑當選了三郊組合長，現在就不理會我們這樣的小商人了！」

「誰當三郊組合長？」馬場轉過去問名倉：「三郊不是反叛團體嗎？」

「李桑跟三郊應該沒有關係！」吳皆義說。

「三郊」這個詞正中李啟明的下懷，這裡只有水島和關次，知道他以前的底細，就像是一個痛處，不斷被他們兩人拿來踩踏，拿來當作勒索的藉口。關次轉過身子，快步站到水島警視的面前，伸手從他的口袋中掏出一只懷表：「水島課長，你這水野工場製造的懷表也太陳舊了吧！人人都說黃金做的懷表要一百元，你每個月的月給可有那麼多嗎？」

李啟明聽出了關次的話，雖然心有不甘，但也只好吞忍下去：「……水島課長，您儘管挑，我店裡喜歡的懷表就帶走！」

「那我就不客氣收下了！」水島跟關次兩人嘻嘻哈哈，一搭一唱像在說日本的漫才相聲，那嘴臉讓人看了就生氣。

啟明心裡想，好啊！水島、關次，哪一天我翅膀硬了，絕對吃你們的肉，啃你們的骨。

寫真攝影師招呼眾人到時計店招牌底下，大家依序就定位，啟明坐在中央，妻子在他的旁邊，另一邊坐著水島課長，他全身黑色的警察制服，板著一張臉孔，像極了日本民間傳說的「鬼王」，他們背後站著馬場、名倉和關次，依序還有其他三、四位商業界的朋友，或站或半蹲。

攝影師閃了一下火光，照出了這樣一張詭異的照片：啟明不苟言笑的時候，看來非常笨拙，幾乎被旁邊的水島氣勢壓得死死的。在攝影師的要求下，水島雖然是勉強笑了，但表情僵硬，看似皮笑而肉不笑；關次也笑了，淡淡的一抹，像咧嘴的毒蛇、像露齒的江鱷，陰險險地讓人猜不透他真實的心意。

林少貓遭到殺害後，反日活動沉寂了一段時刻，台南居民也愈來愈能夠接受日本人所帶來的新觀念：明治四十三年，台灣開始推行放足斷髮運動，漢人大量放棄纏足，綁辮等清朝延續下來的陋習；大正二年，台南各商決定成立「午砲組合」，每庄每月負責三十元，由民間於正午發砲報時。

李啟明的時計店，在上流社會中有了口碑，顧客絡繹不絕。但關次和水島這兩個鼠輩，幾乎月月勒索，啟明付出了大量的金錢，按時節送禮，就這樣來來去去過了五年。

一日關次穿著西裝，提著皮箱來到時計店門前，他四下張望。啟明的妻子一開始以為是別的客人，身著和服，小碎步來到門口：「いらっしゃいませ（歡迎光臨）！」看仔細是關次東後，笑容依舊未減：「啊！原來是關次桑，有什麼事嗎？」

「我想見グローバル（環球）時計店的店主！」關次提起手上那只皮箱，指了一下皮箱，示意裡頭有東西要給啟明看，但臉上仍舊沒什麼表情。

「不好意思！我先生剛剛出去了……」

啟明的妻子話還沒說完，後面便傳來啟明的聲音：「發生了什麼事？」接著啟明從幕簾後面走出來，啟明的妻子一臉尷尬。

「李桑真是神奇啊！您的妻子說您出去了，我還在想，你是從前門出去，還是從後門出去……」關次故意說些風涼話。

「有何貴幹？」啟明看了一眼妻子，小聲地說：「這我來處理就好，妳去招呼其他客人！」

啟明的妻子匆匆卻不失優雅地離開，關次故意盯著他妻子和服領子裡的脖子看，啟明知道，日本的藝妓故意在脖子上塗白「三足」，留一塊空間讓男人遐想，但自己的妻子不是藝妓，關次這樣盯著妻子的脖子看，是把她當藝妓看，實在失禮：「關次桑，只有四隻腳走路的野獸，才會對別人家妻子的脖子一直看！有教養的男子是不會這樣做的。」

「呵！是這樣的啊！」關次語氣上升：「中國的《詩經》有說：關關雎鳩，在河之洲。你的妻子長得好看，是你的福氣，她是淑女，我就是君子唷……」

「關次先生！」啟明重重地吼了一聲：「你來這裡，到底有何貴幹？」

關次不慌不忙地拿出了皮箱，打開皮箱，展示出裡頭的東西。皮箱裡頭是一疊又一疊的股票，上頭印著「新東株式會社の株券」。

「這是新東株式會社的株券，新東跟シボレー（雪弗蘭）自動車有合作的關係，我知道這發財的機會，一點都不藏私，特地把這賺錢機會告訴你。」關次獅子大開口：「這一張株券三元，這裡大約一萬張！」

啟明表情非常難看，立刻說道：「我沒有錢！」

「胡說八道，誰不知道李啟明的時計店，是全台南最大的時計店。怎麼可能會沒有錢？」關次語帶威脅：「除非你是把錢拿去接濟反日分子！」

「請你不要破壞我的名譽，我的錢一部分投資了馬場先生的吳服店，另一部分投資蘇有志的台南糖場，實在沒有多餘的錢投資自動車。」李啟明兩手一攤：「沒有錢就是沒有錢，你不相信，我也沒有辦法！」

「蘇有志的糖場？」關次東蓋上皮箱：「我怎麼不知道蘇有志有糖場！」

台灣四大糖業株式會社，在明治年間興起。靠著糖業發展，蘇有志早已是台灣十二大企業家之一。經李啟明這麼一說，關次的眼睛骨碌碌地轉呀轉，似乎聞到了錢的氣味：「嘖！嘖！嘖！台南製糖株式會社！的確有這麼一回事。蘇有志啊！」

關次嚷著：「算了！算了！你不買就算了，我找識貨的人來買。」他像個無賴似地回頭對啟明說了幾句脣語，啟明只見他嘴皮子，動了三兩下，一時也不知道他嘴裡嘀咕些什麼，見他說完話後快速提起皮箱，二話不說就往店外走。

白了頭的李啟明，望著關次的身影，眼睛充滿著怒火，他身體由裡而外，散發著如太陽般的灼熱感，全身緊繃、面紅耳赤、咬牙切齒，他可以感覺到自己心跳加快，如鼓在胸腔裡鼕鼕作響。他腦子裡浮現詭異的畫面：他想像自己是「大石內藏助」，他的耳朵裡響起了歌舞伎《忠臣藏》的歌聲，穿過花道，宛如身在東京的歌舞伎座，枡席裡黑壓壓的觀眾正聚精會神地看著他，他們睜大眼睛、張開耳朵，等著主角上場。三味弦聲兩三下、拍子木擊七八下，四周的街景是江戶時代的赤穗城，復仇者率家臣四十七人，斬殺無禮者吉良義央。橫刀子一抹，吉良的頭就給剁了下來。但復仇者的代價是什麼？復仇者的代價就是掏出自己切腹用的短刀，穿好莊重的衣裳，謳唱辭世的遺書，然後自戕以明志。

啟明腦海裡的畫面又是一轉，夾雜眾人的竊竊耳語，那些吱吱喳喳的流言蜚語，轉變成一段又一段的古老歌謠：似一張能面、似狂言三番叟、似舞囃子、起頭的聲音似小鼓、似大鼓、似沾著唾液的調子紙，拍打出如山峰般層層疊疊的韻律或節奏，是斷斷續續的四拍子，是綿延不絕的吆喝聲。

那聲音尖銳的像刀，像鋒利的劍。那把切腹用的武士刀：由左至右，第一刀先剖腹，第二刀略微向上，櫻紅色的血水，揭開了滿腔怒火的胃，挑出餘恨綿延的腸，最後是介錯人的抱首，一顆沒有斬斷的頭顱，靠著一小片皮膚，搖搖欲墜地掛在屍首的脖子上。

「復仇啊！」啟明握緊了拳頭，眼前的幻象倏地回轉到時計店裡，他心底嘀咕著：要把我給逼急了，玉石俱焚也不是不可能發生。他看了一看現在握拳頭的模樣，可以想見自己臉上面目可憎的樣子。

啟明回首看著店裡的時鐘：有歐洲歌德式，造形尖塔狀，如歐洲建築屋頂的擺錘座鐘，時鐘面盤以羅馬數字標示時間，鐘擺的擺錘上有黃銅材質製成的四葉飾，八音璜機芯，看來非常的典雅高尚；另外也有漢式發條時鐘，鐘面以櫸木雕刻雙龍搶珠、五福臨門等傳統藝術花紋，鐘架上寫著一個大大的「福」字……

時計店裡數以百計的時鐘，同時發出了報時叮噹聲，齒輪帶動的滴答聲，引領著一個巨大的東西向啟明衝過來，像一輛朝他奔馳而來的蒸汽火車，擋也擋不住、攔也攔不了。

牆上的歌德式大時鐘，好像發了狂似地開始亂轉。分針順著轉、時鐘的時針逆著轉，時針變快，分針變慢，兩針碰頭後停頓了一秒，又繼續各自旋轉，就像一個驅動時光扭曲的奇怪機器，把啟明的心裡視界，拉伸到好幾個世紀以前，他的內心淆紊：空間扭曲、時間混亂，那滴滴答答的聲音，正像牢籠的鐵柵，逐漸包圍他、囚鎖他。

啟明望著牆上的那個鐘表，時鐘裡正轉的分針，造形像是關二爺爺手上拿的青龍偃月刀，逆轉的時針，造形是赤穗事件大石內藏助的武士刀，兩個歷史裡人物的武器，就在他的腦袋裡打起一場架來，對方來了一刀，我就還一刀；對方賞了一劍，我就刺一劍。

啟明總算讀出了剛剛關次所說的脣語，他嘴巴上的那個形狀，糾結出一個又一個正確的字音，在啟明的腦海裡放大好幾百倍、好幾千倍：「中国人は豚。台湾人も豚です（中國人是豬，台灣人也是豬）！」

啟明剛剛握緊的拳頭，現在又更緊了。他腦海裡的關二爺，被大石內藏助突如其來的一刀，切斷了頭顱，紅通通的腦袋滾到啟明的跟前：日本人最後獲勝了！日本人獲勝了……啟明喃喃自語念道。他的聲音底下，壓藏著像是三個姊姊幽靈們的和聲，有高有低，像幽林中樹梢上風的窸窣；像絕壑中河道裡水的嗚咽。這些聲音，在他內心深處來回低唱著：出師未捷身先死。常使英雄淚滿襟……到了此時，啟明總算失去了理智，一路奔入店內抓起那個時鐘，奮力拋向店外，時鐘就在眾人面前摔個稀爛粉碎，他嘴上大聲咒罵著：「ばかやろう！ばかやろう！（混帳東西！混帳東西！）……」

「怎麼了？」客人們紛紛走避，啟明的妻子奔到他面前，抓住他的臂膀嚷道：「請住手。」

蘇有志和馬場德次郎在日本人天野久吉所開設的「鶯料亭」裡談論商事，鶯料亭的壽司師傅全來自日本，他們站在台前，打理著醃漬的壽司材料，有人負責散壽司、有人負責太卷。師傅把醃在醋裡的金槍魚肉，切一小片下來，和銀舍利握成一枚壽司，然後放在台前盛壽司的器具上：「どうぞ！（請用）」

蘇有志伸手拿了壽司，然後把壽司放進嘴裡，咬了幾下：「日本壽司真是美味……」話還沒說完，一抹山葵的味道衝入腦門，沒做好心理準備的他，被嗆得淚涕直流。

「啊！」馬場說著：「山葵是很貴的東西。蘇桑不常來吃日本料理喔！」

這一句話惹得店內其他客人捧腹大笑，店主天野立刻叫人遞上一杯熱茶。

「蘇桑很少吃日本料理啊！以後多來我們『鶯料亭』光顧，就會習慣了。壽司是我們大和民族的精髓，還要請蘇桑多多感受這其中的底蘊。」天野久吉又對師傅說：「為了歡迎兩位嘉賓，就準備那個東西吧……」

天野久吉一臉神祕，臉上略帶笑容：「……我特別準備了一道日本傳統的鄉村料理，請兩位務必嚐一嚐。」接著就見到壽司師傅端出一盤食物，空氣中瀰漫著一股像東西腐敗後的氣味。

「啊！是琵琶湖的鮒壽司……」馬場說著：「看來蘇桑這回是逃不掉了。」

蘇有志看了一眼鮒壽司，那味道簡直臭死了，他不發一語，搖了搖頭。

天野久吉解釋：「鮒壽司是所有壽司之首，採用琵琶湖裡的鯽魚，去除內臟、魚鱗後，抹上鹽巴醃漬。最後以煮熟的米飯加以覆蓋，等待發酵兩年後就成了這個模樣。」

「這鮒壽司的魚卵可多了，這個也是最好吃的地方……」馬場說著。

正當大家聊得很開心的時候，鶯料亭進來了一個人。眾人抬頭看他，天野久吉馬上走上前說：「啊！抱歉。我們鶯料亭只招待熟客。」

這個人立刻發出高亢而尖銳的聲音：「我跟他們很熟啊！」

他指著坐在壽司吧台前馬場與蘇有志兩人，蘇有志一見到他，立刻招呼：「哎呀！是關次先生啊！您怎麼知道這裡？巷子裡的鶯料亭，可不好找啊！」

「蘇桑，我找你找得好辛苦，我到你家兜了一圈，他們都說你和馬場先生在鶯料亭，怎麼不約我一起來吃呢？」關次坐了下來：「什麼屎味那麼重？」

蘇有志看了鮒壽司一眼，關次也看了鮒壽司：「哎呀！這不是鄉土料理嗎？這可是高級料亭，怎麼端一盤屎來招待客人？」

馬場說：「關次桑沒吃過鮒壽司嗎？那可是世間美味啊！」

「難吃死了，我可不吃這樣的東西。」關次把皮箱放在桌上：「不說這個了，我是來給蘇桑報告一個發財的機會！」

「喔！」蘇有志問：「什麼機會？」

「就是新東株式會社的株券，我特地拿來賣給你……」關次把來意說了一遍。

蘇有志一聽「新東」兩字，便想起自家有一張源於尤重行的肖像畫，這張肖像後來成了西來庵劉府千歲金身，畫像正面小字寫李萬利帳房老先生，畫像背面，以小楷寫著這樣的文字：

西方見蓮華
來日餘清芳
安知新東在
入夥問瘟王

「新東株式會社？」蘇有志想了一下，最近投資許多產業，包含台南製糖、噍吧哖有山產農場、在大目降街上有碾米廠、米鋪，全都是靠王爺的指示，而能日進斗金。這畫上的瘟王圖像，和小楷詩讖，難不成是在暗示自己，應該投資新東股票？蘇有志特別相信西來庵的王爺，於是便不假思索這其中的詭詐。

「你這些股票要多少錢？」蘇有志問。

闞次想了一下，決定獅子大開口：「一株三百元，全部一萬株！」

馬場譁然：「哎呀！這是天價啊！台灣製糖株式會社的株券，可也沒有這麼貴。打狗富商陳中和的『和興』，資本額也才十萬日元；新興製糖的總資本額，也才六十萬日元。台灣銀行打算在打狗設立『台灣倉庫株式會社』，發行的株券加一加，不超過一百萬。新東到底是怎樣的會社？資本額硬是比別人高出好幾倍？」

關次說：「這是個穩賺不賠的會社，價格當然會高。自動車若是輸入台灣島，那滿街跑的人力車，可就要被取代了。」

蘇有志看了那只皮箱，更堅定了自己的信仰：「的確，如果是個穩賺不賠的會社，那這個交易便合情合理！」

「蘇桑，台灣人有一句俗語：謹慎不蝕本！我在日本見過德意志進口的自動車，但台灣還沒有讓車子走的道路，總督府也沒開放自動車輸入，短時間不可能賺錢。」馬場對蘇有志說。

關次臉上立刻展現了不悅的表情：「馬場桑！我跟你可無冤無仇，可別汙衊我的會社！」

馬場語氣中，也嶄露了他的無奈：「我可沒有那個意思！」

「馬場先生的確沒有那個意思！所謂在商言商，若是自動車能取代人力車，那這生意絕對會一飛沖天。」蘇有志緩頰著：「如果真是那樣，我還覺得那些株券便宜了。」

此話一出，鶯料亭裡頓時嘈雜起來，眾人都議論紛紛，這個價錢絕對是個天價，料亭裡有些人根本沒見過「自動車」，根本不相信這樣的東西能賺錢，更何況蘇有志不是投資糖廠，而是去買一個沒沒無聞的「新東會社」。

馬場先生看著蘇有志堅定的態度，嘆了一口氣：「蘇桑若是執意要投資，身為朋友的我也是莫可奈何，但請您一定要三思而行啊！」

「呵！呵！呵！多謝馬場先生的關心，我想這個投資不會有錯！」蘇有志信心滿滿。

回去之後，蘇有志賣掉碾米廠、出讓了台南製糖的所有股權、處分了從尤重行繼承而來的大片土地，把大部分的資產拿來投資「新東」。蘇有志幾乎把己身十分之八的資產，全都孤注一擲在這不確定的公司之上。這是一場商業豪賭，從外人眼中看來，幾乎毫無勝算的豪賭，但蘇有志始終信心滿滿，不以為意。他投資新東的消息，很快就傳遍整個台南的產業圈。

啟明聽到了這個消息，感到既難過又驚訝，明知關次是個不折不扣的騙子，是個非常可怕的傢伙，對於蘇有志誤入他的圈套中，啟明卻是愛莫能助。他在家中房間裡來回踱步好幾趟，心裡想著該如何幫助蘇有志，正當他在苦惱之際，一個轉身把他的視線引導到木製的櫥櫃上，櫥櫃上頭放著之前被搜索過的錦盒，啟明原本不以為意，但感覺那錦盒似乎有一股魔力，在召喚他、驅使他，好奇心終於溢出他心靈的界線，引導著他去翻查那個盒子裡的東西。

啟明打開盒子後，就發現妻子已將警察敲下來的鎖頭，收好放入錦盒裡面。啟明拿起鎖頭把玩：「真是小巧玲瓏，光彩奪目！」

他看著鎖頭上的開口，正好容得下一個方方正正的物品。他想了一下，忽然想起一個東西，急急忙忙跑到另一個房間，循著牆壁摸索，嘴裡念著：「我記得沒錯的話，應該是在這裡！」

他找來一把小木槌，沿著牆壁上輕輕敲打，薄薄的一層覆土就被敲了下來，牆壁裡有一個洞，那個洞正好可以嵌進一個小小盒子。他把盒子挖出來，打開盒子，拿出那片黑漆木牌，仔仔細細端詳上頭的二十四個字：「港郊之駝，尤為公重。信商誠實、童叟無欺。墨守既失、鼎新輒利。」他翻轉木牌，手摸背後的「李萬利」三個字，上頭字樣絲毫未損。

當初啟明把黑漆木牌嵌入牆壁中，是因為他知道這個東西，會引起殺身之禍：這木牌交代了他和尤重行的關係。要在當今日本人統治的世界裡生存，唯有和當權者小心對應、隨著日本人的政策亦步亦趨，才能明哲保身：從李萬利到尤重行，從三郊義軍到林少貓，任何一件事都會改變自己的命運，任何一個蛛絲馬跡都牽繫自己的項上人頭。現在爾次和水島都已經完全知道他的底細，在這個危險的時刻，自己還能活多久，能在夾縫中喘延多久，自己完全無法預料。

他望了黑漆木牌一眼，緊接著他拿出錦盒裡的那本古書，從頭到尾翻了一遍，發現裡面的文字似乎暗藏玄機：表面上看似一本道書，仔細端詳後卻不是如此，段落與段落之間不通順、句子和句子之間文意不明處，已經被硃砂紅字標註，仔細看了全文，說明了李萬利老先生的身世，和即將來臨，影響家族的「那個劫難」，回首再讀老先生身世，文末有父親評點的字跡，「李萬利老先生為真奇人是也」。

啟明頗有同感，心想父親早看過這書的內容，以致能遠走他鄉、兄弟們尚能苟且活至今日，難不成也都是命中注定？他忽然感到一陣寒意上心頭：「李萬利的老先生，究竟是何方神聖？」

他攤開書冊，那個影響尤重行最大的劫難，註記在一首詩之中：

西方見蓮華
來日餘清芳
安知新東債

滅我大明王

回頭話說這段詩讖，啟明的父親李硯是見過：那天月光照入臥室中，李硯坐在李三泰墨寶前的椅子上，評點完文章，解出密碼。一個人靜靜讀完這書中所提的種種，深知清法戰爭、甲午戰爭，早已被老先生所料，這書中說明了老先生的身世，更確信天理昭昭，李硯嘆道：「天機不可洩露，今日一窺天樞，災禍恐至、後患無窮……」

他閱讀詩句，旁徵博引，大致找出了這件事情的脈絡，唯不明白「新東債」是何意，更不知道「大明王」做何解，心想難不成後代子孫會自稱「大明王」？又或者成立了「新東」這類商號，最後欠了一屁股債倒閉，如果真是這樣，出脫自家的財產總是一件好事。更何況自己狙擊了能久親王，日本人早已放出消息，四處搜捕他，身上帶這些財產反而是一種累贅。

李硯忽然想到了一個點子：不如將計就計，將此劫過渡給旁人：他想來想去，就只有尤重行的阿福最適合。於是他立刻將畫有李逵時代帳房老先生的肖像，畫在另一張白紙上，接著李硯發現，李逵時代的帳房老先生，原來與西來庵的瘟王塑像竟是如此神似，於是決定把詩句最末的「大明王」，改為「瘟王」。

畫紙上這裡改一個字，那裡修一個字，詩句就訛題成了「西方見蓮華，來日餘清芳；安知新東在，入夥問瘟王。」

他端詳這首詩，點點頭：「安知新東在？的確，我可不知什麼新東啊！阿福，你跟我了這麼久，可別怪我沒提醒你，誰知未來『新東』跟誰欠了一屁股債。而這『入夥』或『不入夥』之事，你自己和你的子孫，還是去問問西來庵的瘟王爺爺吧……」

第二天，李硯將這幅謄過的新畫和其他東西，一併交給阿福。並假意要他修繕西來庵的五福大帝金身，東拉西扯、左支右吾、牽強附會，阿福信以為真。於是這畫像上訛誤的詩讖，就成了蘇家的傳世之寶。而這個美麗的錯誤，硬是把阿福和他的子孫，推向永無回頭的絕境。李硯燒掉了原來的肖像畫，把錦盒塞回原處，歷史就在這一個岔路上，分開了兩個人的命運。

十月三十一日「天長節」這天，台南大街上原來只有廟會才會出現的陣頭、藝閣，全部擁到街上遊行：北管嗩吶、開路鼓、繡旗隊、哨角隊、十二銅鑼、十二婆姐……不管是上帝公廟、關帝廟、媽祖廟、臨水夫人廟，所有能上街的神尪全都上街、所有能拿出來的華蓋都拿出來，即便是臉盆夜壺，只要能發出鏗鏗鏘鏘之聲的東西，全都拿出來敲敲打打。慶祝的隊伍綿延好幾華里，幾乎整個台南城百姓，全都擠在紀念天長節的活動隊伍之中。

兩個在地方上遊手好閒的浮浪者，被警察逼迫組合成一隻舞獅子，在街上俏皮地表演廣東醒獅，獅子忽然抬腿搔癢、或壓低身子做出酣睡的動作，或迎賓，或施禮，或跳躍，在獅尾操作的那個人邊做邊說：「什麼天長節？大正天皇生日，陣仗還得勝過各路神明的誕辰。這吹嗩吶的聲音，又尖又長，是給人送路用的。這景恰似那日扛我爺爺上山去時，我他奶奶哭得死去活來的模樣……」

「你小聲一點，陳大人聽得懂台灣話……」舞獅頭那個人，靈巧地扭動獅面，獅眼眨呀眨、獅耳翻呀翻，獅鬃晃過來撇過去，獅嘴微微張開，裝出一個可愛的模樣。

獅尾繞過來頂過去，一根警棍對著獅子的屁股中央用力打下去：「混帳東西！對天皇和皇族出言不遜，你他媽的活得不耐煩了？侮辱天皇是要判死刑的。」

這個警察是台灣人，一根警棍打在獅子屁股上，就像是擂大鼓一樣又快又響。操作獅尾的那個人哀嚎了一聲：「唉唷！陳大人饒命，陳大人饒命！」

那個警察繼續抽打了兩三下，就像爹爹教訓兒子般罵著：「打你屁股是給你一點教訓，今天不讓你屁股開花，你就給我作怪。往後看你還敢不敢耍嘴皮子！」

陳大人打了十餘下後，總算收了手，撂下狠話：「你給我小心點。」

接著便把警棍插在腰際，離開舞獅子身旁，往到隊伍前頭去維持秩序。獅尾那個人痛得差點跌坐在地上，知道警察走遠後小聲地咒罵道：「四腳仔！」

啟明沒有待在台南城內一起鬥熱鬧，而是來到郊外的大目降街上，指示車夫尋找住址：「觀音廟三五五番，不知是哪條巷子？還是先停在觀音廟前好了。」

車子停妥觀音廟，就見到蘇有志從廟裡燒完香走出來，他的家正好在附近，啟明和他寒暄幾句後，人依舊坐在人力車上，就指示車夫拉著車，跟著他一起進到巷子裡。蘇有志雖然已將大部分財產，投入新東的股票買賣中，但仍可看出富戶的氣勢與闊綽：兩層樓新蓋的房子，用了「洗石子」的創新工法，外觀是西式洋樓造形，更添幾許風情。蘇有志站在自家門前，自豪地說：「歡迎蒞臨寒舍，今天是什麼風把李大哥給吹過來？」

「您這還算是『寒舍』，那我城內的房子應該就是『冰舍』了！蓋這房子應該花了不少錢吧！算一算，我是好久沒來郊外走一走，今天的天氣好，出了門就打算過來這裡拜訪一下！」啟明下了車，給了人力車的車夫這趟路程的車費，又給了他一個懷表囑咐他：「你先去四處晃一晃，或去王公廳前喝杯茶、吃個粿，我這表上的長針到這個位置時，你再過來載我一程！」

車夫走後，李啟明說：「我聽蘇桑投資了新東株式會社，想來看看您最近的狀況……」啟明手上拿著一個布巾包裹的土產：「一點伴手禮，給您夫人和小孩子吃，瑞士風味的洋菓子。」

「人來就好，何必那麼見外？」蘇有志委婉回絕：「我得了土產傳染病，拿了人家的土產就會流鼻涕、高燒不止，這禮可收不得……別光站在這裡，進屋子再說。」

兩人進到屋裡，啟明脫下西裝外套、摘下帽了，交給蘇有志的妻子，李啟明再度拿起土產說：「這土產是從城裡拿出來，再拿回去不方便，如果蘇桑嫌棄我這土產的禮數不周，我拿回去丟掉就是了；但若是客氣而不跟我收禮，那可就是蘇桑的不是了：從來沒聽過主人家，會給拜訪的客人添麻煩，這『麻煩的東西』要客人自己帶回去處理，還不如交給尊夫人處理，我最不會處理這樣的東西……」

蘇有志知道啟明話中的意思，蘇有志的妻子看了蘇有志一眼，他略略點頭，於是妻子便微笑收下：「謝謝李桑送我們禮物，這怎麼會是個麻煩，內子高興都來不及了，李桑真是愛說笑。」

蘇有志說：「妳去泡些福建水仙茶出來！我要好好招待李桑。」

啟明進到屋子中，客廳以榻榻米鋪底，一個茶儿，幾個蒲團，看來簡單別緻，蘇有志說：「請坐！」

啟明緩緩說道：「我今日從城裡出來，街上車水馬龍，熱鬧非凡。唯蘇桑是西來庵的董事，不知『西來庵』為何沒有跟大家一起鬥熱鬧，『天長節』慶祝活動，據我所知，台南廳的民政官員雖說自由參加，但可都是『半強迫』的唷。」

「哎呀！我這西來庵是閻王爺小廟，規模不比關帝廟大、歷史不比城隍廟久、信徒不比天后宮多、神格不比天公壇高，哪有資格和府城七寺八廟相提並論？台南廳那邊的態度我是不知道，反正我給了錢，贊助了兩頂神轎，日本人應該不會找我的麻煩才是。」蘇有志說。

「是啊！蘇桑言之有理，但日本人身材矮小，肚腸短短三吋，可別太相信用錢就能買通一切啊！」啟明誠懇地說著。

「應該不至於吧！像關次桑你就認識，這次新東的株券，就是他賣給我的，依他的人格，我想不會有太大的問題才對！」蘇有志說著。

「可惜！真可惜！」啟明嘖嘖兩聲：「實在是太可惜了！」

「可惜什麼？」蘇有志問。

「蘇桑明明是個好人，怎會遇上關次這樣的『鼠輩』！」啟明說著。

「你怎麼說關次是個鼠輩？此話何解？」蘇有志問。

「讓我來說個故事給您聽……蘇桑可知府城的『黃蘗寺』是怎麼敗落的嗎？」啟明繼續說：「陳永華死後，他的故居改建為黃蘗寺，許多天地會之人寄居在此，托缽為僧。乾隆年間，知府蔣元樞和黃蘗寺住持不慧大師是舊交，蔣大人接獲密報，得知不慧大師為天地會人士，乃至廟中與他懇談。兩人以茶代酒，相談甚歡，兩人暢談到深夜，雖然有說有笑，但蔣大人表情從頭到尾始終凝重。不慧最後終於忍不住，詢問原委，蔣大人便將福建總督給他的密函，展示給不慧大師看。不慧大受感動，於是招出了所有天地會人員名冊，並將寺內盔甲、武器和資金全交給蔣大人，希望他善用這些東西，造福黎民百姓。不料蔣大人竟然將這名冊當作證據，把不慧大師抓起來，押至北京斬首法辦，從此府城的黃蘗寺就此落沒……」

「不知李桑說這些，是何意思？」蘇有志說：「您這恐怕不是單純的故事？還怕是裡頭有弦外之音？」

啟明說：「蘇桑果然是聰明人，我是來提醒你。闞次這傢伙不是個好東西！若要相擬，你的台南製糖可比是黃蘗寺，他為蔣元樞；您可就是那不慧大師了。」

「不會吧？」蘇有志喝了一口茶：「李桑言重了，我想闞次桑沒有這麼壞，李桑是不是多慮了。」

李啟明娓娓念出詩句的頭一句：「西方見蓮華！」

蘇有志眼睛睜得圓大：「你說什麼？」

「我今日來此，路過法華寺，見他們早課唱誦《妙法蓮華經》，於是我便命令車夫停下來，仔細聽他們唱些什麼。這聲音是這樣唱……西方見蓮華，來日餘清芳；安知新東債，滅我大明王。」李啟明說唱俱佳，這尾巴的詩讖，模仿佛寺裡的早課唄佛，歌聲美妙猶如醍醐灌頂，字句之珠璣，如衝出火宅的三輛寶車。

「法華寺怎會唱如此佛唄？」蘇有志又驚又疑：「這佛唱與我家傳世的一句詩讖極為相似。」

蘇有志說完便到臥房裡取出那張瘟王肖像，遞給李啟明看，這上頭果然就有這首詩。

李啟明看了一下字跡，知道那是父親寫的東西，但和真實的詩句仍有幾分差異，他尚不清楚父親為何這麼做，但為了提醒蘇有志，又不打算揭露自己的身世，只能在這之間繞來繞去：「的確古怪？你這畫像上的詩，怎會和法華寺的佛唄唱出一個模樣。」

啟明知道蘇有志篤信鬼神之說，故意把事情說得很玄：「天理昭昭，自有徵兆，我想這就是佛祖在暗示你，闞次不是一個好東西，你買他的株券，恐怕已經掉進他設計的陷阱裡。」

「……」蘇有志見他說得活靈活現，一時搭不上話。

李啟明請蘇有志的妻子拿出紙筆，在紙上寫下「安知新東債」：「你瞧瞧，這法華寺唱得是『債』，而非您瘟王畫像上的『在』，此『債』非彼『在』，您這把錢投進去，可還有吐出來的餘地？」

李啟明一五一十把闞次勒索他時計店的事情，和盤托出：「闞次三番兩次到我時計店裡要錢，真是不勝其擾！」

「他拿什麼勒索你？」蘇有志聽得冷汗直流，隨口一問立刻就踩到李啟明的痛腳。

李啟明眼珠子飄來飄去，心裡想著，自己是尤重行後代這件事斷不能說，只能隨便編個理由唬瞞他：「就是……我曾在龍王廟，兩廣會館附近有些土地，台南廳要開防火巷，我疏通了日本人，讓防火巷轉了個彎，闞次無意間知道了消息，便拿這件事來勒索我。」啟明隨口謅了一個故事：「起初我不願意，沒想到他便勾結了警察，到我店裡說要查走私，說我店裡的懷表，是從香港和上海走私進來的，還誣賴我包庇反日分子，硬是要扣我帽子。」

「有這檔事！」蘇有志不疑有他，這樣思考下來果然想到一些蛛絲馬跡：「這就難怪了，已經好幾個月要找關次，卻都找不到人，我原本以為是巧合，現在經你這麼一說，我覺得是他刻意在躲避我！」

「蘇桑一定要小心這個人啊！關次可是個恐怖的人……時間也不早了，我該告辭。」啟明自知已把話給帶到，這下子也不願再多留，急忙就要離開。

「怎麼這樣突然，您這桌上的茶水還沒喝完呢？」蘇有志的老婆才剛把水仙茶給再沖好一次，見啟明站起身子，這下子不禁覺得自己失禮：「這茶不合李桑口味？」

「沒這回事！天長節城裡熱鬧，明天時計店還要做生意，我不早點回去打點一切，我家內人今晚恐怕不能安心入睡。」啟明說著。

「也好，你這坐人力車回城內，至少也要三、四個鐘頭，先回去也好，近來街上還有一些土匪在搶劫，若是遇到可就麻煩了，路上還請小心。」蘇有志也起身送客。

兩人一出門口，人力車已經在門前，蘇有志驚呼：「李桑賣時計果然神機妙算，你的黃包車，可都快和鐵道的機關車一樣準時了！」

車夫把懷表還給啟明，然後說著：「懷表的這玩意可真有趣！裡頭到底是裝什麼，我看它就這樣滴滴答答地走著，時間竟然算得絲毫不差。」

啟明登上人力車，最後向蘇有志叮嚀：「蘇桑可別忘記了我今天說的話，太相信別人，可也要落得如不慧法師的下場！」

過了幾天，蘇有志愈想愈不安。連續幾個月找不到關次東，心裡愈來愈擔心李啟明所言之事會成真，這天他到西來庵裡拜拜，打算請扶乩問事於王爺，求個內心平安，一入拜殿，就見到一個身材瘦小的人，伏地大拜，旁邊還有兩個人，分別拿著香，對王爺塑像畢恭畢敬，念念有詞。

蘇有志身為西來庵的董事，不曾見過這三個信徒，心想難不成是外地來的乞丐：「請問三位信士打哪來？以往怎未見過三位來參拜王爺？」

「我叫羅俊，嘉義縣他里霧五間厝人。」羅俊滿臉蠟黃，看起來就像個行走江湖的算士。其實羅俊曾經在私塾教過書，也考過科舉，但幾次下來皆未第。落榜後以替人占卜為生，乙未戰爭後，曾任保良局書記，最後和辜顯榮不睦，憤而離職。隨後加入抗日活動，失敗後赴大陸禪修，不久再偷渡回來台灣。

另一個人聲如洪鐘：「我叫江定，台南廳西里竹頭崎庄隘寮腳人。」

江定天庭飽滿，還留一個大辮子，江定曾殺過人，因而遭到日本人通緝。江定指著地上五體投地的人說：「他是王爺的弟子，能知王爺的神諭。」

「他是誰啊？」蘇有志問。

伏在地上的人，磕完響頭，就站起身子。蘇有志見他身材瘦小，皮膚黝黑，衣服還髒兮兮的，真的以為他是個討飯的乞丐：「諸位大德可往他處索要，我這庵裡不發功德齋！」

他淡淡地說：「我不是來要飯的，我叫『邱九』。我看這位先生穿著錦衣玉袍，想必是個富貴人家，請問您是？」

「我是西來庵的董事蘇有志！你們拜的可都是我的神。」蘇有志說。

「此言差矣！您這西來庵大門開著，誰信得過王爺，誰都能入門叩拜。您身為董事，難不成還為王爺閉門造車？這樣正好，我們三人都是羅祖教的信徒，羅俊會畫符籙、江定會使咒術，而我能以乩身和神明溝通，不知蘇董事可否讓我們三人在此工作？為五福大帝做事。」那個自稱邱九的人說著。

蘇有志打量他們三個，一個乞丐像、一個欠債樣、另一個一看便知是窮光蛋，三人沒一個脣紅齒白，人模人樣，正要打發他們走，沒想到羅俊嚷了一聲：「清芳，我看我們還是走好了。蘇董事可沒留我們的意思！」

「你剛剛叫他什麼？」蘇有志看著羅俊，指著邱九。

「他叫我清芳，我的本名叫『余清芳[19]』。」他說著。

蘇有志一聽，宛如五雷轟頂：「什麼！你叫『余清芳』？」

「大丈夫行不改名，坐不改姓。我的的確確就叫『余清芳』！」他說。

蘇有志兩腿發軟，嚇得差點跌坐在地上，嘴裡喃喃：「西方見蓮華，來日餘清芳……這『餘』字不就是『余』字嗎？」

余清芳笑開了嘴，上排有點齲齒，牙面發黑：「什麼餘字余字的？我是因為得罪了警察，行走在江湖，不方便讓人知道我的本名，如果先生不嫌棄，還請叫我『邱九』為好。」

19 余清芳：又名清風，字滄浪，號春清。化名邱九，西來庵事件首腦，曾任警察、役所書記，後參與羅祖教活動，於米廠結識蘇有志。

余清芳當過警察，後因行為不檢遭解職，加入反日團體「二十八宿會」，被拘捕，關了幾年釋放後，更加深余清芳反日的信念。於是他開始化名「邱九」，準備蓄積反日的能量。他和羅俊、江定，一見如故，三人聽說台南天長節，城內大小廟宇全都參加天皇的祝壽遊行，唯有「西來庵」廟門深鎖，不與同流，決定過個幾日來參拜瘟王，殊不知這裡頭還有美麗的誤會。

三人選擇了今日，打算來投靠「西來庵」。余清芳看了看蘇有志：「蘇董事看起來也是王爺的信徒，天長節那日不開廟門，想必您的心底也有反骨之意。我等三人是王爺的使者，如果我們四人能同心協力，必能完成王爺代天巡狩人間的職志。」

蘇有志望著余清芳，他想說一些話，但現在他一句話也說不出來。

第十章：西來庵

大正四年八月，南台灣酷熱，街上的孩童吵吵嚷嚷，吟唱著童謠：「一鼠賊仔名、二牛駛犁兄、三虎會呷人、四兔遊東京、五龍皇帝命……」

嘻嘻哈哈的童聲底下，台南城內藏著一股肅殺之氣。一個父親牽著一個孩子走過壽象園，孩子不認識兒玉源太郎，伸出食指指著銅像：「父親！你看你看……余清芳！」

那個父親嚇了一大跳，立刻摀住孩子的嘴巴，左顧右盼：「那不是余……」那個父親話說一半，自覺不妥，便說道：「那不是土匪，是兒玉總督的壽象！」

父親也沒打算放開摀住他嘴巴的手，另一手抱起孩子，快步往測候站的方向跑去：「阿彌陀佛，應該沒有人聽見吧！這話兒要是讓人聽到了，會被槍斃的……」

約在台南二十華里外的大目降街，一個名叫「楊貴[20]」的男孩，聽到大隊人馬的腳步聲愈來愈近，

20 楊貴：作家「楊逵」，生於大目降街，作品中敘述日本人鎮壓西來庵事件的殘酷，知名作品為《鵝媽媽出嫁》、《壓不扁的玫瑰花》。

地面揚起一大片塵土，他非常驚恐地躲入屋內，他透過門縫，看見外頭一台又一台山砲車列隊通過、軍容壯盛、整齊劃一的日本軍警，集結後開始向噍吧哖出發：這個畫面，衝擊了男孩幼小的心靈，未來這個男孩將成為一個左派小說家，參加農民運動、台灣文化協會，他的作品將影響更多台灣人。

蘇有志追討關次歸還投資新東株券的錢未果，一狀告到法院。但法院袒護日本人，最後竟然宣判關次無罪，蘇有志從此走上了對抗日本人這條不歸路。他和余清芳、羅俊、江定，還有大潭庄區長鄭利記志趣相投，反日的情節也愈來愈深，於是大舉走私武器，宣揚反日的理念。

大正四年春天，能言善道的余清芳，在台南城內已經小有名氣，他自稱明朝羅清老祖嫡傳子弟，受西來庵五福王爺指示，到凡間擔任「征伐天下大元帥」，打算建立「大明慈悲國」，上蒼會讓他登基成為「台灣人的皇帝」。

余清芳舌粲蓮花，頗能利用宗教蠱動人心，凡是捐獻錢財給西來庵者，可得羅俊所畫的符籙一枚，他要求信眾將靈符佩掛胸前，力行齋戒、真心禱誦，就可免除一切災厄。他曾在保險業待過外務，余清芳善用現代商業手法，反覆利用信眾，擴大宗教的傳銷，一個信眾拉一個信眾，層層轉賣符籙，把符籙的價錢墊高了三、四倍，信眾們賣符籙都賺了一些錢，更是死心塌地跟著他，西來庵的勢力也漸漸穩固。

余清芳兜售西來庵的靈符，獲得龐大的利潤，受到中國「武昌起義」的影響，余清芳也決定要發動革命，推翻日本政府。他向信徒承諾：革命成功後，將收回日本總督府所管轄的土地，然後賜給所有參與革命的人，余清芳的勢力就這樣一點一滴，開始拓展到全台。

警察得知有人反日，前一天才搜索過西來庵，找尋蘇有志下落未果。第二天一大早，眾信徒又聚攏西來庵前，余清芳展現一種領袖的獨特魅力，他不斷蠱惑大家。信眾愈來愈多，亭仔腳街上滿滿都是人潮，連旁邊的台灣府城隍廟信眾也跑出來一探究竟。

余清芳站在西來庵廟門前，手拿符籙，對天比畫了幾下，符籙瞬間就燒了起來，眾人都不知道，余清芳事先將符籙浸過磷水，這是魔術慣用的技法：「我這山中有一把寶劍：是呂純陽祖師，和劉伯溫所授祕法打造而成，鄭成功曾用這把寶劍，在鐵砧山插地取得泉水，阻擋番兵進攻。而這把寶劍現在仍在山中，深埋於土裡，倘若寶劍出土，必能見血封喉，殺人無數：凡是日本人和背叛本教的教徒，此劍皆能斬之。所謂寶劍一出，天地變動、風雲變色。此劍能號召燕京的袁世凱，派遣軍隊渡海，協助我們擊殺日本人。」

余清芳振臂高聲：「你們敢不敢跟我一起發毒誓！你們敢不敢跟我一起發毒誓！」

底下千餘民信眾舉起手，高聲嚷道：「我們願意！我們願意！」

這氣勢猶如千軍萬馬，余清芳接著說：「你們就在玄天上帝和玄女娘娘面前發毒誓，背叛我余清芳者，死；背叛大明慈悲國者，會遭天譴而家破人亡。我要你們跟我一起發毒誓！」

「我們願意！我們願意！」信眾的情緒愈來愈沸騰。

羅俊見狀，附耳對余清芳說：「殺日本人這事情，現在要暗地裡做，不能打草驚蛇。」

余清芳滿臉不在乎的表情，他早就命人到台灣各地布線，北、中、南皆有齋友準備串聯，打算於八月發動全台大革命，他轉過頭小聲地對羅俊說：「這個我知道！我會拿捏尺度。我要你去嘉義竹崎，幫我做聯絡人。」

「嘉義！」羅俊又看了余清芳一眼，知道這回他是玩真的，倘若北中南布線成功，袁世凱真的派兵協助，那後勢或許大有可為。

余清芳拍拍羅俊的肩膀：「事情成功後，嘉義到台中，就交給你管轄！你就是我大明慈悲國台中廳的廳長。」

羅俊一聽，喜形於色：「多謝大元帥抬愛，我羅某必當赴湯蹈火，全力以赴。」

余清芳聲勢浩大，儼然是台灣宗教界的總督，那日西來庵前的聚會，立刻轉變成耳語到處流傳，警察收到這樣的情資，於是立刻向台北總督府回報。

總督安東貞美覺得奇怪，立刻找來官員開會：「台南廳回報，指稱南台灣謠言四起，盛傳袁世凱將率領大軍，與台灣人裡應外合，一起驅逐我們日本人，這事是真是假？」

「前幾日基隆港駐守的警察，在『大仁丸』上逮到一個叫『蘇東海』的可疑分子，他身懷鉅款準備逃往廈門，且他的言行舉止相當奇怪，我們已經將他逮捕，但我們尚不知道他的同夥是誰，昨天我們將他釋放，並且暗中監視。」一個負責警察業務的官員說著。

「林少貓好不容易剿滅，前任佐久間左馬太督上任來，將心力全放在山地『剿番戰役』上，北討泰雅人、南撫布農人，沒想到平地又發生叛亂。台灣有句話：飼鼠咬布袋，台灣人就是要給他們一點教訓，才能知道什麼叫做『文明』、什麼叫做『屈服』，對台灣人不必太客氣……」

前一任總督佐久間左馬太，向來以兇狠無情者稱，對番人以「三光政策」做治理的軸心，配合強占山林、競奪漢人的資產，素有「鐵血總督」的稱號，安東貞美上任不久，他有意改變過去強硬的政策，無奈卻發生這麼大的反日活動。安東貞美說到激動處，拍著桌子破口大罵：「我不是『鐵血總督』，我試著與你們和平共處，現在是你們逼我用最野蠻的方法對待你們……電報各廳，我不管那些土匪是長什麼模樣，凡是造反的人，一律格殺勿論！」

蘇東海離開監所後，請一名妓院的經理坂本惠，送信給台南余清芳。此信尚未出台北城就已經被截獲，信中洋洋灑灑，交代「大明慈悲國」起事的事宜，總督府遂釐清余清芳、羅俊、江定三人為這次事件的主謀。

第二天，以台南廳為中心，嘉義、阿緱等地憲兵和警察總動員，到處搜捕抗日分子。羅俊走避不及，在嘉義竹崎遭到逮捕，羅俊被逮時正氣凜然，還因此咬斷了日警的一根手指。余清芳知道事蹟敗露後，和江定密謀對策，決定帶著兩千元資金，和海外走私的大批軍火，由台南城撤往噍吧哖蘇有志的私人山莊。

大正四年七月六日，搜捕余清芳的範圍愈來愈大，余清芳、江定、蘇有志等眾人，在噍吧哖豎旗「大明慈悲國奉旨平台征伐天下大元帥余」，開始和警察交戰。首先在牛港仔山短兵相接，江定之子江憐戰死，眾人退入甲仙埔支廳大蚯園庄。

七月九日，余清芳轉守為攻，襲擊甲仙埔，殺台灣巡查補三人、日本警察與家眷六人；一個時辰後又攻擊大坵園，殺死派出所日警服部莊五郎等五人；接著山區多個派出所遭到攻擊，光是這一日，一共就殺死三十四個日本人，消息傳回台南廳，廳長大驚失色，立刻派水島警視，動員各支廳警察，前往噍吧哖支援。

余清芳宣布，大明慈悲國的國土範圍包含沙仔田周遭等十五個村莊，就在余清芳宣布國土範圍這日開始，轄內的派出所同時遭到起義者襲擊，不少日本警察遭到殺害。

八月二日深夜，余清芳號召三百人，攻下南庄派出所，擊斃警察與其眷屬二十多人。第二日出擊大目降支廳內仔，並以余清芳之名，發表告天檄文，又獲一千餘人自願加入反叛軍。

日軍支援警察來襲，雙方在芒仔芒大戰五個小時，警察勢力單薄退敗，余清芳緊接著進占虎頭山，準備攻打噍吧哖支廳，沒想到日軍準備的速度頗快，余清芳只好在虎頭山上設置臼砲堡壘和日軍對峙。余軍大約千餘人，日軍則是集中火力包圍虎頭山，並派遣軍警沿路搜山，到處都貼著公告，公告寫著：勸告投降者、與自願投降者，不必處死。

公告發出的第一天，就有二十多人投降，日軍卻對投降者加以虐殺，一個軍官削下一支比自己身高短的竹竿，對眾人說：「反賊！今天誰的身高若是高過這根竹竿，我就把他削平！」

投降者議論紛紛：「大人，是你們自己貼告示，說投降者不罰的呀！」

那個軍官說：「的確不罰，我只是要提醒你們台灣人，別想冒出頭來，要是冒出頭的東西，我們會用盡任何方法，把他們弄得一模一樣，平平貼貼！讓你們認識，什麼叫做『臣服』。」

話一說完，幾個軍人便拔除軍刀，對那些比竹竿還高的人揮舞。有的人腦袋被削去一半、有的人頭皮被削下一塊，痛得倒在地上打滾。個頭較高的投降者，整個腦袋被砍下來。只有瘦小的婦女和孩童，保全了性命，所有人見了這個慘狀，都不敢哭出聲音，生怕發了狂的軍官，會把軍刀指向自己。

安東貞美總督認為，台南的抗日活動，已經瀕臨內戰，下令調派更多部隊前往支援。八月六日下午，台南守備隊步兵第二聯隊，由黑田少佐率領兩個步兵中隊、一個山砲中隊來到噍吧哖，與在附近演習的今村大尉部隊會合於虎頭山下。水島警視所率領的警察隊，由側面攻擊竹圍庄等地。

水島指揮的警察隊，掃蕩完三個村莊後，準備往沙仔田庄方向前進，預定由虎頭山背面進擊叛軍陣地。在小路上，水島的警察隊遭到埋伏，樹林裡槍聲大作，警察一一還擊，水島趕緊躲入旁邊的草叢之中，余清芳的伏兵趁亂逃回山上，一名叛軍在小徑上丟下一片紅布做為記號。

過了一陣子，似乎沒有聽到槍響，水島慢慢站起身子，示意旁邊的警察掩護他，這時卻見到虎頭山上兩門舊式臼砲，對準這個方向，他們瞄準小徑上的紅布，水島知道那是一個記號，那個記號離自己只有五到六步的距離。山上的叛軍在臼砲裡填裝鐵片、小石子，水島看見一個熟悉的身影，那人正是蘇有志，他笑容可掬，有說有笑地招呼齋友，他手上拿了一面「大明慈悲國」的蓮花旗，輕輕一舞，臉上帶著笑意和輕蔑之意喊著：「臼砲發射！炸死那群四腳仔！」

「可惡！」水島急得大叫：「趴下找掩護！」

虎頭山上砲聲轟隆隆，小徑炸出一團濃煙，另一枚砲彈飛進樹林，在樹林裡炸出了一朵火花，小徑上一時塵土飛揚。警察灰頭土臉、咳嗽不止，受了傷的警察隊四處退散，一個巡查補跑到水島身邊喊了幾聲：「大人！大人！您沒事吧？」

那個巡查補仔細一看，水島早已躺在地上，睜大眼睛，沒了氣息，他的手上還握著從李啟明時計店勒索而來的懷表。剛剛叛軍的臼砲發射時，水島來不及趴下，臼砲所炸出的一塊鐵片，不偏不倚割斷了他的脖子，他就這樣戰死於虎頭山的山腳下。那個台灣人巡查補見狀，伸手按闔了他的眼皮：「大人，您可要好好地走，可別死不瞑目啊！」接著另一隻手抓過他手上那只懷表，把那懷表放進自己的口袋之中，然後若無其事，假裝悽苦地喊著：「水島大人死了！水島大人死了！」

雙方混戰數小時，日軍將山砲對向虎頭山，雙方展開砲戰，余清芳這邊戰死三百餘人；日軍武器較為精良，僅死十餘人，但兩造依舊山上山下相互對峙。到了晚間，火藥用罄，余清芳下令大家撤守山區，於是大家從警察隊來不及包圍的山徑撤退。日軍轉進附近的村莊，開始虐殺無辜，日軍號令他們挖掘壕溝，無論男女老幼依序進入壕溝內，日本人騙他們等會兒山砲要施炸，要保護大家的安全。等到眾人進到壕溝後，日軍便用機槍掃射壕溝內的人，頓時血流成河、哀鴻遍野，史稱「噍吧哖大屠殺[21]」。保守估計，大約有五至六千名無辜百姓，慘死在日軍的槍口之下。

虎頭山一役後，余清芳帶兩百多人衝出封鎖線，經過放弄山和楓櫃嘴，露宿鹽水坑。八月七日和江定殘軍在四社寮溪畔會合，余清芳第一次感覺到挫敗，眾人意志垂喪，此時江定取用溪水，燒了符籙。

蘇有志安慰大家：「大家喝下符水，便能得到上蒼的幫助。大家不要氣餒，蓄積能量後，我們再出擊。」

余清芳將冷冽的山溪水捧在手心，江定把符灰撒在他手掌的水中，余清芳一飲而盡，余清芳豪氣未減，緩緩念道：「月明風冷醮壇深，鸞鶴空中送好音。地煞天罡排姓字，激昂忠義一生心。」眾人知悉這是《水滸傳》裡的句子，宋江豎杏黃大旗「替天行道」，一百〇八條好漢全上了梁山泊。但這小說最後結局終究還是一場空，他回頭看看反叛軍拖行的臼砲，如此笨重，耽擱了大家撤退的速度，余清芳臉上略顯疲態，指揮眾人：「把一門臼砲埋在這裡，待我們東山再起時，再來取回。」

眾人七手八腳，把一門臼砲埋到土裡。余清芳看著蘇有志，知道他以前也是個成功的實業家，如果沒有參與這個事件，或許還能活命：「你和鄭利記逃出噍吧哖，躲回台南。或許那裡才是最安全的地方！如果你們有機會逃出台灣，到廈門只要報上我余清芳的姓名，自會有人接應你們。」

蘇有志想了一想，以前他是人人稱羨的頭家，現在怎會把自己逼入如此絕境，想到這裡，自己也感到不勝唏噓。就此一別，大家各奔東西，余清芳的勢力從此潰不成軍。

八月二十一日，警察隊擴大了搜山的範圍，日本人沿著曾文溪往上游各支流搜索，日本警察命令保甲長邱通、陳瑞盛兩人，以提供軍糧為由，將余清芳等人誘騙來王萊庄。八月二十二日夜裡，余清芳殘軍進入王萊庄，還沒見到保甲長邱通，就被大批日本軍警團團包圍，手無寸鐵的余清芳只能乖乖束手就擒。

21 噍吧哖事件遭濫殺的民眾不計其數，被害人數眾說紛紜，最後被判死刑者多達八百六十六人，還曾引起日本國會及輿論關切，部分人員被特赦。西元二〇一四年三月十四日於新化發現三千具遺體的千人塚，疑與噍吧哖事件有關。

大正四年，為台灣「始政二十週年」，七月總督府公布了台灣勸業共進會的官制，接著由勸業共進會辦理「始政二十週年」相關慶祝活動，總督府第一期的工程剛好完工，主要會場就設在這裡：展出台灣的農林漁牧產品，期間還有文化演說、各產業貨樣發表會；外頭的苗圃整理為第二會場，展演台灣戲曲、大相撲力士競技、還有遊樂場和商店，甚至還有一台巨大的飛機搬到現場，吸引了眾人的目光。日本赤十字會成立台灣分會、愛國婦人會也成立台灣分部，日本許多經濟界人士，以及大批記者團來到台灣。

安東貞美總督絕對不可能，讓「西來庵事件」在這個時候，影響自己的政治聲望，於是到了八月，總督府宣稱為了加強戶政管控，於十月一日起零時，全台同步進行第一次臨時戶口普查。

北至基隆、南至阿緱，大家都以為沒有回到戶籍地接受普查，就會被歸為「清國國民」或「余清芳匪人同夥」，九月底基隆金瓜石礦場，台北大稻埕的茶商公會、太平山的伐木、台中帝國製糖場、嘉義製酒場、台南井仔腳鹽田、鳳山的台灣鳳梨工場全都大缺工，大批民眾也急著趕回戶籍地，九月三十日深夜的各班火車，班班客滿，還有人爬上火車頂上，星夜歸鄉。

「實在是太誇張了！」馬場在李啟明的時計店裡抱怨：「我吳服店裡的兩個製衣師傅，一個趕著回鳳山、一個急著回嘉義，害我不得不休業三天。」

李啟明看著牆上的時鐘，再看看街上空無一人的景象：「唉！不知道余清芳那幫人現在如何了？」

「想不到，真是想不到。」馬場說著：「余清芳那幫匪徒這麼厲害；水島警視也戰死虎頭山，水島如此正直可信，慘遭橫禍，真是令人意外啊！沒想到蘇有志是他們的同夥，真是知人知面不知心。」

李啟明尷尬地回應：「是啊！的確讓人想不到！」

噍吧哖山區的搜捕行動，持續到隔年四月。日本當局派人向江定傳話：只要他出降，絕不追究。加上糧食、武器愈來愈匱乏，部屬也僅剩二百七十餘人，最後彈盡糧絕，全數向日本當局投降。

受降典禮完畢，大批警察立刻包圍江定，並把二百七十餘人全數帶走，部分歸降之人被帶往噍吧哖支廳、甲仙埔支廳，約百餘人被就地活埋。江定等頭號要犯，被送至台南刑務所，等候總督府的「台南臨時法院」判決。

審判團由高田富藏、渡邊啟太、藤井乾助、宇野庄吉、大內信五位法官組成，陣仗之大，前所未見。總督府特地拍下了一張歷史照片：被捕的一千九百餘人，站列在刑務所外，每個人旁邊都站著穿白衣，負責押解囚犯的日本警察，照片最前頭是罩了竹籠的余清芳、羅俊、江定三人，他們各自被拍了一張近身照片，成為總督府內歷史檔案卷宗裡的一部分。

「蘇有志到哪裡去了？」警察詰問江定。

他還一身傲骨：「我不知道！蘇有志不是我們同夥，他與我們無關。」

「胡說八道。有人見到那日，他也在虎頭山上，笑嘻嘻地指揮臼砲，你怎會不知道，難不成他是吃了你的符水，真能飛天遁地了？」警察說著，負責訊問的警察想了一下，蘇有志能逃到哪去？肯定也只有西來庵那個地方了，他立刻站起身子：「叫所有人集合，到亭仔腳街的西來庵搜索！」

大隊人馬來到西來庵，破門入廟。廟內已經布滿蜘蛛網，地上厚厚的灰塵，至少快一個月沒有清掃了。灰塵布滿地面，使得一些細微的痕跡變得特別明顯：一個地方留有腳印，自大門朝王爺的供桌下延伸。警察低下頭弓著身子，沿著那腳印前進，就像一隻訓練有素的獵犬，只要讓他鎖定任何目標，絕對不會讓獵物逃走：「好啊！匪徒躲在神壇下！」

警察七手八腳，把神桌掀開來，果然就見到蘇有志害怕地躲在裡頭，他全身發抖，有氣無力地癱軟跌坐在地。前幾天他和鄭利記逃出噍吧哖，蘇有志返回西來庵，他已經連續好幾日沒東西可吃，睡也睡不著，精神壓力快把他逼得喘不過氣來，他以為躲在西來庵的神桌下，就能逃過死劫，他並不知道這樣的想法，只是一種天真、一種無知的浪漫。

「我看你一定還有同夥！」兩個警察，一人一邊，把蘇有志架了起來，蘇有志全身癱軟，任憑別人擺布，帶隊的警察問到：「你還有哪些同夥？」

蘇有志氣若游絲說：「沒有，我沒有同夥！」

大批警察在西來庵內搜出了幾本帳冊、手抄的教友名冊，還有一張王爺的肖像。警察看了那張肖像，念出了上面的文字：「西方見蓮華，來日餘清芳；安知新東在，入夥問瘟王。」那個警察硬是指著中間的「餘清芳」三個字，一口咬定：「罪證確鑿，你果然是余匪的同路人！」

另一個警察攤開教友名冊，就見到「鄭利記」這個名字，帶隊的警察接著說：「這不是大潭庄的區長嗎？原來他也是余清芳的同路人！」

「不是！不是！鄭區長和我們沒有關係！」蘇有志說著。

「胡說八道。現在罪證確鑿，你自己都自身難保了，還想窩藏犯人？」警察拿著那本名冊，指著「鄭利記」三個字：「好啊！這又是一個吃裡扒外的台灣人，三年一小反、五年一大反，你們的腦袋砍不怕嗎？」

他立刻下令眾人拘拿鄭利記到案，外頭一批警察接收到命令後，集結成一個隊伍，往南邊的大潭庄前進，帶隊搜索的警察用手輕輕拍了蘇有志的臉，他披頭散髮，嘴唇發白，自知死期將至，一句話也說不出口。

西來庵事件宣判：余清芳、羅俊、江定、蘇有志、鄭利記五人，全部死刑。除了這五人外，另有八百六十六人被判死刑，牽連之廣、範圍之大前所未見，此舉引起日本國會的注意，在國際和日本國內強大的壓力下，日本國會做成決議，要求台灣總督府應從善如流、從輕發落。

到了十一月，安東貞美總督順應了這樣的要求，以大正天皇即位為由，特赦六百多位囚犯，從「死刑」改為「無期徒刑」，但首謀余清芳等五人，依舊維持死刑原判。台灣島內的抗日活動，就此告一個段落。

幾天後，大批警察團團圍住西來庵，眾信徒跪地禱告。李啟明剛好經過亭仔腳街，目睹了這一切。警察到廟裡搬出西來庵的五個王爺金身：春瘟張亢伯，夏瘟劉元達，秋瘟趙公明，冬瘟鍾仕貴，中瘟史文業，使其五瘟王爺坐在五頂神轎之內，警察在這五個神轎四周倒上燈油。

「求求你，大人啊！不要燒掉這五位王爺金身啊！」眾信徒約十餘人，跪地膜拜，淚流滿面，大家哭得死去活來，如喪考妣。

警察說：「你們不是說王爺會有神蹟，那好：只要哪個王爺的神轎會動一下，我就不燒那個王爺的金身，讓你們把金身帶回去安奉。」

眾人等了許久，奇蹟始終未發生。李啟明也很緊張，就在此時，李啟明見到一隻黃狗緩緩走過來，地上正好有塊小石頭，他趁眾人不注意時，一腳把那塊石頭踢向那隻黃狗。石頭擊中黃狗腹部，受到驚嚇的狗一路慘叫，往神轎的方向衝過去，正巧撞在夏瘟劉府千歲的神轎上，神轎微微晃動了一下。劉府千歲金身，正是以李逵時代老先生畫像做為基底的瘟王爺爺。

「大人，您瞧瞧！神轎動了……」眾人一會兒合什、一會兒跪地膜拜。

警察雖然不願意收手，但野狗衝撞神轎是事實，這承諾神明之事可不是兒戲，警察也擔心會有天譴報應，只能沒好氣地說：「算了，把劉府千歲請出來吧！」

信眾七手八腳請出劉府千歲，整備完畢後，警察點燃火把，引燃神轎。一個警察走過來，拿起之前找到的那張瘟王肖像，把那畫像丟入火海之中：「哼！什麼『入夥問瘟王』，王爺公自己都自身難保了，還能過問匪徒糾眾反叛的事情嗎？」

信徒跪地叩首，眾人不發一語，大家恭送西來庵的四尊神明，返回天界。李啟明嘆了一口氣，嘴裡說道：「罷了！罷了！蘇有志啊蘇有志，你可別怨我、可別怪我，今天你若不死，掉腦袋的可就是我啦。」

過了幾天，西來庵廟體遭到日本人完全拆除，一磚一瓦消失得無影無蹤。秋去春又來，又過了一年，平靜的台南大街上，幾個孩童依舊傳唱著那首歌謠：「余清芳，害死王爺公。王爺公無保庇，害死蘇有志。蘇有志無仁義，害死鄭利記……」

世界在改變、日本在改變、台灣也在改變。大正八年開始，局勢有了快速的變化：德國納粹黨成立、中國發生五四運動、國際共產在莫斯科成立、《凡爾賽合約》簽訂……

在日本大阪的道頓堀，一個高舉雙手，跑至終點線的短跑男性霓虹商標，高高豎立在商店街上，這個短跑男性商標，胸前寫著「グリコ」(固力果)的商標，代表一顆糖果，等於一個男子短跑三百公尺，所需的熱量。街上到處是新時代文明的甜甜氣味，繁華悄悄降臨到這個世界，大阪道頓堀上，人車鼎沸，重點並非出在這塊霓虹廣告招牌上，而是電力的逐漸普及，自大正時代開始，日本便陸續出現以水力做為發電設備的「電力公司」：諸如東京電燈、宇治川電氣、日本電力……大正七年，東京上野公園舉辦「電氣博覽會」，入場參觀人數超過一百一十四萬人，電氣產業隨著電力輸送設備的鋪設，逐漸興盛。電力的使用也象徵人類文明，進入了另外一個新的里程碑。

五年後，台南實施町名改正，日式旅館日之丸、江口商店一一矗立在城市中，南北縱達、東西橫貫，町名依序改為：旭町、壽町、竹園町、北門町、東門町，轉個彎是清水町、高砂町、開山町、綠町……

日本人町名改正時，拆毀了台南許多建築，五條港淤積，市區內的水路運輸愈來愈遜色，安平港也因洋人離開後進出口量減少，功能逐漸被基隆港，和稍後正式啟用的高雄港取代，古運河淤塞嚴重，乃至於最後幾乎和安平外港不相連。

靠運河維生的三郊，命運更是悲慘，原有「三郊組合」名下的產權，自明治時代開始，便被日本人強占強收，不是被充當學校、就是闢成派出所，再不然就是興建為官舍，水仙宮也差一點被拆除。日本人為了徹底打擊漢人的反抗勢力，將掠來的三郊資產，脅迫籌組為「台南商工組合」，意圖取代原有的三郊勢力，就在這樣內外交逼的情勢下，三郊在大正年間正式解散，永遠走入歷史。一些商人脫離了組合，成為散戶，在運河旁的新町經營貸座敷，日本人為了方便管理，又設置了「遊廓」，將風化場所縮限在這個特殊區域中。

「說到這新町，就不能不說『竹青樓』，它和真花園，都是新町的招牌妓院。」李啟明說：「所謂『竹青』，是取自《聊齋誌異》的〈竹青〉一章節，這文章講述著人鳥戀情，『竹青』在《聊齋誌異》中，便是一隻有靈性的雌烏鴉，牠化為人形，下嫁主人翁為妾。」

「你們台灣的這個水茶屋，名字起得好：竹、青、樓。前兩字用得典雅；後兩字起得通俗。」吳皆義說著：「古詩不是常說：『青樓多鶯語、勾欄忘愁噥』。」

「那可不，逛巷子可要雅中有俗、俗中帶雅。若只是來暗街尋花問柳，討個爽快自在，而不吟風弄月，可就糟蹋了自己的人生。這暗巷子裡偏是徐琰說言的：柳腰擺動風款款，櫻唇噴香霧漫漫。」李啟明笑意未減：「你瞧瞧！過了這巷子後，還有幾間知名的『貸座敷』在裡頭，正所謂山窮水盡疑無路，柳暗花明又一『敷』。」

兩人哈哈一笑，就這麼地在新町巷子裡繞來繞去，他們走馬看花好幾家「貸座敷」，從這條巷子出來，再鑽入另一條巷子，側身通過窄巷，兩人便往竹青樓方向走去。吳皆義年紀不小，隻身在台灣這麼多年，他還是頭一次逛進這個地方來，以前在外頭辦理商務，個性大剌剌，現在進到風月場所裡，反而拘謹害臊起來。

「吳桑！快一點！」李啟明催促著故意放慢腳步的吳皆義，他點點頭，但腳步並沒有加快的意思。

「白頭的李老闆，這位小白面的是做什麼生意的啊？」兩人來到竹青樓外，裡頭的老鴇匆匆忙忙跑出來，抓住吳皆義的手不放，接著對屋子內大喊著：「唷！友子啊！白頭的李老闆，給我們貸座敷竹青樓，冷掉的爐灶送柴火來了。」

友子小姐穿了一身桃紅色洋裁，走了出來，一臉笑吟吟上下打量吳皆義：「呵！這位先生脣紅齒白、一表人才，可也喜歡逛勾欄，繞窯子啊！你這身上香噴噴，肯定是抹了歐洲的頂級古龍水？」

「啐！那是吳先生的汗味，妳當是歐洲古龍水？」李啟明故意說笑調侃她：「友子小姐想念這味道啊？以前來的客人可能都臭熏熏地，妳等這味兒可癡盼得久了。等一下友子小姐給他吹一片雲，吳先生自然就給妳落一場雨……」

友子原本春風滿面，被李啟明這一說，臉色立刻沉了下來。反而是老鴇聒聒噪噪地，笑得花枝亂顫，恰似老梨樹迎受春風的吹拂。

吳皆義聽到後，滿臉紅通通，急忙解釋：「不是！不是！我這身上的味道是天生的，沒擦什麼香水。友子小姐可別生氣，我不是來這裡玩，我是來看一看貸座敷……」

「看什麼？這幾天來的都是勸業共進會的大頭家，他們來我這裡，都是來做『買辦』，沒人來這裡『看一看』。我這裡頭貨色齊全，不是用來讓人『看』的，你這底下的東西，要不討個涼快自在消消火氣。這頭回去你可就悶出病來。」老鴇故意壓低了聲音，但聲音仍像一隻聒噪的鴨子。

「什麼買辦不買辦，鴇母您說錯了！」友子剛剛被啟明吃了豆腐，看到吳皆義害羞可欺，決定戲弄他：「來我們貸座敷的，都是提供客人採花服務的，所謂『朝走西、暮走東，人生猶如採花蜂；採遍西、搜遍東，尋歡好似楊柳風』，吳先生來這，說是不為別的，講給純情的小少女聽還可以，我友子可不信你這壞透了的採花蜂。」

「友子姑娘……」吳皆義臉更紅了。

「吳先生您就別客氣了，我這竹青樓裡的貨色，可都禁得起考驗，裡頭全是消火的涼茶：十多年前，連橫曾辦過『赤城花榜』比賽，我這裡的茶點女、賣春婦，可不輸真花園的李蓮卿啊！你瞧瞧，我這裡頭還有連橫的題詩呢！」老鴇食指一比，竹青樓牆壁上果然有一句連橫的題詩，上面寫著：橫匾明燈貸座敷，屏前團坐月明初。桐家柳屋都看遍，別有高砂大女閭。

友子敢玩敢說，她把手伸到名倉褲子的口袋中撈來撈去，嘴裡嚷著：「吳大少爺帶多少錢來逛窯子啊！讓我友子來鑑定一下……唉唷！這是什麼東西啊？這可是隻害羞的小鵪鶉啊，兩個膀子一個喙，熱呼呼的挺燙手！」

吳皆義嚇得退了好幾步。啟明見狀立刻替他解圍：「鴇母，您這玩夠了就好，我這朋友是個老實的記者，可別嚇壞他了。」

老鴇嚴肅地說：「聽到沒？友子！白頭李老闆都這麼說了。」

友子依舊笑嘻嘻地，略帶輕佻回應：「是！」

兩人步入竹青樓，眾人圍坐著一個娼妓談論著她的身世：這個娼婦花名叫陳鶯英，今年十八歲，她拿出一個裝香菸的鋁罐菸盒，這個香菸的品牌叫「鳶尾花」，鋁罐小巧精緻，她輕輕地把香菸從鋁罐中倒出來，整整齊齊地擺放在菸盤中，她手捧於盤到處送菸。幾個大老闆坐在椅子上，品頭論足。從事藤椅製作的一位老闆說：「我就是喜歡在竹青樓點菸盤，真花園那裡點的是『星辰牌』香菸，那牌子菸味比較淡；這『鳶尾花』比較香……」

「我看你是抓不到星星，才來這兒採鳶尾花的！」另一個人開他玩笑。

眾人嘻嘻哈哈，那個做藤椅生產事業的老闆說：「總督府在花蓮港廳吉野村試種黃色菸草，又在台北建了菸場，這香菸的生意以後一定是大有可為啊！」

眾人七嘴八舌。做藤椅生產事業的老闆，從盤子裡拿起一根香菸，看了一眼陳鶯英，旁人替老闆把香菸給點燃，他抽了一口，點了點頭說：「妳這花名跟『崔鶯鶯』有些干係吧？妳若是崔鶯鶯，那我便是張君瑞了。」

「少在那裡胡說八道，往自己臉上貼金。你這隻醜不啦嘰、俗不可耐的大西瓜，別說這鶯英小姐了，連這兒的虔婆龜娘都不喜歡你。」這說話的是北京來台灣做生意的江老闆，他嘴念了個《西廂記》的段子：「……紙光明玉板，字香噴麝蘭，行兒邊湮透非春汗？」

陳鶯英接著以假嗓唱道：「一緘情淚紅猶溼，滿紙春愁墨未乾。從今後休疑難，放心波玉堂學士，穩情取金雀鴉鬟。」

眾人又驚又喜，眾人掌聲如雷，江老闆說：「妳會唱折子戲啊！」

「承蒙江老闆抬愛，小女子從小習藝，會唱幾段曲子。」陳鶯英把菸盤承到江老闆面前。江老闆由原來歡喜的表情，立刻變成僵硬：「唉唷！我也不是拿最後一支菸啊！」

眾人哈哈大笑，那個做藤椅的老闆說著：「這叫『拋磚引玉』，看來江老闆也不是張君瑞啊！」

陳鶯英就像個出嫁的新娘，鶯紅嘴、桃花腮。承盤上的最後一根菸，她一路搖搖晃晃，遞給了剛走進竹青樓的吳皆義。

「我！」吳皆義看著陳鶯英的臉蛋，自己比她的臉更紅：「這菸是給我的？」

陳鶯英不說一語，輕輕點頭。吳皆義一見陳鶯英，覺得自己的靈魂都被她的美貌給勾了過去：「鶯英桑可真是多才多藝！」

李啟明見狀，立刻說：「這盤菸錢，可要皆義老弟自己來付了！」

啟明的時計店生意蒸蒸日上，大正年間開始，守時的觀念愈來愈重要，無論是政府機關：官廳、役場、醫院、郵便局、停車場，還是民間團體：工場、商事、會社、輕便車、船舶貨輪，早就習慣以時間做為勞務衡量的依據，加上台南午砲組合已經啟用五、六年，台南民眾只要聽到隆隆砲聲，便知道已到正午十二時。

剛開始台南僅有五家時計店，啟明的時計店便是其中一家，大正九年七月四日，日本在東京御茶水教育博物館舉行「時鐘展覽會」，東京天文台、文部省等單位，共同設計出一個「時的紀念日」活動，預計在帝國內擴大施行，並建議向帝國內的各殖民地進行推展：台灣、朝鮮半島成為第一波施行的地區。

大正十年，台灣總督府依據內閣指示，將往後的每年六月十日，定為「時的紀念日」。啟明在西來庵事件後，又生了一個兒子，命名為「李少陽」。當台灣總督府「時的紀念日」推展的第一年，李少陽剛好在台南第二公學校中就讀第四年級，「公學校」是日本人為台灣人設計的國民義務教育處所，和專門給日本人就讀的「尋常小學校」相近，合計六年。在這中間學生要學習修身、讀書、體操、算術、作文、唱歌與習字。

台南第二公學校原來的校址，是強制徵收三郊的「三益堂」而來，也是台南規模最大的公學校，成立當時連時任總督的兒玉源太郎，與民政局長後藤新平，都曾經親自到第二公學校裡巡視過。明治四十二年，第二公學校在西門外另建校舍，男生遷至德慶溪北的新校舍就讀；明治四十五年，日本人又在赤崁樓北邊蓋了新舍，女生遷入赤崁樓北的校區就讀，赤崁樓北校區更名為「台南女子公學校」。

町名改正後，西門外的第二公學校，校址確認為「台南市寶町一丁目一八〇番地」，因地利之便，許多五條港地區商人的子弟，也都在這間公學校就讀。

第一次「時的紀念日」到來，整個台南街頭早已熱鬧非凡，四處貼滿海報。第二公學校的朝會，全校師生排隊整齊，樂隊吹奏樂曲，眾人高唱〈君が代〉，歌聲莊嚴且悠揚，「日之丸」緩緩升至旗杆頂端，完畢後戴著白手套的副校長，將一個上了鎖的盒子取出來，用鑰匙打開，裡頭放了大正天皇及皇后的「御真影」，以及一份《教育勅語》，校長同樣戴著白手套，從副校長手上接過《教育勅語》後，要求全體師生面向東北方，對天皇行四十五度的鞠躬禮，校長緩緩念出內容來。

「聽說大正天皇有個怪癖，喜歡在鬍子上抹凡士林！」校長所念的東西，又長又拗口，李少陽個性較活潑，和他的同學都靜不下來，雖然在行鞠躬禮，但兩人低著頭仍不忘竊竊私語。

「我看過天皇的寫真！他的鬍子真的很翹。分明就是『赤大粒仁丹』。」李少陽說。

那個同學笑得闔不攏嘴，直說：「你是說『将軍マーク(將軍牌)』啊！的確很像。」

事實上，李少陽所說的那個寫真，並非是天皇的照片，老師拿給大家看的是奧匈帝國皇儲「費迪南大公」的寫真，他被激進分子刺殺身亡，之後導致第一次世界大戰爆發，而第一次世界大戰就在三年前剛結束：大日本帝國曾對德意志帝國宣戰，和英國聯手攻占了中國青島的德國租界。至於李少陽和同學所說的「仁丹商標」，正是一個留有八字鬍，頭戴大禮帽的外交官形象，但眾人都將這外交官形象，誤認為某個大將軍，於是街上都稱森下的仁丹藥丸是「將軍牌」。

待校長讀完《教育勅語》，眾人交互敬禮，禮畢後老師走了過來，二話不說便賞了他們兩人各一個巴掌：「不可對天皇無禮！」

李少陽和他的同學摸摸自己的臉頰，低著頭對老師說：「是！」

校長在台上說：「今天是『時的紀念日』，我們要養成守時、守規矩的文明習慣；去除不守時、不守規矩的野蠻習慣，時間就是金錢、時間不會等待，再過幾秒，就是第一次鳴笛的時候……」校長拿出懷表看了一下，嘴裡嚷著：「還有十秒、還有九秒……五秒、四秒、三秒、二秒、一秒！」

校長話才說完，頂著白色大盤帽、戴白手套的樂團指揮，雙手向下一揮，樂團的喇叭手、鼓手便鏗鏗敲打樂器，眾人唱著《公學校唱歌集》裡二年級會教唱的〈時計〉這首歌。

公學校外頭的三山國王廟鐘鼓齊鳴，不只這間寺廟，包含附近的媽祖廟、王爺廟，乃至於全城的寺廟、教堂，全都發出鐘聲或鼓聲、停在台南停車場的蒸汽火車頭，發出嗡嗡的汽笛聲；航行在台灣近海的大阪商船、日本郵船、三井物產、山下汽船等商社各大船舶，全數拉出長長的船舶汽笛聲。工場、醫院、派出所都有派人搖鈴，提醒大家時間的重要。約莫十餘秒，城市逐漸恢復安靜，歌聲停止後，校長指示所有老師，將學生帶回教室。

吳皆義自從愛上陳鶯英後，就開始流連溫柔鄉，兩人相差十餘歲，卻不減這場轟轟烈烈的愛情，自從台灣開始現代化後，人人生活開始轉變，經濟也慢慢好轉：所謂飽暖思淫慾，遊廓裡的貸座敷如雨後春筍般湧現，諸如華南、松金樓、寶美樓子等。日本人對遊廓控制甚嚴：進出的婦人都要向警察機關報備，如有不從將以《藝妓酌婦取締規則》辦理。新町附近設有「婦人病院」，領有娼妓執照的人，每週有三天，會被輪流送往婦人病院，進行性病檢查，每次檢查約一小時，檢查由一位醫生、兩個護士、一位遊廓取締、兩個警察負責。

醫生以問診、視診和觸診為主：花柳病診斷室有一張鐵床，毛玻璃透入室內，使得診間明亮，娼妓脫光身體的衣物，讓醫生檢查是否感染梅毒。

「妳叫什麼名字？」醫生問。

「我叫陳金筷！」赤裸躺在鐵床上的女子說著。

一旁登記的護士在本子上註記：「竹青樓！戶籍新町二丁目……」

遊廓取締不斷雙手交握，笑嘻嘻地說：「她是竹青樓貸座敷最出色的酌婦！藝名『陳鶯英』。」

「我不是問你！」醫生說起話來十分兇惡，一臉冷峻：「妳這一陣子有沒有哪裡不舒服？」

陳鶯英搖了搖頭。醫生從她上半身開始視診，就像在看肉攤上的一塊豬肉，從脖子、乳房、兩肩、一路到肚臍。然後查看陰蒂、大小陰唇、陰道口：「要做觸診！」

不等陳鶯英點頭，醫生便把手伸到她的兩頰去摸淋巴腺，腹部聽診，然後是陰部的觸診，最後將子宮鏡伸入陰道裡逐一檢查。

雖然已經做過好幾次檢查，但每次的檢查，都讓陳鶯英羞愧得快要死去，她眼淚倏地流了下來。

「會痛嗎？」護士在一旁張望著。

「痛！」陳鶯英皺起了眉頭，頓時梨花淚帶雨。

一旁負責監督的警察，想起了邪惡的事情，褲子裡的東西便豎了起來。

「みにくい（難看死了）！」另一個護士見狀，硬是把那個警察推出檢查室，警察走出去前，嘴裡始終嘀咕著。

「抽血做梅毒血清檢查！」醫生交代護士，接著轉身對陳鶯英說：「好了，妳可以起來穿衣服了。」

陳鶯英緩緩爬起身子，但眼淚卻又不聽使喚流了下來。

嘉南大圳以及其他基礎建設啟用後，台南愈發進步。這一日，台南鶯料亭裡人聲鼎沸，店家在玄關，放著「日本蓄音器商業株式會社」所製作的蓄音器，鳥取春陽的〈籠の鳥〉（籠中鳥），歌聲隨著轉動的曲盤流瀉出來，空氣中瀰漫著一股時代的輕快感。

「原來如此！原來這就是蓄音器！」李啟明看著那轉動的曲盤，忍不住讚嘆科學的進步：「裡頭的人聲，是怎麼錄進去機器裡？」李啟明仔仔細細地看蓄音器的外觀，對構造也感到好奇。

「鳥取的曲盤在大阪很流行！」坐在吧台前的馬場說完，便喝了一口清酒，話題一轉：「這次關東大震災，反而讓大阪街上更繁華了，天皇有意要下詔，淡化這股浮華之氣。」

馬場用筷子夾了一塊壽司，塞進嘴裡大啖，俏皮地站起身子，做出了大阪道頓堀街上，固力果霓虹招牌的慢跑姿勢：「好吃！吃到好東西，心情就舒暢，我這一路可以從大阪浪花座跑到日本橋去哩！」

壽司師傅聽到馬場這樣說，立刻鞠了個躬，感謝客人的誇獎：「謝謝！」

李啟明回到吧台座位說：「聽說大阪也開了一家新形態的商店，我印象這種新形態的商店叫『百貨公司』，不知道馬場先生知道嗎？」

「你說的是三越吳服店株式會社啊！」馬場也是做和服的，因此對同業的事情比較清楚：「三越的丸之內別館，在這次的關東大地震中遭到毀壞。現在就只有大阪分店在營運。不過商人們對『百貨公司』的前景很看好，也很感興趣。三越會社準備在朝鮮京城開分店，高島屋也有意思來台灣投資。」

李啟明說：「馬場桑有打算在台南投資開一家百貨公司嗎？」

馬場撫掌大笑：「我可沒這樣的資本實力，難不成李桑有意願投資？」

李啟明想了一下：「我想在末廣町開一家，不知道馬場桑有沒有興趣？」

馬場看了他一眼：「你說的可是認真地啊！」

這幾天末廣町幾個商店老闆，成立了「店鋪住宅速成會」，準備把末廣町打造成台南的「銀座」，其中李啟明便是一個關鍵的角色，他積極穿梭在眾人之間穿針引線，馬場也知道這一回事，他繼續說：「我知道有個山口縣來的商人，名叫林方一，打算在台南發展，他很有生意的頭腦，或許我可以介紹他和你認識。」

「那好，如果真的能開成百貨公司，我就把房子蓋成五層樓高。」李啟明拍胸脯：「君子一言，說到做到。」

「五層樓！」眾人譁然，五層樓已經是全台南州裡最高的建築物了，高度超過台南州廳。再上去，幾乎和總督府的中央塔樓拚搏高度了。

馬場說著：「李桑這麼喜歡投資，我知道日蓄會社，這幾年積極錄製一些台灣歌謠曲盤，去年他們來台灣，在台北『江山樓』錄唱八音，我今年打算邀他們來台南錄唱，不知道李桑有沒有投資曲盤生意的打算？」

「那好，這個我來投資！」李啟明不等馬場說完，便附聲說好。

「我看，就在鶯料亭裡錄音好了，這裡環境清爽，場地又寬闊。」馬場看了四周：「只是台南似乎沒有適當的歌手！」

李啟明一聽，話沒經過腦袋，脫口而出：「竹青樓的陳鶯英會唱曲子！她是個不錯的人選。」旁邊的吳皆義一聽，臉色驟變。馬場一見氣氛不對，立刻給李啟明使了一個臉色。此時，鶯料亭進來了一個人，他身穿西裝，頭戴一頂帽子，這個不是別人，正是關次東。

李啟明轉過頭看他，心頭一驚。

關次說著：「哎呀！李桑果然在這裡，我剛剛去您店裡，嫂夫人說您和朋友在鶯料亭。」

「有何貴幹！」李啟明說著。

「說話別那麼冷淡嘛！剛剛聽你說要投資曲盤，我對這也有興趣，特別來請教李桑。」關次小聲地說：「這殺頭生意有人做，無本生意沒人理。李桑會不會做生意，可就要看你脖子上那個東西精不精明……」

關次說話更小聲了：「西來庵的王爺可全看著你勒！」

李啟明聽他這麼一說，魂魄早飛到九霄雲外，身體發抖，牙關緊咬，雙拳緊握，小聲地回應他：「那好，有什麼事別在這兒說，找個日子到我店裡談談投資曲盤的計畫。」

「聰明！李桑果然腦筋清楚，知道哪些生意會賺錢，哪些行頭會蝕本。」關次捏起盤子上的壽司，哈哈大笑。李啟明這下臉色更難看了。

大正年間，台灣雖是殖民地，但卻也是個尚稱民主開明的統治社會，除了西來庵事件外，日本統治者並未以報復式的方式，虐殺異議分子：這段時期史稱為「大正民主」。

但天空不是永遠的晴朗，黑暗的時代就快要降臨。大正十五年，有腦病的天皇駕崩，大正天皇在幼年得過腦膜炎，從此腦子便不太正常，常在國會中鬧出笑話：例如以紙捲成望遠鏡狀，當自己是海上的艦長，站立在莊嚴隆重，綴有流蘇、雕刻華美的椅子上，瞭望外國使節團，從美國、德國、英國一路對大使們點名，當他們是底下的水手兵，帝國議會華族、貴族議員皆起身圍觀，眾人議論紛紛；或是閱兵典禮時，大正天皇從閱兵台上，跑到下方去檢查每個士兵的背包，然後和行軍的部隊一起通過禮兵台，內閣大臣們攔他不住。

他丟盡了全日本人的臉，政壇人士早已不希望大正天皇公開露面，到了關東大地震後，像「不幸的大正」這樣刺耳又難堪的耳語甚囂塵上，加上他的精神疾病愈發明顯，他便是在這樣的情況下，以四十七歲年輕的生命病逝皇居。日本政壇上、民意的反映沒有特別的喜悅、亦沒有特別的悲哀。

大正天皇去世後，昭和時代來臨：昭和初期，末廣町的地圖上，已經標示出了竹中商行、角谷愛國堂、近藤商會、正遠屋、小出商行，高級喫茶店、寫真館、啤酒屋、咖啡店……一路到台南市役所旁的阿波屋商行，街上有穿著水手裝制服的高校女生緩步走著，清代的街屋慢慢消逝在眼前，取而代之的是一排排新穎華麗的西洋樓。

工人在台南神社除草整地，忽然發現一個奇怪的石碑，埋在神社狛犬旁的土裡，趕緊通知台南州知事喜多孝治來勘查。

喜多孝治看了一眼這石碑的模樣，外觀十分巨大，石碑約高兩公尺十公分、寬七十九公分、厚十四公分。喜多孝治念出上面的文字：「乙未仲春李捷之林郊商合浚南北道……這是疏浚碑？」

喜多孝治找來負責管理文物的石暘睢，他是石鼎美公館的第三代傳人，人稱「赤崁老人」，他也是個漢學研究者，石暘睢說：「這是郊商的疏浚碑啊！」

喜多孝治說著：「郊商？那不是聚守入船町，清代的那群異議商人！這樣說來，石碑原來的位置，可不就設置在水仙宮旁邊？但現在這塊石碑，怎會丟棄在這裡？你看這石碑是多麼漂亮！上有花紋，還有署名……台廈道梁文科。」

「喜多知事說得沒錯，石碑原來應該在水仙宮附近，但是誰將石碑移到台南神社來，可能要請喜多知事費一費心，幫忙查一查州廳裡的文獻。」石暘睢說著。

「沒問題，請放心！這個我會查清楚。還請石老師多多關照，這些石碑若整理好了，我就派人送到台南州教育博物館保存。」喜多孝治也是個文人，對於學術上的專業特別尊重。

「哪裡！哪裡！」石暘睢笑著回應：「有您這樣熱愛古物的知事，是台南人的福氣。」

台南市役所打算在安平的稅務司舊址，舉辦一個「台灣文化三百年記念會」，石暘睢所收集的二、三十個石碑，稍後也將在那個地方進行展出，石暘睢戴上眼鏡，仔細看了一下石碑：「看來這個石碑頗具分量，可能要請喜多知事，協助我運到寒舍，我要來仔仔細細的研究考證。在這之前，讓我先把石碑上的泥土撥乾淨。」

石暘睢從身上掏出一支毛刷，輕輕撥去石碑上的泥土，喜多孝治邊看他刷去泥土，邊念著上頭的文字：「乙未仲春，李捷之林郊商合浚南北道……這是清代康熙時候的事情吧，『李捷』這群商人，一起疏通五條港南北兩個水道？所以石碑上寫李捷『之林』，之林兩個字，不就是漢語裡的這些人、那些人，老師你看，康熙年間就已經有『郊商』這樣的稱呼……。」

「李捷？」石暘睢愈聽愈奇怪，不知這是正確的解讀，還是一種誤解。但這石碑上的文意看起來像是「李捷之」和「林郊」，應該是兩個不同的人，但後面這個「商」字是什麼意思，和前面湊合在一起是「郊商」，和後面湊合在一起變「商合」，是郊商還是商合？可就要讓人斟酌再三了：「郊商？商合？是指『商人團體』還是指『合夥商量』？」

喜多孝治半開玩笑說著：「哎呀，依照我的解釋沒有錯：『李捷』這群郊商，一起疏通南北兩個水道。」

石暘睢這下心中也有些遲疑了，難不成知事說的是對的，只有「李捷」這個領頭的郊商。他雖然嘴巴上同意喜多的說法，但心中還是有一塊疙瘩：「這頭一個人名是『李捷』，還是『李捷之』？這斷句若是斷錯，解釋自然不同，無論是紀功、紀事還是紀人：一斷錯就是三十功名塵與土、一分誤就是八千里路雲和月，奸臣秦檜都成了忠良岳飛，不得不小心謹慎啊！」

「這個當然！」喜多知事說著：「後面的考證就交給老師了。」

正當兩人聊得起勁，一個州廳的員工跑來報告，說南門附近發現古蹟，愛國婦人會的部長在那裡等知事，知事知道後會同州廳一些幹部，便往南門而去。

寧南門外的魁斗山在清朝，就被眾人稱為亂葬崗，後來因朱術桂葬其妻妾於此，而被文人墨客稱為「桂子山」。只見愛國婦人會台南州支部的部長「室人愛枝」，一個人站在綠色的小山丘上，四周都是漢人的墳墓，旁邊一座小廟，小廟旁邊有個清代豎立的小墓碑，寫著「寧靖王從死五妃墓」。

「室人找我來，發生什麼事情了？」喜多知事踏上這個小土坡，看著小廟沒寫廟名：「這是土地公廟？還是地藏王菩薩廟？」

「這不是土地公廟，而是清代所修的『五妃廟』。這腳下的土丘，藏著一段淒美的愛情故事！」室人愛枝看著知事，開始講述著寧靖王與五位妃子的故事：

風兒輕輕吹起，墳頭的芒草搖曳。清軍攻入東寧，明鄭出降。寧靖王對五個妃子說：「大勢已去，我乃明室宗親是也，義不可辱，非要一死不可，但妳們的未來，由妳們自己決定。」

五個妃子說：「王死我們也死，還請王先賜尺帛給我們姊妹！我們將從容就義。」

寧靖王聽完後，內心感動，派人給五個妃子遞上白綾。王氏、袁氏、梅姐、荷姐、秀姑便到後室，上吊自盡。

五妃死後，寧靖王悲痛萬分，將五人葬在此地。寧靖王穿著朝服向祖先神位跪拜，痛哭道：「艱辛避海外，總為幾根髮。今日事已畢，祖先應容納。」

說完後他便自殺身亡了……

喜多聽完後大受感動：「啊，淒美悲涼的故事！」

室人說道：「我們愛國婦人會籌到捐款六千餘元，還請知事協助我們重建這『五妃之墓』。」

喜多孝治也喜歡漢詩，聽完室人說的故事後，隨口吟道：「鯤海之潯、桂阜之邵，老榕鬱蔥，維五妃廟。庭無間言，娣姒貞淑，婦道相修，世家緝墓。一朝國難、皆殉王室、嗚呼烈哉，節操無匹。爰修其藏，欲銘在右，芳香遠謦，永世無斁……」

室人聽完知事的吟詩後，非常開心：「知事願意立個墓誌銘在五妃廟上，那是再好也不過的事情。」

喜多接著嘆了一口氣：「清代能有如此轟轟烈烈的愛情，恐怕現在的世人難再有了吧！」

室人聽他這麼說，忍不住抱怨：「知事這樣說就不對了，我相信現今一定還有比這更可歌可泣的物語，只是我們尚且不知道罷了！」

喜多立刻改口：「如果真是這樣，那就太好了。」

李啟明腦海裡出現一個畫面：關次裸身貼在自己妻子的身上磨蹭，妻子不斷掙扎，關次一隻手摀住她的嘴，另一隻手伸到妻子袍下探尋。兩人就像交纏一起的蚯蚓，在那骯髒汙穢的泥地裡翻滾，李啟明想喊卻叫不出聲音、想動卻無法挪移，他的眼睛凝視在無窮無盡，沒有焦點的遠方，他的耳朵聽見千千萬萬鬼魂般的謳歌，是噪音還是幻聽、是嬉笑還是淚噙、是狂嘶怒吼比擬那低盪迴吟，四周成了火燙燙的煉獄，一股巨大的怨憤衝破腦門，拽出喉嚨，他倏地慘叫了一聲，隨即嚇得回神過來。李啟明發現自己裸著上身，底下穿著一條內褲，站在臥室裡的立鏡前，他伸出手摸摸鏡面裡自己的臉，白色的頭髮、蒼老的臉：那個人是他嗎？伍子胥過昭關，怎地流得蘭槳，戲子老生一夜白鬚，隱隱約約、幽幽幻幻，那似雲似煙的戲子，怎堪兩三地，消失在鏡子裡面。他趕緊從衣架上抽了一件靛色浴衣下來，幾條浴衣的腰帶頓時落了滿地。他整理儀容，這深色的衣服，讓他的頭髮顯得更蒼白、臉蛋更清透。他把右襟拉到左襟上頭，卻聽到妻子的驚叫。

「不可以！」妻子走上前，幫他把浴衣右襟移到下方，左襟移到上方，然後替他綁上腰帶。

「是啊、是啊！已經穿很多次了，每次都穿錯。如果沒有妳，我現在已經變成『死人』了。」李啟明不好意思地說：「右襟在下，左襟在上才是正確的穿法，浴衣這種東西，穿起來輕鬆，一輕鬆就會忘記規矩啊！」

兩人談到一半，就聽到有人敲門，啟明的妻子去應門。

「お入りください（請進）！」啟明的妻子開了門，跪坐在玄關。

李啟明回過頭去看，不是別人，正是關次東。

關次進了李啟明的房子內，看了李啟明老婆一眼，臉上顯露淫邪的笑容：「嫂夫人許久不見，還是這般美妙絕倫，嬌豔欲滴。身上味道香噴噴地……」

李啟明從他的話裡，連結剛剛幻想畫面，全身的神經都緊繃起來：「關次有何貴幹！入我家宅也請守我李家的規矩。人人都說日本人知理守禮，今日所見吾，疑日本人守禮種種話語，只是街坊上客套的辭令，今日所見讓人不敢領教，莫讓人家恥笑你關次先生的家教……」

「李桑此言差矣，我喜歡尊夫人，自有我坐懷不亂的辦法。我這只是這樣靜靜看著她、望著她，可也沒舔吮她、一口吃掉她！」關次說著。

啟明看了妻子，知道來者不善，對妻子說：「妳不是要參加『愛國婦人會』的活動？要不然妳就快點過去。」

「是這樣沒錯，我也該出門了。」李啟明的妻子還算機靈，立刻到房間假裝梳理頭髮兩三下，然後匆匆忙忙拿了小東西，便出了門：「我出門了！」

「行っていらっしゃい（路上請小心）。」李啟明說完，就看見他的妻子消失在大門前。李啟明正要開口，頭上的電燈忽然一滅，他先是嚇了一大跳。這時候聽到外頭有幾輛州廳專用的汽車，正在鳴按喇叭。緊接著是傳來不遠處，小學校兒童高唱〈時計〉的歌聲。

「哎呀！今天是『時的紀念日』。原來如此！沒想到又過了一年，李桑的命可跟這宇宙的時間一樣漫長啊！」關次說著，接著緩緩坐在蒲團上。外頭的歌聲中止後，屋內變得更沉默，只剩牆上的鐘聲滴滴答答的走著。不到一會兒，燈總算又亮了。

「我來拜訪李桑，是想跟你借點錢。我聽說精密光學研究所開發了一種新型相機，名叫『くわんおん[22]』（觀音）。他們用日本光學株式會社的鏡片，我想這是個絕佳的機會，李桑一定不會錯過這個投資的好消息。」

李啟明見過一些日本人使用德國的相機，日本國內掀起一股追趕德國工業的呼聲。他也見過「觀音」相機的廣告海報，上面寫著：德國有潛水艇、日本有觀音相機。意指日本的工業技術，不輸德國。

但李啟明知道關次的品格，之前讓蘇有志一敗塗地，怎可能真心是來借錢投資，只好假意推託：

「我身上沒什麼錢！」

「李桑太謙虛了，聽聞林百貨這案您也打算投資，怎會沒有錢呢！」關次說著，接著緩緩站起身子。牆上的時鐘還是滴滴答答作響，關次在屋子裡走動。臥室房門是打開的，通往浴室門口的鏡子前方，地上散落幾條浴衣的腰帶，關次走入臥室，對著鏡子自照，拉拉自己的西裝，摸著自己的臉蛋，頭上一根白髮都沒有：「唉唷！李桑鶴髮童顏；而我卻是雞膚青絲。人稱台南伍子胥的李啟明，現在可在我腳下討饒啊！你可別忘記，我是救你渡江的漁夫，付點船費也是應該的。」

他看著鏡子，鏡子裡照出後方的櫃子上，有個漂亮的錦盒，鎖頭早已損壞。關次轉過身子，慢慢地走到錦盒前。

他輕輕地打開盒子，裡頭放著一本書。關次立刻感覺到背後有個殺氣騰騰的陰影，似乎一把脇差武士刀高高地被舉起，他知道那是「大日本武德會」送給李啟明的東西，那把利刃隨時都會砍下來。果然不出所料，倏地一刀下來，關次一偏，武士刀插進錦盒裡。

關次像貓一樣閃開，身手極其靈敏，李啟明氣喘吁吁：「人人都說日本人『有禮無體』，身為一個文明向上的日本人，不該隨便翻別人家的東西，這是非常沒有禮貌的事情，難道你在小學校裡沒有學過『修身』嗎？身為一個客人，就應該遵守他應該有的禮儀！保持他不踰矩的樣子，這樣主人才會敬重你、善待你。」

22 佳能：由吉田五郎等人創立，以製作高品質相機為發展策略。起初仿德國萊卡公司相機，研發能力起飛後，成為知名的相機製造商。

關次說著：「大日本帝國的國民，可不是你這種貨色可以品頭論足、指指點點的，你在我們帝國下生養，頂多也只是一隻狗罷了，今日主人叫你來，你就要吐吐舌頭；明日主子喚你去，你便要搖搖尾巴。別想著讓你睡好吃好，就當自己是個人類，可以站起身子開口說話，在餐桌上和主人同食同飲。你可知道你的父親，殺了能久親王，犯下如此滔天大罪，但為什麼你還能活那麼久？」

李啟明一聽，汗珠子便滑過鼻尖，全身都緊繃起來。關次繼續說：「你以為日本皇軍會大舉屠殺蕭壠社，會不知道殺害能久親王的主謀是誰？你以為日本人會不知道，林少貓是你的姊夫？你以為台南廳查緝三郊、總督府沒收三益堂的資產，都只是零星的行動個案？你覺得我們會不知道蘇有志的父親，曾經就是尤重行的老管家阿福……你錯了，支那的《孫子兵法》有云：故三軍之事，親莫親於間，賞莫厚於間，事莫密於間，非聖智不能用間，非仁義不能使間……你覺得我為什麼會跟著馬場、跟著蘇有志一起來？難道這一切都只是個美麗的巧合？你能拿到我們陸軍生產的『ホスゲン』（光氣），毒死林少貓，你以為光憑水島那個警察就能辦到？錯了！你錯了……」

李啟明覺得天旋地轉，青天霹靂，他總算懂了：難怪關次東有恃無恐，原來這一切都是日本人的算計，關次是日本皇軍的間諜，他利用了馬場德次郎這條線索，牽連到李啟明的身上，無論是馬場，還是蘇有志，都只不過是關次玩弄在手上的棋子，就像是一隻馬尾蜂，傀儡著這些無知的椿象、天牛、蝗蟲，在生物鏈裡，茫然無所從而任憑擺布，直到最後成為這物競底下勝利者的晚餐。關次冷冷笑道：「哈！哈！哈！你現在才知道，會不會太晚？蘇有志擔任台南縣參事、成立台南製糖株式會社，就已經和我們日本人的利益衝突了。你的哥哥在新樓醫院當藥師、在長老學校裡教書，你以為天衣無縫，都沒人知曉？李啟明，你太天真了。」關次說：「我們只是姑且留你一條爛命罷了！別忘了你還有兩個小孩、一個妻子……」

李啟明既驚又忿：「你竟然把我當作你的咬人狗一樣使喚來招喚去！」說完，啟明手上的脇差武士刀又再度劈下。

關次立刻閃到一邊，武士刀又削掉錦盒的一個角。接著啟明又拿起武士刀，橫殺過來，這一路殺紅了眼：桌子被踢開，紙門被踢破，關次滾了出來，啟明舉起武士刀再度殺了出來，玄關的花器立刻被啟明的一刀劃過，滾到地上破裂，後頭的松尾芭蕉俳句，也被砍成兩截，玄關小壁龕裡漂亮的花藝，四散滿地，慘不忍睹。啟明似乎能聽見那些碎玻璃落地後，敲打出來，宛如能劇舞囃子的聲音，一股幻想的冷風吹起，兩個劍客正在雪道上決鬥。

「你以為你殺得了我？」關次略帶笑意，就像一個身手矯健的魔鬼，滾了一圈後，直挺挺地站在楊楊米上：「吳皆義是個朝鮮漢人，但他的政治理念卻是偏向愛國社、玄洋社。立憲民政黨和皇軍，擔心他過於激進，干擾政局，派我來監視他。沒料到你在伊能嘉矩的座談會上，大鳴大放，洩露了你自己的行蹤，讓我們可以捕獲你這尾大鯨魚。那日我與馬場、蘇有志一起來你家，我看到那張基督畫像後就完全確定，你就是刺殺能久親王匪徒之子！」

啟明又氣又羞，氣的是他被人耍弄在掌心；羞的是他完全不知情：「今天你休想走出我家大門！」

關次說著：「你別忘記了，我要是走不出這間房子，你的下場肯定和蘇有志一樣……你現在滿頭白髮，人人說你是台南的伍子胥，你能忍受一無所有嗎？你能沿街行乞。然後等待東山再起的機會嗎？」

李啟明狂暴怒吼，就像一頭瘋狂的獅子，見了任何東西都要猛撲猛抓：「我若是死了，我也要抓你當墊背。你若是不死，我也要叫人把我的眼珠子挖出來，掛在台南駅上，我要看你們大日本帝國是怎麼滅亡的。」

「我不會讓你死的，這人生最痛苦的一件事，便是『生不如死』。你的父親殺了能久殿下，你和林少貓有往來，又和蘇有志勾結。每一條都能判你死刑……」關次訕笑著：「我不會死，你也不會死。台灣人的商人沒有一個好東西，後藤新平說得沒錯：台灣人貪財、怕死、愛面子……基隆顏家給他們開墾金礦、板橋林家給他們開銀行、鹿港辜家給他蓋一幢宅邸、高雄陳家給他們辦糖廠……哪個商人不是乖乖聽話，就成為我們帝國底下的搖尾狗。只要你乖乖聽我們日本人的話，便是受用不盡的財富與高懸在門楣上的名聲。」

關次走出李啟明的房子，留下朗笑聲：「把投資我們日本帝國的錢準備好，我隨時會回來『借』……」

那恐怖又略帶陰險的笑聲，在關次離開後，迴盪在李啟明的心底。他跪了下來，完完全全地挫敗了。他崩潰痛哭，滿臉涙涕。握緊拳頭朝地面捶打，久久不能自已。過了一會兒，他站起身子，像個只有軀殼的東西般走出家門，朝台南運河走去。到了運河畔，李啟明看著盪盪的河水，微風吹來，心頭就像一把刀，切割得整整齊齊、光光溜溜地，他心想：如從這兒跳下去，那人生可就全然地結束了。這一生沒有輸也沒有贏、沒有悲亦沒有喜，如果能這般乾淨爽快，那也是一種暢然。

他腳步更往前一步，僅差半步便會掉落河中。此時四周有人高喊落水，他看見兩個人在水中載浮載沉，他沒有看仔細落水者的面容，只聽聞後方有人高喊：「快救那對男女……」

吳皆義帶著陳鶯英逃出妓院，兩人在車上緊緊相擁，一路來到銀座通路底的台南運河旁。兩人下了人力車，吳皆義付了錢，人力車往末廣町的方向而去。陳鶯英摸著皆義的臉，見他臉色愈來愈白，眼淚不停地流下來。吳皆義緊緊擁著陳鶯英。微風吹來、運河水面透亮，還能見到底下有魚在游動。

「你瞧，我們就像是梁山伯與祝英台，我要妳緊抓著我的手，我們化成了蝴蝶也不分開。」陳鶯英說著。

吳皆義解下身上的袍子腰帶，看了一眼陳鶯英：「妳怕死嗎？」

陳鶯英看了一眼運河，知道他的意思，搖了搖頭：「不怕！」

他蹲下身子，用腰帶將兩人的腳綁在一起：「今生不能為佳偶，來生再來做夫妻。」

「這運河的流水，一定能洗淨我全身的汙穢。上窮碧落下黃泉，郎君要記住鶯英的容顏……」陳鶯英破涕為笑，就像是春天綻開的櫻花一樣，那麼美麗、那麼淒涼。

兩人緊緊相擁，自水岸邊向下一躍。兩條性命，就這樣消失在台南美麗的夕陽下。

昭和七年四月一日，台灣放送協會的台南放送局，在南門外成立，開始對這個城市播音。收聽廣播必須繳交月費，在台南公園亦設有播音亭。末廣町上的「林百貨」也成立了，樓高五層，設有流籠，是僅次於台北總督府、菊元百貨，全台第三高的建築物。

開幕當天，各級長官雲集，馬場德次郎和李啟明是最大的金主，兩人雙雙站在百貨大門前。

「各位！非常榮幸邀請大家參加林百貨的開幕式。」林方一穿著西裝，舉起酒杯向眾人敬酒。眾人舉目，銀座上一整排二十二幢建築物同時展開，非常壯觀。百貨中充斥著新奇的物品，店外已經聚集了許多人，迫不及待想要入內一窺究竟。

建築師梅澤捨次郎也舉起酒杯，李啟明過來和他寒暄：「梅澤桑設計林百貨，可和台南警察署比擬，你較喜歡哪種風格？」

「呵！呵！兩個我都喜歡。」梅澤捨次郎說：「我記得《台灣日日新報》有個寫美術評論的，他的分析很精闢，我有許多建築作品，都是從他的社論靈感而來……」

馬場走了過來：「李桑和梅澤桑聊得很開心，你們在聊些什麼？」

李啟明見了馬場，心中還想著關次的事，心中起了戒心，顧左右而言他：「沒什麼！」

林方一跟大家宣布：「我們百貨樓頂，有一個稻荷神社，如果大家方便的話，跟我一起至樓頂祈福。」

眾人允諾，分批搭乘流籠至樓頂，樓頂一座洗石子鳥居、兩旁擺放著石龜，延伸到兩個石燈籠，和一個前有五階的神社本殿。一旁是觀景台，大家三三兩兩聚集到神社前拍掌祈福。

「家內安全、商売繁盛！」馬場祈福完後說著。

「衷心感謝。我的心願就是在台灣，蓋一座類似三越屋、大丸百貨的商店，現在心願總算了卻。」

林方一回應著：「我這林百貨，一樓賣和菓子、食料品；二樓賣布巾洋貨；三樓賣吳服太物；四樓賣文具玩具；五樓是餐廳，非常歡迎諸位闔家光臨。」

林方一才一說完，就覺得身體不適，勉強招呼大家：「大家可以自由參觀，不要拘束。」

到了樓下茶會現場，馬場對李啟明說：「聽說總督府鐵道部自動車課，打算經營自動車運輸。不知李桑有沒有投資的興趣。」馬場補充著：「台南市西門町一町目的台灣輕鐵株式會社[23]……」

「我沒有意願。」啟明回答得很果決，讓馬場有一點驚訝。啟明眼睛轉呀轉，心底想著：好啊！你該不會和關次一樣，又想從我這裡撈些什麼好處：「我的錢還壓放在林百貨上頭，沒有這樣的閒錢。」

「這樣啊！」馬場尷尬地笑了，隨意找個話題打發：「如果不方便，也就算了，下次約你一起去台南大舞台看戲。」

五天後，林方一因膽囊炎，病逝台北吉田內科醫院。沒搭過流籠的好事者，以訛傳訛，說林方一是因為搭流籠摔死的，林百貨不受謠言影響，生意蒸蒸日上。三年後，由宇敷赳夫設計，池田組施工的「台南駅」正式完成，車站正前方一個圓形大鐘正式亮相，眾人都驚豔。

昭和十年，為台灣始政四十年，台南這個城市愈來愈繁榮，但啟明的人際關係卻愈來愈封閉。和日本人能少接觸，就不接觸；和日本人能少說話，就不說話。他總覺得有人要陷害他，就像是支那桂

23 台灣輕鐵株式會社：初期經營手押台車，後期和新化軌道株式會社、佳里商會合併，即今日的「興南客運」。

林瀨江上，漁夫用來捕魚的鸕鷀，漁夫掐住牠們的脖子，要牠們把吞進嘴裡的獵物吐出來。自從關次來訪後，啟明便不相信所有的日本人，但生意上處處需與日本人交手，他該怎麼選擇？他該如何判斷？似乎沒有更恰當、更委婉的方法來處理這些複雜的事情，於是他最後乾脆選擇冷漠，選擇逃避，試圖握住手上最後一絲資產，在他的餘生之中慢慢度過。

李啟明走在繁華的末廣町上，愈走愈覺得自己內心的空虛，走了一段路，經過林百貨，看見有人在騎樓下販售小報，原本打算就這樣若無其事走過去，卻被那個人這句話給吸引：「來唷！春鶯吟社，及桐侶吟社合出的《三六九小報》喔！連雅堂、趙雲石編輯的《三六九小報》喔！裡頭有『東鱗西爪』、『海外零訊』，要看貸座敷的名妓，如何和阿舍子談戀愛：南華座的名妓陳金筷，和有錢人家子弟吳皆義運河殉情記，裡頭全都有喔……」

李啟明回過頭看了他一眼：「陳金筷和吳皆義『運河殉情記』？」

「是啊，這位白髮的大哥。您可聽過『運河殉情記』？」那個賣報人滔滔不絕說著：「南華座名妓陳金筷，愛上紈褲子弟吳皆義，兩人雙雙殞河自盡。」

「這故事是打哪來的？」李啟明問。

那個人說：「哥哥很少逛新町的窯子吧！這『運河殉情記』早已是人人皆知的故事了。」

李啟明想了一下，問了那個人：「一份小報多少錢！」

「一份三錢，合計三大張！」販報的小弟不斷鞠躬：「謝謝惠顧！」

李啟明買了那份《三六九小報》後閱讀標題：純情女陳金筷，富家子吳皆義。循著線索看下去，裡頭加了油、添了醋，把陳金筷描繪成是一個深情款款，深明大義的妓女，雖墮入苦窯，但卻盡是「人生自是有情癡，此恨不關風與月」的模樣；吳皆義寫得更是誇張，一個人為愛癡、為愛狂的少年，由紈褲淪為敗家子，全然是「近日門前溪水漲，郎船幾度偷相訪」的情狀。

「怎是書寫成這個模樣！」李啟明見了小報上的敘述，一時無言以對。

台灣總督府以始政四十週年為由，舉辦「台灣博覽會」。台南辦理地方分館「台南歷史館」的展出：第一會場設置在大正町的「台南州商品陳列館」，以原住民、明鄭乃至清朝統治各階段的史料為主，特別是明治七年的牡丹社事件相關史料；第二會場位於「安平史料館」，展出荷蘭統治時期的史料；第三會場位於南門町大南門綠園，由石暘睢自各地蒐集而來的四十五塊古碑做為基礎，並成立「南門碑林」。

特別會場是台南神社，展出的北白川宮能久親王的相關史料。並出版《台灣文化史說》、《台南市史》兩書，以供遊客參考。

李啟明心中的苦悶不言而喻，他對日本人的戒心愈來愈重，心底想著：名倉是否安排了其他的陷阱，等著他進到日本人的羅網裡？啟明心中有些懊悔，沒有聽從哥哥們的建議，放棄當商人的念頭，好好在教會裡做一份工作。但事已至如此，騎虎難下，多說些什麼也沒有益處。

馬場邀李啟明一同參觀碑林，盛情難卻。只好勉為其難答應。

「這些石碑，可全都是台南的歷史啊！」馬場和李啟明一同走進南門碑林會場，馬場繼續說：「你看這『石碑』上的文字：清代對台灣人的管理就這麼嚴格。」

李啟明說著：「清代的官員是把台灣人當豬管；日本的官員是把台灣人當狗管。」

馬場臉色沉了一下：「李桑講的是什麼意思？」

「沒什麼意思，只是隨口說說。」李啟明冷淡地說：「我沒有特別的意思。」

兩人來到一個石碑前，馬場看了上面的文字，緩緩念出來：「乙未仲春李捷之林郊商合浚南北道……」

「乙未年的春天，李捷這些郊商，一起疏浚南北河道……」馬場用自己的話來解釋。

石暘睢正好在附近，聽到有人念出碑文，便走了過來：「兩位先生參觀碑林，在下非常歡迎。」

「這位是グローバル（環球）時計店的老闆：李啟明。」馬場先生說著：「而我是日吉屋吳服店的社長，馬場德次郎。」

「原來是兩位大老闆，真是非常榮幸。全台南最大時計店和吳服店的老闆，一同參觀碑林，容我替兩位介紹石碑的歷史……有兩位的蒞臨，讓碑林蓬蓽生輝啊！」石暘睢說了些客套話。

「整理這些石碑辛苦吧！」李啟明說著。

「還好，我對文物很有興趣，做出樂趣來就不辛苦。」石暘睢說著：「你們瞧這『水仙宮浚津紀事碑』可是相當有趣……」

「怎麼個有趣法？願聞其詳。」李啟明說著。

「這上頭的這個人，到底叫做『李捷之』，還是『李捷』，實在無所考，正如剛剛馬場先生所念：解釋為『李捷』，那就可以證明『郊』這個字，在康熙年間就已經存在；倘若解釋為『李捷之』，那『林郊』是人名？還是商號名，便有很大的解釋空間。」石暘睢滔滔不絕地講解。

李啟明聽得心煩意亂，隨口瞎掰：「或許是刻石頭的人搞錯了，留給我們後人望文生義的空間。」

石暘睢說：「不無這樣的可能！」

馬場笑他：「刻錯字也無從考查了吧……李捷之和李啟明都姓李，都是商人，該不會你是李捷之的後人吧！」

李啟明脹紅了臉：「你不要亂說。」

石暘睢補充說著：「這水仙宮和事商之神有很大的關係，這個叫『李捷之』的人，肯定是那時候的大商人，不然名字也不會在這上頭。」

馬場看了一眼：「他和你是本家，說不定你真的和他有關係。」

「有什麼關係，你不要胡說八道。」李啟明忽然暴怒，著實讓大家嚇了一跳。

馬場覺得奇怪，這幾次見面後，啟明言詞裡充分展現了他對日本人的惡意。雖然他不知道是怎麼一回事，卻非常擔心啟明的狀況，忽然想起一件事，便對李啟明說：「關次得了はいけっかく（結核病），上個月病死在清風莊肺病療養所。」

「真的！」李啟明一聽，感覺又驚又喜，就像一股暖陽灑在自己身上。

「千真萬確，是我商界的朋友跟我說的。」馬場說：「ざんねん（遺憾），關次是很認真的人啊！」

李啟明一聽，哼了一聲，卻也掩不住臉上的喜悅之情。

昭和九年，總督府文教局要求各地中學學生，參拜神社。李太白是台南長老教中學的老師，他手裡拿著一個黑色的石頭，在課堂上講解「隕石」是如何形成，天體又是怎樣運行的天文知識。這顆黑色的隕石，是他那年在鴨母寮市場裡撿回來的。

學生們看著這個東西，覺得新奇有趣，爭相向老師索來把玩。正當課堂上鬧哄哄的時候，幾個軍人不分青紅闖進教室中，大聲嚷著：「不准上課！」

李太白先是愣了一下，以為自己年幼的事情已經敗露，一個軍人從學生手上搶過隕石：「這是什麼東西？」

李太白說：「這是隕石！我們在上天文課。」

「你怎麼會有隕石？」軍人問。

「『天體觀測同好會』借來的。」李太白謅了個理由。

那個軍人看了他一眼：「天體觀測同好會？」不屑的表情展現在臉上：「該不會是隨便騙我的吧！」

李太白一聽，魂魄差點飛了出來：「我是一個老師，怎會騙你。」

那個軍人舞動手上的軍杖，冷冷地說：「你們還上什麼天文課？台南長老教會中學，拒絕參拜台南神社，自今日起禁止學生上課。」

台南長老教中學校因信仰上帝，拒絕帶領學生至台南神社參拜，引起紛爭面臨廢校危機。英籍校長班德聽聞消息後，自校長室出來，匆匆忙忙來到教室中：「有話好說，不要傷害學生！」

那個軍人側著頭，冷冷地說著：「學校違反國民教育精神，就是帝國的敵人！你們該不會是共產黨人吧？」

李太白自從離開尤重行後，就活在這樣水深火熱、生不如死的環境之中，不時要擔心日本人發現他過去的事，無時無刻也要忍受日本人這些狗屁倒灶的政策：「這不可能。我們只是一間基督教學校，不會違反國民教育精神。」

班德雖然身為英國人，總督府透過報紙輿論和各種資源，鋪天蓋地打壓學校。他第一次感覺到有如此巨大的壓力，壓在他的肩膀上：「過幾日我會親自到總督府，向文教局道歉……」

「這還差不多！」那些軍人把隕石收進自己的口袋，接著就離開了教室。

李太白嘆了一口氣，手上緊握的雙手總算鬆開，一股怨氣無處可洩，那顆隕石是他的「過去」，現在全都握在日本人的手中，就像自己被掏空了一樣：沒有身世、沒有歷史、沒有自尊，甚至沒有靈魂。生怕自己的下場會像那些反日分子一樣淒涼。他看了校長一眼，萬念俱灰地說著：「校長先生，我想是該讓我退休的時刻。」

第十一章：中國城

昭和十二年，台南飛行場完工，飛機正式飛入台南的天空。台南末廣町銀座通，兩旁建築櫛比鱗次：街道上有一個台灣人開設的中藥行，擺放了留音機，播放曲盤做為攬客的工具。「勝利唱片」的〈白牡丹〉由根根演唱，婉轉優雅的歌聲，在騎樓裡流瀉輾轉。

「蘆溝橋事變」在三年前發生，日軍在中國戰場上頗有斬獲，陸續在廣西、江西、福建沿海地區，獲得了勝利。末廣町另一頭，日本人開設的西藥房也搬出了收音機，裡頭傳來「廣播體操」的聲音，音調高亢的播音員，依照拍子念出：一、二、三、四……五、六、七、八……

幾個小孩子還未達就學的年齡，通過末廣町，聽到了收音機的聲音，便在騎樓下做起健康操。日本老闆走了出來，把「星製藥」的胃散海報，拿到騎樓的柱子上張貼，他看了這幾個小朋友，把手向上一彎，做了個野球加油的手勢說：「今後もずっと、頑張ってください(往後也請繼續加油)。」

過了一會兒，廣播結束了體操播音，開始播報新聞，一個聲音厚實的男性播報員，不疾不徐地說著：反共產國際協定……大日本帝國與德國政府……基本國策綱要……帝國現今外交政策，乃是大東亞新秩序之建設……大東亞共榮圈。

那個中藥行的老闆探出頭來，鼻子噴著氣：「哼！有收音機就了不起。」

老闆立刻換上了「台灣日東唱片」，豔豔所唱的〈四季紅〉，嘴底嘀咕：「我就不相信純純、愛愛，打不過你的『近衛文麿』[24]。」

中藥店外立刻攏聚更多人，大家一方面來聽台語流行歌曲，一方面討論著時事。那個西藥房的老闆一看，脹紅了臉怒斥：「厚かましい（厚臉皮）。」

氣得不得了的他，立刻把收音機轉得更大聲，裡頭開始出現西藥廣告：「ブルトーゼ」牌補血強壯劑……次亞燐乃人體的肥料，營養價值是牛奶的數十倍……中瓶售價一元三十錢。

這一頭也慢慢聚攏了民眾。一個妙齡女子遮遮掩掩，從人群中鑽出來，站在西藥房前，老闆問了她需要什麼。那個女子羞紅了臉：「我要買下劑！」

熱情活力的西藥房老闆，嗓門極大：「是『大日本製藥』的下劑？還是『住友製藥』的下劑呢？」

那個女子恨不得一頭鑽到地底：「隨便，哪個都行！」

「我來給妳介紹一下：大日本製藥的這款，對痔瘡比較有效，價格也比較便宜，妳可以試一試……」

那個老闆入內就要拿取藥品。

那個女子嬌嗔，跺著腳嚷道：「我不買了！」

西藥房老闆丈二金剛，摸著頭：「咦！真奇怪，生什麼氣啊？」

前小林躋造總督所宣示的統治台灣三個原則：「皇民化、工業化、南進基地化。」陸續落實為政策，於台灣各地展開。長谷川清總督上任後，推展開「皇民奉公會」，各地奉公班、青年團、演劇班陸續成立。

李啟明的二兒子李少陽，和幾個朋友，組成了奉公青年隊，四處演出。在水仙宮前，許多尋常小學校的學生，拿著太陽旗揮舞著，高唱〈二宮金次郎〉。

水仙宮廟門前的台階上，李少陽裝扮成二宮金次郎，他背著柴，手裡拿著書，在廟前踱步。水仙宮在三郊解散後，信眾人數早已不如當年。青年合力推開廟門，大家為之譁然：舉目望去，五位水仙神像雖然高坐廟中，但早已被人換上新的神衣，五個神明全都穿上了日式服裝。大禹為一帝，穿的是五七之桐，天皇服飾；項羽、寒奡是二王，穿日本戰國諸侯的服裝；伍員、屈原是二大夫，穿著貴族和服。

背著木柴的李少陽手指東北方嚷著：「那是天皇所居住的地方！」眾人面相那個方向，舉行「宮城遙拜」。接著老師講解「君之代少年」與「莎韻之鐘」的故事，接著分析「大東亞共榮圈」的局勢。

水仙宮前青年隊鬥志高昂，眾人開始高唱〈君之代〉。緊接著，眾人將水仙尊王請出水仙宮，到街上遊行。換好常服的李少陽，手捧屈原神像，跟在眾人之末，忽然一個踉蹌，跌倒在地上，屈原神像在地上滾了三圈，眾人將他扶起來，並撿回神像，大家發現木雕的屈原神像，身子早已被摔出了一

24 近衛文麿：日本第三十四、三十八、三十九任總理大臣，任內開啟了大東亞戰爭，戰後被列為甲級戰犯，逮捕前於家中服用氰化物自殺。

個裂隙。

末廣町上的中藥店、西藥房兩商依舊競爭激烈，中藥店的老闆今天的曲盤照例放著流行歌曲〈雨夜花〉，一個「皇民奉公會台南州支會」的幹部經過銀座通，聽到這樣的歌曲，立刻上前取締：「畜牲！你放這是什麼歌曲。」

中藥店老闆走出來，彎著腰搓著手、哈著氣：「大人，我只是放『古倫比亞』的曲盤，純純[25]小姐唱的流行歌，以前都可以放的呀！」

「以前是以前，現在是現在。你若要放曲盤，就要放這個！」那個人從他的軍用大背包中，拿出另一個曲盤，上頭寫著「譽れの軍夫」：「我要把你的曲盤要沒收，以後就放這個歌曲。」

曲盤更換後，蓄音機裡傳來雄壯威武的歌聲，中藥店的老闆臉色一沉。

「赤い襷に譽の軍夫 うれし僕等は日本の男。君に捧げた男の命 で惜しかろ御国の為に……（紅色的彩帶，榮譽的軍夫。多麼高興，吾等是日本的男兒。奉獻給天皇，男兒的性命，為著國家，死不足惜……）」那個日本人得意洋洋地說：「對對對！就是這樣的歌曲，沒錯！沒錯。」

「『這個』跟『那個』，還是有差別吧！」中藥店老闆眼睛瞟了一下剛剛被抽走的古倫比亞曲盤，聽到現在的歌聲，雖然還是〈雨夜花〉的曲子，但歌詞已經改成了軍歌，這一差便是十萬八千里。

「當然有差別，現在這樣的歌詞，果然比較好聽吧！」那個人說著。

中藥店老闆苦笑，不敢得罪他：「對！對！對，這個比較好聽。」

昭和十六年，自動車客運正式駛入台南市。昭和十七年，日本內閣設立「大東亞省」，並於一年後，由日本首相東條英機，與滿洲、菲律賓、泰國等政權，共同發表《大東亞共同宣言》。

末廣町的西藥房，門前那個時髦的收音機，依舊傳遞著軍國的廣播聲。收音機中的播音員，聲音極為尖銳：大東亞各國相互協助，確保大東亞安定，本著道義，建設共存共榮……

林百貨樓頂垂下了一面大型的布幔，上頭寫著「世界相倚、萬邦共榮」，最上頭還掛著一面十六條旭日旗。街上的興南自動車，車體懸掛「世界平和、萬邦進步」的布條，匆匆駛過銀座通。

佳里、麻豆等地自來水設備設置完畢，水道水正式擴及台南北部地區；為了反共，日本政府正式禁止了五月一日的「勞動節」，和德國納粹、墨索里尼掌政的義大利王國締結聯盟；皇民化運動在台灣大城小鎮裡，如火如荼展開，布袋戲、歌仔戲全都換上日本軍裝，大街上的商店開始禁止販售奢侈品、寶石和貴金屬，連高級服飾店也消失了。各州廳開始受理台灣人改日本姓名、皇民奉公會的外圍組織：「桔梗俱樂部」成立，未婚女性也加入挺身報國的行列。社會開始瀰漫一股山雨欲來的氣息。

李啟明的時計店就在這股氣氛下，營業額漸漸減少，最後甚至門可羅雀，大街上處處是標語，小巷裡到處有人喊口號。昭和十六年十二月七日，航空母艦赤城號以「登上新高山一二〇八」為代號，率領大軍偷襲夏威夷珍珠港，第二天日本向美國、英國、荷蘭宣戰。

25 純純：女歌手，本名劉清香，十三歲入戲班學戲，唱紅〈雨夜花〉、〈望春風〉等歌謠。之後於台北後火車站新舞台對面開設咖啡店。

傳聞日本要在台灣實施徵兵，這讓李啟明非常緊張。雖然他的年紀不太可能被徵召從軍，但他兩個兒子正值青春韶華，此番若遭徵召，恐有去無回。心底愈想愈害怕。正當他還在憂愁，日軍偷襲珍珠港後十日，一陣天搖地動席捲台南州，嘉義中埔庄龍山腳發生大地震，台南搖晃程度甚大，時計店牆上的鐘表，被劇烈的晃動給震落，李啟明的大兒子正在店裡，一時驚慌失措，狂奔到馬路上，結果被一輛正在行駛的自動車給撞上，從此截去了左腳掌。

李啟明的妻子在醫院裡哭得死去活來，李啟明安慰著妻子：「妳就不要哭了，兒子只是截去腳掌，妳應該慶幸他生命無危才對。」

啟明的妻子說：「我們的兒子還有大好的將來，如今卻遭此不測！我是該怨天還是尤人？我知道天有不測風雲，但老天爺對他也太不公平了。」

「妳也別傷心難過了，所謂塞翁失馬、焉知非福。或許兒子失去一個腳掌，能躲過兵役，可保全他一條命也不一定。」啟明說著。

果不其然，李啟明的大兒子因為失去一個腳掌，被免除了兵役；但二兒子李少陽便沒有這樣的好運氣，很快他就收到了「學徒徵召令」，預備進行徵兵檢查。

東南亞陸續被日軍占領，日本和泰國簽訂攻守同盟後，猶如一股旋風，席捲了整個東亞地區，太平洋戰爭全面爆發。總督府相繼在台南六甲頂、新化等地興建機場，防空火砲集結到城市之中。林百貨樓頂架設了兩門防空火砲，高級食堂、酒館等全數停止營業，一股決戰的氣勢逐漸成形。

商家被迫購買軍用手票、郵政儲金，李啟明的時計店也不例外，在日本人的脅迫下，李啟明幾乎半數的財產，都投入這些票券的購買上。台灣與日本的「內台航線」高千穗丸，被美國潛艇擊沉後，台灣島內更是風聲鶴唳。台南公園內每天都有機關槍銃隊在演習，有幾次在神社裡辦理了陣亡志願軍的「慰靈祭」，幾乎全市的學校中，每日都可見到眾人在「日之丸」上簽名，男老師徵做軍夫、女老師徵做戰地護士。

台南駅前由愛國婦人會、各地國民學校動員而來小學生，在車站前揮舞十六條旭日旗，車站主體外高掛「武運長久祈願」的布條，大家高呼「皇軍萬歲」。

身為愛國婦人會一員的李啟明妻子，緊緊抱住正待出征的李少陽：「你為國家奮勇殺敵，不要忘記自己的身體。」

李少陽的大哥拄著拐杖，和父親李啟明一同站在月台上和他餞別，李啟明給李少陽準備了一包漬物，包在油紙裡。

「這是什麼？」李少陽問。

李啟明說：「這叫蜜餞，你一路帶著，想家時就吃一個……」

「請保重，母親大人！」李少陽身穿軍戎，表情沒有哭泣，月台上眾人高呼萬歲，這是光榮的時刻，而非悲傷的時刻。他和眾人，陸續登上蒸汽機車頭拖拉的火車中，空氣中瀰漫一股燒煤味，更添一股離別的哀傷。火車將南下高雄，眾人轉搭軍艦，出征海外。此去南洋，不知何年何月才能回來，李啟明心中又酸又苦：腦海裡閃過一次又一次的畫面，日本人害得他家破人也亡，一次又一次、一回又一回，綿延無止盡、總是無休止，李啟明知道兒子這一去，或許就不會再回來了，就像自己的父親，被日本人逼得遠走他鄉。他的父親、他的兒子，相隔四十餘年，竟是同樣的命運、同樣的下場，他心中湧現了那股衝動，見兒子伏在車廂窗子前，列車緩緩啟動，他看了一眼啜泣的妻子，再看看拄著拐杖的大兒子，他回過頭對著李少陽說了默語。

李少陽讀了李啟明的脣，一時沒會過意來，仍舉著手高喊著：「明年再相會！」

列車遠離，李少陽坐回車廂內，細細想著剛剛父親的脣語，忽然臉色一變，父親的脣語是：你的祖父殺了能久親王……

他背脊一涼，就像是十二月的寒風，吹過他的腦門，嘴裡輕輕囔著：怎麼可能！怎麼可能！

局勢愈來愈惡化，昭和十九年十一月二十四日，美軍軍機飛入東京上空，開始轟炸，各地開始教導如何躲空襲，一些地區設置防空洞，警察配有滅火彈、防空燈、防毒面具，協助大家防空演練。台南廳假藉為了防空需要，實際上是一種報復，拆掉了水仙宮中殿與後殿，並把五尊水仙神像送往大天后宮寄放，這一寄放便是十餘年。

第二年一月三日，一百架美軍轟炸機，由南向北飛，開始空襲台灣各地。台南上空響起空襲警報聲，時髦的林百貨，早已停止營業，樓頂改裝的機槍陣地，還有兩具防空砲朝著天空，幾個主要的官署建築物，也都做了偽裝，抹上不明顯的防空塗料，避免成為攻擊的目標，但台南市裡還是有不少建築物中彈，一些無辜的百姓被流彈波及。

美軍登陸呂宋島後，總督府發出動員令：徵調中學生擔任警備隊，防止美軍登陸台灣。幾個月內，大小空襲不斷：三月九日美軍空襲「日月潭水利發電所」、三月十六日空襲台北，十七日空襲嘉義、彰化、台中、新竹，四月三日再度空襲屏東、高雄、花蓮港、基隆。四月七日台南上空響起了警報聲，炸彈落在壽象園中央，兒玉總督的銅像頓時被炸得血肉模糊。李啟明一家奔出了家門，李啟明的大兒子行動不便，緊張之下跌倒在地，李啟明以自己年邁的身軀，背起斷了腳掌，行動不便的兒子。

兩人七手八腳，奪出家門往防空洞的方向而去，妻子說：「這幾日空襲那麼頻繁，我們是不是到鄉下去比較好。台南市裡所有人幾乎都走光了，大家都疏散到新化、玉井等地……」

李啟明一聽到「玉井」兩個字，內心起了疙瘩，他擔心那裡曾是「噍吧哖事件」的起始地，倘若去那些地方，日本真的打勝仗了，或許會把他以前不堪回首的往事，再度挖掘出來：「不行！不行！」

「為什麼？」妻子說。

李啟明似乎欲言又止：「那裡不安全！」

「怎麼會不安全？」在父親背上的大兒子問。

李啟明一時語塞，他最後忍不住咆哮：「聽我的就對了！」

這一天黃昏，空襲警報解除，他們才又返回家中。城市宵禁，街道上冷冷清清，武廟大門深鎖，赤崁樓是「台南市立歷史博物館」，有一些日本士兵躲入裡頭，他們知道，美軍不會空襲醫院和博物館。

四月十一日一大早，全台空襲警報聲響起：李啟明自夢中驚醒，他立刻打開窗戶，看見天上黑壓壓的飛機，列隊飛過上空。防空警報聲中，聽到這附近有機槍對天空掃射的聲音，緊接著一顆炸彈往這個方向落了下來，李啟明大叫：「有空襲！」

他話還沒說完，炸彈已經掉在房子附近，轟隆一聲，炸掉了屋子半個牆壁，李啟明立刻被震得彈飛出房子，耳膜被震破，成了聾子。

他站起身子，四周無聲：烈火熊熊燃燒著，房子被炸開一半，妻子在烈火中成為一具焦炭，大兒子身體著火，在地上翻滾著。李啟明大叫：「救命！來人啊，救救我的兒子……」

他站起身子，他連自己的呼喊聲都聽不見，也不知道自己身體正在流血，他一跛一跛地，走回自己正在燃燒的房子內，隨手拉了歪斜一邊，櫥門已經打開的衣櫥裡的一件衣服，立刻奔到大兒子身邊，緊緊蓋住身上著火的大兒子，李啟明沒有聽見他痛苦的哀嚎，他悲慟萬分，舉目所見皆是斷垣殘壁：他看見架子上的錦盒正在燃燒，心裡想著裡頭應該有救兒子的法寶，衝到架子前，用手捧住燃燒的錦盒，他被燙得縮了手，錦盒滾落地上，盒子外的火是滅掉了，但滾出來的書冊卻燒了起來，李啟明急得大叫：「不要啊！不要啊！」

他赤著腳去踩燃燒的紙，雙手雙腳全都被燒掉了一層皮，皮膚滲出淋巴液。最後僅剩隻字片語。

不一會兒，自己頭暈目眩，眼珠子向上一吊，頭一偏便暈了過去。不知過了多久，也不知身處何處，等李啟明悠悠醒過來時，發現自己已經躺在某張病床上，他聽不見四周的哭泣聲，也聞不到附近的屍臭味，全身被紗布緊緊包裹，他不是死屍，但和死屍已無兩異。

野戰醫院的護士走了過來，給他換藥，嘴裡講了些話，李啟明沒聽見聲音，但從她的唇中，讀出了意思：你醒啦！

「我在哪？」李啟明說著，李啟明意會到他已經完全聾了。

護士轉過身子，用鑷子去夾紗布，想必她是回答了，但李啟明沒聽見，等她轉過身子，李啟明從她的嘴中讀出了悲傷的事實：你的妻子和兒子，都已經死了，請你不要太難過。台南這兩日的大空襲，死了許多人，前些日子台北也有空襲，收音機說死了三千多人……

李啟明欲哭無淚，嘴裡嚷著：「什麼都沒有了！什麼都沒有了！」

吳服店、林百貨、妻子、大兒子，那些產業、家眷全都化為一股輕煙，飄散了、消融了。錢沒有了、人沒有了，自己活著還有什麼意義。他忍著不哭，但眼淚還是從眼角流了下來：生命還有意義嗎？我是為了什麼而活，他內心忽然一股自責感湧上心頭，為什麼不逃，自己為什麼不逃啊！

他根本打一開始，就不該回來：不該當商人、不該和日本人接觸……乃至於到最後，連逃到鄉下的勇氣都沒有了，假若當初疏散到「玉井」，妻子和兒子也就不會喪命了。

六月，沖繩的日軍遭到殲滅，二十二日昭和天皇在最高戰爭指導會議上宣示「停戰工作」，但不願宣布投降。七月十六日美國在新墨西哥州試爆原子彈成功，二十六日同盟國發表《波茨坦宣言》，要求日本無條件投降，否則將做最後的打擊。日本置之不理，仍打算做最後的困獸之鬥。八月六日，廣島投下了第一顆原子彈。八月九日，第二顆原子彈在長崎投下，日本終於宣布投降。

八月十六日，日本昭和天皇透過廣播，發表《終戰詔書》，台南放送局也做「玉音放送」，許多人在公園內的放送亭聽到廣播，痛哭流涕，嘴裡嚷著：身為日本人，從今爾後將何去何從呢？但也有人欣喜若狂，手舞足蹈，對於往後將成為「中國人」而開心不已。

但戰爭使得通貨膨脹的問題加劇，台灣銀行發行了一千元和一百元紙鈔，物價飛到天上，商品一日三價，眾人苦不堪言，埋下往後悲劇的種子。

李啟明在野戰醫院躺了兩個月後，拖著半殘的身子，返回老家：燒到只剩下半個的房屋，依舊聳立在那裡。他已經不記得怎麼被人救出來，廢墟全是黑炭，他站在這黑炭廢墟中，彷彿是從地獄裡走出來一樣。

他沒有聽見街上樂團吹奏的喇叭聲，大家扛出鑼鼓，大街掛上一面「青天白日旗」，想當「中國人」的台灣人的笑聲，想當「日本人」的台灣人的哭聲，他都沒聽見。就像自己與世隔絕，不再屬於這個世間，不屬於任何國族、任何勝利者或失敗者的姿態，乃至於已經無法確定，他是不是一個完完全全的「人」。

他低下頭，發現一個燒黑的盒子，他立刻認出那個盒子，是過去的先人所留下的那個錦盒，他在地上翻找，終於在黑炭裡挖出一片紙角，他知道錦盒中曾有過往的祕密，但現在什麼都沒有了。他把一片紙角放回錦盒中，像個活死人般的往外頭走去。

日本人得知戰敗，不敢在大街上逗留。附近許多日人遭到宵小打劫，以前作威作福的日本警察、軍人都遭到追打，但也有台灣人保護著他們。

馬場看見李啟明抱著一個東西，一個人在大街上恍神地，漫無目的地走著，冒著危險出來，他來到李啟明的面前，差點認不出李啟明來。

他簡直就像一具殭屍：面目猙獰、披頭散髮，全身都是燒疤。

馬場看了那個黑盒子，問著：「那是什麼？」

李啟明沒有說話，繼續漫無目的地走著。馬場從他身上奪過那個黑盒子，李啟明立刻就像個被奪走玩具的孩子，賴在那裡大哭。馬場立刻把黑盒子還給他，但是李啟明已經不認得那個黑盒子了，他嘴裡嚷道：「我的妻子、我的兒子、我的財產……」

「李桑！振作點，你振作點。」馬場身為朋友，看了這景象很難過：「夫人和貴公子遭到不測，請節哀順變。」

李啟明根本聽不到他說的話，站起身子邊哭邊往城外走去。馬場低頭一看，那個黑盒子還留在地上，他順手撿了起來，他深深地嘆了一口氣：「未來到底在哪裡？」

李啟明一路走著，恍惚中來到了日本人的公墓，這一帶也遭到轟炸，有些墳墓被炸出一個大洞來，裡頭的棺材也被炸飛。他走到一個墓碑前，上頭刻著「關次東」三個字。所有的仇恨、悲傷全都交會在這個時刻，一股腦宣洩出來。他恨透日本人了，就像貓與老鼠、老鷹和黃雀，今生今世永遠是獵人和獵物的關係。他伸手挖開覆土，用腳一踢，腐爛的棺材蓋子立刻鬆開了，他挪開上頭的棺材蓋，看見裡頭的白骨，棺材四周有一窩蛇蛋，母蛇似乎還沒回來。他解下褲頭的皮帶，猛力地對白骨一鞭，嘴裡說著：「我贏了，你們日本人輸了。你殺不了我的。關次東，你好歹毒！我的人生被你玩弄在手中，不能掙脫了。」

李啟明再抽一鞭，一鞭接著一鞭，直到手痠了，身子累了，他便跌坐在地上，傻呼呼地笑：他拿起關次的一根腿骨，像頭大黃狗般啃著那東西，吃得津津有味，臉上充盈著滿足的表情。就像他身子裡有個東西始終飢渴著，他的靈魂早就不在軀殼裡，如今他已是一頭野獸，一具殭屍。

國民黨的軍人來到墓園，就聞到一股噁心的屍臭味。接收公共財產和日本人私人財產的行動已經展開，台灣警備總司令要求軍人勘查這一帶，清查日本人是否把黃金藏放在公墓中，沒想到就發現這樣一具屍體。屍身被野狗啃咬得差不多，死亡多日，帶隊的是原來六十二軍的一個排長，這個軍隊素質奇差無比，來到台灣後，見到腳踏車，便任意取用；見到了人家大門沒有鎖，就進去隨便拿東西，一個少尉在台北蓬萊閣用餐，還調戲了女服務員，引起眾怒。

「他奶奶地！一大清早就見到這不乾淨的玩意。」那個排長說：「肯定是哪個小日本鬼子，在這裡自殺，現在見閻羅王去了。」

旁邊的幾個士兵笑哄哄：「日本鬼子也有今天啊！」

「看來這裡是沒有黃金了，明天打台南機場附近去搜！」那個排長指揮眾人離去，他一腳踢了那具屍體的下陰：「去你奶奶地，日本鬼子不得好死！」

這具屍體不是別人，正是叱吒一時的李啟明，沒人能料到，如今卻落得屍曝的下場，竟連「鴟夷裹屍」、「浮於江中」的待遇都沒有，無言的屍體，似乎在它的軀殼裡吟唱著：碩鼠碩鼠，無食我黍！三歲貫女，莫我肯顧。逝將去女，適彼樂土。樂土樂土，爰得我所……

民國一〇二年，黃金價格大跌，景氣低迷。李水神從企業總部走了出來，一臉沮喪，接連跑過許多家銀行，帳戶裡頭的資金實在沒法補足，油價上漲、電價上漲、工資上漲，種種壓力快把自己壓得喘不過氣來。

李水神和住在德國馬德里堡的女兒，剛剛透過視訊電話聯繫過，貼心的女兒要他好好照顧自己，今天正好是李水神的生日，許久不曾為自己慶生，妻子暫時不在身邊，此時才深覺什麼叫做「孤獨的老人」、什麼叫「寂寞的黃昏」。身為一個父親，拉拔孩子們長大，從襁褓到青春期，從溫順到叛逆，在他們的成長過程中，李水神最怕兒子說他要變壞，女兒說她要在男朋友家過夜，所幸這些令人擔心的狀況，從來未曾發生過。女兒掛掉網路電話前，連一句「生日快樂」都沒說出口，李水神心底總是有些失落感：自己也不是一個希望別人要時時惦記著他的人，但是被人「遺忘」的感覺總是不好，他眉頭緊鎖，嘴角緊閉，資金上的壓力又上了心頭，心裡頭的那個洩壓閥還是沒打開，情緒一時無處可洩露，擱在心頭上就像一塊贅肉似的。正當他還在檢視公司營運的資料時，祕書代收了一個網路訂購的商品，畢恭畢敬地送進了董事長辦公室裡。

李水神看了這個包裹，他不曾在網路上買過任何東西，自從網路開始發展以來，他一直將網路商業活動視為最大的「競爭對手」。無論是雅虎奇摩、網路家庭，還是蕃薯藤，只要是網路能買到的東西，他都覺得是一種不倫不類，吃飯不備碗筷、雲雨相好不脫衣褲，少了掏銀子給錢的爽快感受，哪能算是一場買賣？虛擬通路又怎能賺進金錢？

李水神翻了翻那個包裹，嘴裡嘟囔著，他邊說邊拆包裹，從裡頭拿出一支螺絲起子，那是美國「百得牌」公司的手工具商品，塑膠把柄上雷射雕刻了「爸爸永遠是家的螺絲起子」幾個字樣。李水神看見後，眼眶泛淚，原來這是兒子與女兒精心設計的生日禮物，從美國原廠訂製了螺絲起子，還要求原廠蝕刻字樣，再寄送到台灣來。

李水神很喜歡美國百得牌的五金工具，曾有一段時間他都希望「小南百貨」，能成為台灣唯一代理這個品牌的公司。就因這樣，在幾個連假過後的平常日子裡，他都會戴上漁夫帽，身穿廉價的休閒衫、牛仔褲，巧扮成平民大叔，低調到近似偷偷摸摸地，來到仁德的特力屋量販店，在貨架前看上好幾個小時。

「請問先生需要服務嗎？」特力屋的店員親切地詢問。

「沒有！沒有！我只是隨便看看。」李水神整個心臟怦怦跳，漁夫帽立刻拉得更低了，雖然他知道，在這裡遇到熟人的機率不高，但他心想絕對不能讓「任何人」認出自己來，即使是泛泛之交也一樣：一個連鎖五金店的老董，到大型五金連鎖量販店查價、買東西，光是這樣危言聳聽的標題，只要是上了商人們酬酢交際，茶餘飯後的那張嘴裡，自己還有在商場上立足的餘地嗎？「量販店」這種東西，和自己的身分地位不相稱，就如同通勤的「電聯車」對照「高鐵商務艙」；「阿舍乾麵」比拚「王品牛排」，量販店本來就和自己八竿子打不著、來此地三兩圈就地繞，原想添個福壽、增個上緣，若是被人掀開了底細，恐怕都只是徒增困擾。

李水神打發掉那個店員後，又隨處看了幾樣物品，看見售價後嘴裡細碎嚷著：「什麼嘛！量販店的東西還賣這麼貴，同樣的東西在我店裡只賣八成。」

他愈想愈不明白，又看了看賣場的其他東西，心中仍未解惑：為什麼量販店的東西賣這麼貴，還是有許多人願意到這裡光顧呢？

李水神收妥自己的生日禮物，走出公司，一個人開了車子繞出中華路，望著看似繁榮的街道：國泰世華銀行、花旗銀行、家樂福、燦坤，路口附近又將新開一家美式五金百貨行，李水神心底涼了一截：台南有各式各樣的量販店，景氣愈不好，這類商店卻愈開愈多，競爭也愈來愈激烈。他抬望眼，看見玉山銀行那棟大樓頂端，貼著一張大幅廣告，玉山杜鵑圍繞出玉山主峰的輪廓，柔美的杜鵑花更顯那高山的氣勢與壯闊，下面一行小字寫著「信賴是台灣前進的力量」。

今年，李水神總算如願當選「台南市商業會」的理事長，父親以前也當過商業會的理事長。父親死後，小南百貨在他接手的這幾年，事業慢慢萎縮，相信他能帶領公司，走出經營困境的老員工愈來愈少，李水神從車裡稍微抬頭望了一眼玉山銀行的廣告，嘴裡嚷著：「信賴是台灣前進的力量啊！」

誰還會相信他呢？連李水神自己也愈來愈不相信自己的能力了。人人都說他能力不及於父親，這個說法讓他很不服氣，但也不得不承認這話言之有理。在他父親的那個年代，台灣經濟蓬勃，熱錢湧入，零售市場興盛；但是現在這個時機，面臨更多競爭對手，事業投資愈趨加倍，回收利潤卻更加減少，他所面對的壓力也更大，遭遇的風險也更多。

話雖如此，有些東西可是丟臉不起的：商業會底下的理事們，全都是各行各業的大老闆、李水神靠著父親以往打下的人脈，和雜貨零售產業幾個理事套上交情，也唯有如此，才能在激烈的選舉投票中脫穎而出。

李水神車子到台南市區，他彎過重新開幕的林百貨，經過中正路，再轉友愛街，來到一幢漂亮的大廈前。和守衛室打過招呼後，停車場前的機械舉臂門升起，他把車子緩緩開進地下停車場裡頭。

從停車場內的電梯，可直達十二樓的豪宅。李水神的孩子們出國念書，長大後就各自在國外發展，大兒子在美國馬里蘭州當醫生、小女兒在德國一家風力發電公司，做工程師；妻子上個月招集了商業會裡的貴婦，組了個「歐洲精品考察團」，去了義大利、法國，順道去德國探望女兒，到現在還沒回來。資金上的壓力，李水神對誰也不說，妻子只以為他深鎖的眉頭，全是因為工作壓力大，特別交代了一家外膳公司，每週送一鍋元盅雞湯來家裡給他補身子，妻子並不知道小南百貨已經因為資金缺口，面臨了經營存亡之秋。

房子內沒有其他人，屋不成屋、家不像家，空蕩蕩地反而襯托出房子的寬敞巨大，遠遠看起來像冷冰冰的博物館，冰箱裡還冷藏著昨天沒吃完的雞湯。幽暗的廚房裡，只剩冰箱的低頻馬達聲，像躲在暗處的一個老人，在孤獨與寂寞的深邃中低嗽著。李水神開了燈，把兒女送他的百得牌螺絲起子，放在玄關的架子上，進廚房為自己倒了一杯水。轉過身子來到客廳，裡頭奢華的擺設更顯示出了主人的霸氣，打開電燈，夏普公司新推出的一百二十吋大電視旁，有個玻璃展示櫃，裡頭鎂光燈打在五顆大公駝上，每個公駝後面都擱著一幅西洋的油畫。

電視正前方的茶几上，放了一本從台南文化中心演藝廳買來的「蘇黎世青年交響樂團」節目簡介，那本彩色簡介，靜靜地躺在桌上，像是埃及博物館裡的木乃伊棺槨，愈發讓人想探索這裡頭的奧祕，李水神坐到沙發上，放下水杯，拿起簡介翻閱：女鋼琴家辛幸純側著一張臉，長髮垂肩至紅色的洋裝上，嶄露了古典的美麗與氣質。

欣賞古典音樂，是忙裡偷閒最好方法之一。之前聽過「維也納少年合唱團」的歌聲，就被那乾淨的聲音所吸引。外國小男孩唱〈高山青〉，總有一種既熟悉又陌生的魔力。年輕時候和老婆交往，就是因為這首歌，締結了良緣。那時李水神還在商專念書，和當時讀家專的妻子，一起參加「反共救國團」的中部橫貫公路縱走，那時候台灣經濟向上，社會朝氣蓬勃，當他們這些年輕人通過大禹嶺時，領隊帶著大家唱起〈高山青〉這首歌，李水神的妻子參加過合唱團，節拍抓得準、歌唱技巧好，聲音甜美好聽，臉蛋又如阿里山的公主一般美麗，深深吸引李水神的目光：高山青、澗水藍，阿里山的姑娘美如水；阿里山的少年壯如山……

李水神上次抽了個空檔，至台南文化中心演藝廳欣賞這場演奏會，下半場的那一段，在熱烈的掌聲下開始：穿著燕尾里禮服的指揮家，和首席小提琴握手後，安安穩穩地站上指揮台，指揮棒在半空中劃出一個圓弧，中提琴、小提琴、低音鼓、法國號……啟動了這強而有力的第一樂章，那是貝多芬的〈命運交響曲〉。

氣勢磅礡的樂章，幻化成音符精靈，在李水神的耳畔轉繞，前四個音符就像是神明的手，不斷在敲著命運的那扇門。李水神腦子裡想著那四個音符，他順手打開電視，畫面出現了彩券的廣告，豬哥亮笑吟吟地說：「有買有『機會』！」

電視倏地回到綜藝節目，兩個美麗的女助手站在主持人後面，她們高舉一面寫著「命運」的紅色牌子，和一面寫著「機會」的牌子，對著鏡頭一抹微笑。主持人嚷著：「今晚就能決定誰是大富翁，機會或是命運，請選擇！」

緊張的氣氛立刻感染了李水神，他內心嚷著：是機會嗎？還是命運？腦海裡豬哥亮笑吟吟，嘴角得意洋洋，吐出了「機會」兩個字；意識底下是蘇黎世青年交響樂團，〈命運交響曲〉的聲音。

機會……命運……

大富翁……誰是……貝多……芬……

機會、命運請選擇……

請選擇……

電視不斷轉換的畫面，帶動了聲音與光影的變化。李水神的幻想和電視上的全部畫面，全攪和在一起。女助理高舉的「機會」和「命運」牌子，在李水神的腦海中愈變愈大，最後竟然交融在一起，像兩顆巨大星球的撞擊，像大地震誘發一層又一層沖天襲來的海嘯，那種如上漲股票趨勢線，美麗而鮮豔的紅色，化成青鯤鯓的夕陽；那種如黃金交易報價表，沉實且亮眼的黃色，凝成大凍山的朝露，交織在李水神這一生所見過，所有最美好的景物印象之中：他耳畔聽到電視傳來兩個女助理，高唱謝金燕的歌曲，這「機會」和「命運」，不斷在他耳朵裡試探、在他心裡頭敲門，這一個又一個的畫面，夾雜著人聲鼎沸、語笑喧鬧，變成一句又一句：跳針、跳針、跳針、跳針……她們哼哼唱唱，像諷似譏地：「卡卡的咚吱咚吱咚吱咚吱，跳針跳針跳針跳針叫我姊姊……」

「機會……命運……」李水神嘆了一口氣，腦筋裡那個畫面與聲響像被人拔掉插頭似的，倏地終止，一片空白。他闔上蘇黎世青年交響樂團簡介，逐漸從他的幻想裡抽離出來，此刻他注意到櫥窗裡的五顆大公駝，每顆都重達一百八十公斤，前些日子一時興起，隨口跟國立歷史博物館的館長提及，打算捐出其中一顆，擺在博物館的二樓常態展示區裡。

他知道這是父親所遺留下來的東西，是清代港郊用來秤重的古物，其實公駝擺在這裡，實在格格不入。自己很喜歡釣魚，收集西洋的骨董樂器、西洋油畫，客廳另一頭就擺了一個德國羅騰堡手搖風琴。這樣說起來，奇美集團的創辦人許文龍，或許可以成為他心目中的偶像，但他可沒有許文龍那樣大手筆的資金、那麼大的風範與氣度，那麼優雅的生活情趣，來開設一間博物館，網羅世界最美的西洋畫、最頂級的西洋樂器，供眾人免費欣賞。他所能自我陶醉的，便沉溺在這櫥窗裡的西洋油畫之中。

至於那些大公駝，充其量也只是其他收藏品的一種附屬，有的不是西洋式的高貴優雅，眼見所及只有笨重感。像白楊上的槲寄生、雀榕頂的菟絲子。現在自己身陷資金短缺的危機，這樣又重又不討喜的古物，實在換不了什麼錢，擱在家中還嫌累贅，想捐給博物館，還要通過一連串冗長的公務程序，捐贈的空白契約書還擱置在家中，讓出去後換來的，只是一張加了護貝的感謝狀，說來說去也不過是沽名釣譽的東西罷了。李水神想到要大費周章，打掉裝潢圍牆，動用吊車把公駝從家裡移出去，那種想把公駝捐出去的欲望與衝動便被沖淡不少。

李水神站起身子，仔細端詳美術燈下的大公駝，五顆公駝上都寫著「港郊」兩個大字，父親保留這個東西，可也和自己有關係吧？

李水神知道「台南市商業會」的前身，是民國六十二年的「台南市商會」。更早之前是光復前後的「台南州商工經濟會」。「台南州商工經濟會」是日本人強占三郊資產，最後命令台南商人改組而成的組織，李水神還記得商業會裡記載沿革文件裡提到：三郊有一個聚會所，被稱之為「三益堂」，最後被強迫變成公學校。

父親加入商業會，擔任會員的時間非常久，事業有成之後開始收集三郊的古文物，某些捐給市政府，某些收藏在家，這五顆大公駝，李水神也不知道它們的來歷，當初放置在老家中，還以為是父親花大筆鈔票買來的。或許對父親而言，回復三郊往日的風華，是一種接近於宗教信仰，不可撼動的癡狂與迷戀。若要因此說李家是三郊商人的後代，恐怕也沒有人會有異議。循線至此，自己擁有港郊的五個大公駝，也就不足為奇了。

李水神拿起電視遙控器，轉到財經台看今日股票的行情，小南百貨集團又跌掉幾塊錢。李水神心想：再這樣下去肯定會成為水餃股、雞蛋股，心裡愈想愈氣，嘴裡咒罵著。自從民國九十七年開始的那場全球金融風暴後，小南百貨的生意就一蹶不振。原本金融風暴前分店還有五十二家，最近收拾到僅剩三十家，還有五間分店還在談房租、談授權，好幾個幹部跳槽連鎖大賣場當主管，內外交迫。倘若是人和錢的事情喬不攏，月底就會收掉幾個據點。索性關掉電視，待在書房安靜一會兒。

小南百貨業績年年掉、水電人事跟著物價月月漲，報表上的營業額曲線，這幾年從來沒見它往上攀升過，那線條就像是雲霄飛車一樣，從好幾層樓的高度跌了下來。倘若這個月還湊不足一千萬，小南百貨恐怕就要面臨跳票危機，活在這樣不安定的年代，他就愈相信那些無形的東西，在李水神周遭的大老闆，每個都相信這些，所謂「愈幸福的人就愈迷信」，這日理萬機的時刻，他也不忘忙裡偷閒，到大天后宮旁的算命街裡，找個老師算計清楚。

「老師覺得我事業怎樣？」李水神搓著手。

那個老師拿起竹籤，在羅盤上點打著，最後指出一條路：「這未來還要看你的能耐……你的命不錯，但『運』的部分可就不敢保證了。」

李水神心想：你這不是廢話嗎？我要是知道未來怎麼樣，還會來問你？

父親死後，隨著企業愈來愈大，李水神在幾年前買下這層豪宅：十二樓可看見整個台南市的發展軌跡，一個方向看過去，是台南火車站、遠東香格里拉大飯店；這一頭是湯德章公園、孔廟、台灣文學館；沿中正路底，就是接近荒廢的中國城、海安路。李水神依據父親生前的喜好，打造一間和以前住的老房子一模一樣的書房，把當初父親所有的藏書搬離神農街，全移進這個書房中，讓人感覺父親好像始終未曾離開。他走進書房裡，一點點樟腦味飄散著，他忽然想起父親有本日記，於是將父親的日記本從書櫃上取出來。

棗紅色的日記本，蓋著多少塵封的往事。打開第一頁，貼著一張父親年輕時英挺從軍的照片，相片旁邊寫著：李少陽、大正十二年端午節出生。

「這真是個詭異的巧合！」李水神嘆了一口氣，父親的生日和忌日都是同一天。這個日記本，從他當軍夫回到台灣時開始寫起，一直寫到他死亡的前一天。李水神以前把這本日記當成父親的一般遺物，沒有妥善保存，內容更是沒有詳加確認，裡頭有幾個地方慘遭蠹蟲啃食，有些紙頁泛黃、有的章節似乎要脫頁，最後一頁還附了首小詩。後來搬到新房子後，才發現這本日記的重要，灑了些樟腦水，書房加了一台除溼機，並把日記妥善放在書櫃上，才有了明顯改善。李水神小心翼翼翻開內頁，日記就像一個老骨頭，蓄勢待發地像在大榕樹下準備張嘴說話的老阿公，等著想聽故事的人自動圍攏過來。

李水神繼續翻過下一頁，感覺自己掉進了父親的生命裡，父親這樣寫道：我的生命已不是我的，我有一顆愛國、報國的心，誰能知曉？倘若朝飲木蘭之墜露，夕餐秋菊之落英不可得，更待我唱亙古的〈九歌〉，酬永世的〈離騷〉……

父親受的是日本教育，日本投降後，他反而更醉心在漢學的研究上。父親從以前到現在，就被商界的人士稱為「小屈原」，能生在端午、死在端陽，也算是得其所哉，遂其所願，成全了他的福氣吧！

李少陽很快就返回台灣，他出征後不久，局勢快速變化，船才出高雄港，美軍就已經攻入呂宋島，全船在開往爪哇島的半途，被盟軍艦艇攔截，這算他們福大命大，以往要是有軍船出入高雄港，很快就會被美軍的潛艇擊沉，他們能活命下來，已算是一個奇蹟。

李少陽雖有報國之志，但卻未曾拿過槍桿子。他還沒真正上戰場，就已成了美軍的俘虜，日本投降後，他們全船的台灣人被遣送回來。李少陽回到台南街上，繁榮早就變了模樣，他的老家已毀、父母與兄長皆亡，彷彿一夕之間變成了另外一個世界，他孤獨地站在老家的廢墟中發呆。

馬場先生準備要被遣回日本，得知李少陽回來的消息，趕緊來探望他。

「請你放寬心。」馬場先生把那個燒成灰炭的錦盒還給他，並將那日李少陽父親失魂落魄的模樣說了一遍。

「誠にありがとうございます（誠摯地感謝您）。」李少陽深深地一鞠躬。

馬場拍拍李少陽的肩膀：「國民黨有規定，遣返時只能攜帶一千日元、郵政存款簿，還有一些生活用品，其餘皆不能帶走。至於吳服店、林百貨都被國民黨政府徵收了，我在台灣還有些金銀首飾，這些東西就送給你吧！」

遣返作業如火如荼展開，各地市長、郡守、州知事、企業日籍員工依序離開台灣，馬場等著回日本的這幾日，不敢離開居住的地方太遠，生怕遭到中國人的攻擊。馬場這幾天，頂多就是沿著台南運河散步，一路順利抵達安平。在入船町上，馬場見到有人追打以前擔任過警察的日本人，他又嚇得好幾天不出門。他擔心遭到國民黨軍的報復，家中門窗緊閉、謹言慎行，出入家門也都格外小心謹慎、穿著打扮一切樸素簡單。每天看著朝陽升、看著夕陽落，巴望著月陰等著月晴、期待著潮落等潮升，對著紫氳晚霞頻嘆氣、對著銀河星辰訴呢語：這戰爭是日本人起頭的，怪得了誰呢？

「我們失敗了！」馬場的無奈全寫在臉上：「我是大阪人，如果未來你有機會，可以來內國……喔不！是來日本……來找我。」馬場發現自己說錯話，滿臉通紅，這「內國」兩字被李少陽聽見，或許還好，倘若是被國民黨的軍人聽見了，肯定是難以善了：「不管未來怎麼樣，我和你父親一世為朋友，和你的情誼永不變。」

李少陽看著他，點點頭：「我和馬場叔叔的情誼不變。」

湯德章律師，三十八歲：父親是噍吧哖支廳，南庄派出所的警察新居德藏。大正四年發生西來庵事件，湯德章的父親被余清芳等人殺於派出所內，年幼的湯德章被派出所工友所救，保全了性命。

事件之後，湯德章漸漸長大成人。湯德章頗會念書，考進了台南師範學院，最後因家中貧窮，輟學務農。之後他當過糖廠工人，自學漢文和武術，考入台北警察訓練所。昭和二年擔任東石郡警察、三年後改任台南開山派出所，再四年後轉任為台南州警部補，後來再轉入新豐郡保安衛生系。

在警察體系裡受到日本人歧視後，前往日本投靠叔父，考取律師資格，並改名為「坂井德章」，不久發現自己太意氣用事了，決定再把名字改回漢姓。二次大戰結束後，陳儀敦請湯德章擔任「台灣省公務員訓練所」的所長，湯德章不願就任。稍後台灣行政區重新劃分，分為台北、新竹、台中、台南、高雄、花蓮、澎湖等八個縣，郡改為區、街改為鎮、庄改為鄉，湯德章因此宣布競選台南市南區的區長。

李少陽從海外返回，面對破爛的家園，無語問蒼天。各地成立國語推行委員會、禁用日語，日幣回收令公布後，物價飛漲四百倍，治安敗壞，各地因戰後物資缺乏，饑荒頻仍，日本時代稍加壓制的天花和瘧疾，復又流行開來。恆春有人吃檳榔葉果腹；高雄有飢民僵斃於路。偷、搶、拐、騙事件層出不窮，政府卻無力回天。許多人對於日本戰敗，從原來的開心，變成了失望。大街上流行「狗去豬來」這樣的話。軍人素質低落，偷人家的雞鴨魚鵝、採農戶的蔥薑果菜，坐車不買票、買東西要賒帳、吃飯不付錢，藉勢藉端、開槍傷人、玷污女子之事時有所聞，許多本省人早已怨聲四起。

民國三十六年除夕夜，陳儀透過廣播講話，濃厚的鄉音從末廣町的收音機流瀉出來，中藥店的老闆終於獲勝了，西藥房的日籍老闆準備返回日本，不能帶走的收音機，就送給中藥店老闆當作餞別禮，喜形於色的中藥店老闆說：「啊哈！日本人也有這一天，我可等很久了，等得發慌了。」他搓著手，在店門前展示他最後的勝利品。

戰爭中，林百貨為機槍堡壘，飛機不敢靠近，末廣町中後段受災面積較小，中藥店這一幢建築物，所幸沒有遭到轟炸，中藥店的老闆打算東山再起，現在少了日本人的競爭，或許能從中獲得更多商業利益，他意有所指：「我就說吃西藥的日子不長久，身為中國人，還習慣吃漢藥補身子。就說我們台灣當初無端被清廷割讓給日本人，現在日本狗走了，大家總算開心吃『當歸』、『茴香』，暖暖台灣人現在的身子……」

他把廣播聲音的旋鈕開到最大聲，廣播中帶著浙江口音的陳儀說著：「三十五年，今天是最後的日子……我們應該把今年的工作，算一次總帳，看看哪幾件事完全做到，哪幾件還沒有做完全……」

「啊！這陳儀大人講哪一省的話？」中藥店的老闆回過頭去問他的女兒。

女兒在學校開始學「國語」，也就是普通話，但浙江口音嚴重的陳儀，咬字非常不清楚，誰都聽不懂他在說些什麼。妻子走出來，雙手在圍兜上來回擦拭，伸手把收音機轉小聲，用台灣話說：「你管他是講哪一國的話！他講的就是『台灣話』……你要聽收音機，可也別那樣招搖。這條街又不是你開的，聲音放那麼大聲，最近治安又那麼糟，小心遭到賊仔的覬覦。」

中藥店的老闆和妻子應答如流，忽然像想到什麼似的，拍了一下妻子的肩膀：「靠夭啊！妳剛剛講的就是台灣話，陳儀大人現在講的不是台灣話啦！」

「對喔！」他的妻子想了一下：「那陳儀大人該不會是講閩東話吧！」

中藥店老闆丈二金剛：「我看那『今年』兩個字，念得比較黏，比較接近閩北，應該是建甌話。」

街上稀稀落落的鞭炮聲，提醒著老闆娘：「我看還是把收音機收起來好了，現在搶劫多得是，你把收音機擺在這裡，我怕不到大年初一，就被土匪搶走了。」

話還沒說完，一個軍人便走到騎樓下，看了一眼收音機，對中藥店老闆說：「你這東西打哪來的？」

「報告大將軍！這是日本人送給我的。」中藥店老闆以為見到了好人，不知道自己遇到了惡煞。

「日本人送你？日本人為何對你那麼好？你不知道日本人的財產是要被充公的！」那個軍人不分青紅皂白，順手就拿走收音機：「收音機是要管制的，你們有收聽廣播的牌照嗎？」

「沒有！」中藥店老闆吞吞吐吐地說。

「混帳東西，你們奴化那麼久，當畜牲吃屎的個性還沒改過來啊！」那個軍人說：「眼睛放亮點，日本人的東西都是贓物。」

中藥店老闆兩手握在胸前，跟著嘻嘻哈哈：「大將軍說得對，我是畜牲，我是禽獸，滿嘴大便……收音機您要就拿去好了。」他心裡嘀咕著：這白毛豬可真會四處找東西吃。

二月二十七日悲劇終於發生：「台灣省專賣局台北分局」六個查緝員和四個警察，在台北太平町天馬茶房前，發現販售私菸的老婦林江邁，沒收了她的錢和香菸，引起了民眾的公憤，專賣局被憤怒的民眾焚毀。上街抗議的民眾，遭長官公署上架設的機槍掃射，事情一發不可收拾。透過廣播電台傳播，動亂範圍快速向全台擴散。

三月二日，台南開始騷動，約六十多人從外地而來，鼓動暴亂。激進分子組成了「南方同志會」，鼓吹反抗政府。許多派出所的台籍警員，同情台北的緝菸事件，自動放下武器，離開他們的工作岡位，「南方同志會」很快就取得了大量的武器。

三月三日，街上爆發多起暴力事件，學生占領中區、西區、東區和北區內許多派出所。街上的外省人無故遭到毆打，本町、大正町、西門町、泉町、明治町，一片混亂。從清晨到中午，騷亂未曾停歇。

「打死他！」本省人操起棍棒石頭，在大街上追逐外省人，一個年輕的外省人，才剛剛走過測候站，就被人打了兩三拳，他站起身子跑過大正公園，後頭三四個本省人跟著追上來，非置他於死地不可，那個外省人匆匆往末廣町方向轉進去。

中藥店老闆嘆了一口氣：「時局真的太差了！好運看時鐘，歹運呷西瓜。人若衰，種瓠仔生菜瓜，這年頭真是歹年冬，可真是慘、慘、慘啊……」

正當他意興闌珊，望著原來放收音機，現在已被沒收的店門前嘆氣時，聽見了外頭鬧哄哄地，他嘴巴嚷著：「這是怎麼地，又有人在打架？」

他趕緊退入店內把門半掩，站在藥櫃前磨藥粉，發牢騷時，此時那個躲本省人追打的外省人，倏地鑽過半掩的店門，跑進了中藥店裡來。

「救我！救我！」那個外省人苦苦哀求，只差沒有跪了下來。

中藥店的老闆看了他一眼，雖然他對陳儀政權頗為厭惡，但還是起了惻隱之心，讓那個外省人躲進自己磨藥的櫃台底下。

持棍棒的本省人，一路追到店外，眼見店門半掩。一個本省人探進頭來用閩南語問：「頭家！你剛剛有看見一頭豬仔在街上跑嗎？」

中藥店老闆搖搖頭：「生意實在太差了，我現在沒做生意。這裡連鳥仔都沒有飛過去，哪會有什麼豬仔！」

聽他怎麼一講，帶頭的人憤怒地說：「豬仔實在太可惡，這麼會躲，下次讓我們看見了，定要打斷他的腿。」

眾人散去後，那個外省人才從櫃台下爬出來：「多謝頭家！多謝頭家！」

「這也沒什麼，你趕快回家。時局亂得很，我這藥店今天沒開門營業，才開個門縫透個氣，看能不能讓時運流通一些，沒想到你這個阿山鬼就自己跑了進來。算了！還是快點走吧，免得等一下連我都要遭池魚之殃。」中藥店老闆到外頭替他把風，東看看西瞧瞧，忍不住又抱怨了幾句：「看你也是個可憐人，下次出門可要小心一點，別再躲到我這兒來了。」

「謝謝頭家，我知道了！」那個人連連稱謝，遮遮掩掩地，不一會兒就消失在末廣町的巷子裡。

當天下午，大南門外的中國廣播公司所屬，接收日產的台南廣播電台遭到民眾占領，台南市政府、專賣局台南分局、檢驗局台南分局、電信管理局、台南郵局、台南火車站、公路局台南監理站也被學生控制。

三月四日，街上風聲鶴唳，反政府運動持續進行。所有店家全都緊閉門窗，生怕受到牽連，李少陽也在抗議的隊伍之內，他內心充滿絕望，不知未來要何去何從。時任省參議員候補的湯德章律師被眾人推拱出來，擔任台南市治安組長，維持這個十六萬人口的城市安寧。湯德章拿著一個肥皂箱墊在腳下，站在火車站正前方的「東屋」旅館旁空地上演講，他要求大家冷靜、遵守秩序，並說陳儀政府已經決定各地方，可以先選出過渡市長，七月一日以後也將開放民選市長。

李少陽和許多走上街頭的學生一樣，對現在的制度絕望，對國家與未來還尚存一絲熱情，他們不容許無能的政治人物這樣胡搞瞎攪下去。三月九日下午，各界代表集會，推舉出過渡市長候選三人：分別是黃百祿、侯全成，以及湯德章。

台南市內秩序大致恢復，但台南城竟和外界斷了音訊，完完全全成為一座孤城：鐵路停駛、公車不開、電話中斷，街上沒有商業活動，只有學生組成的糾察隊，取代原有的警察巡邏。自城市的外圍，國民黨軍隊已經開始集結，聯合國派來台灣觀察的奧森博士，親眼所見消防車上架設機槍，駛過新市鄉，往台南市中心挺進。三月十日，部隊由縱貫道路進入台南城，沿途見學生四散便加以掃射，三月十一日、三月十二日，以火車站為中心的反政府基地被軍隊攻破，大批的學生從火車站的方向往大正公園奔逃，軍隊奪回台南火車站後，便在火車站前堆起沙包，充作臨時堡壘，二樓鐵道旅館窗子也伸出了機槍的槍管，嚴禁任何人靠近，軍隊也下達了格殺令。

離開火車站的學生往本町的方向潰逃四散。李少陽見到改裝配有機槍的消防灑水車，駛入大正公園圓環，自己立刻躲進土地銀行台南分行的騎樓內，街上聽得到消防車機槍的噠噠聲：尖叫、吶喊、咒罵。還有中彈後倒在地上哼哼唧唧的呻吟聲，交織成現在眼前所見，血腥的台南城。

三月十三日，他們把抓到的湯德章律師，從本町送往大正公園，前一天，國民黨二十一師已經動用私刑，倒吊湯律師一整天，並打斷了他的肋骨，他被押往大正公園時，還有心情向眾人微笑示意。

湯律師的背後，被插了一面如古代用刑的木牌，雙手反綁。湯德章被推到大正公園的酸豆樹下，湯德章抵死不跪，嘴裡喊著：「該死的蔣賊軍！今日你們這樣對待人民，總有一天他們會推翻你們。」

劊子手拿起手槍，朝他鼻梁一開，子彈從鼻梁貫入前額，腦漿灑了一地，死不瞑目。有人上前要給湯律師的屍體蓋件毛毯，卻被軍人趕出公園，他們不准任何人替他收屍，也不許任何人給他念經超渡，任其在酸豆樹下曝屍街頭，湯律師的眼睛直視著天，死不瞑目，似乎在對天說著：老天爺啊！您有沒有看見吶，這些如禽獸般不公不義的人們，怎麼沒有得到應有的報應呢？

國民黨軍隊還不罷休，接著又押了兩個人到公園裡，李少陽躲躲藏藏，從圍觀的人群縫隙中，見到接下來要被槍決的身影，一個老先生背後豎著牌子，寫著「惡賊」、旁邊的那個人年紀比他稍微小幾歲，背後的牌子也寫著「刁民」。

軍隊帶頭的士兵用很濃的鄉音嚷著：「我看你們台灣人活得不耐煩了，當日本人當習慣了，可也不想當中國人。該不會你們有共產黨的人混在裡頭，打算破壞秩序，從中牟利。」

李少陽並不知道，第一個人正是他的大伯李太白；第二個人是他的二伯李金星，他們帶著長榮中學的學生上街，卻被軍隊逮到。劊子手說著：「大膽惡賊，竟敢騷亂本市治安，今天便是你們的忌日。」

「我呸！」李太白說：「我本以為日本人走了，我們就能過更好的日子，日本人搞『高雄州特高事件』，搞得天怒人怨。沒想到國民黨也玩羅織罪名、構陷入獄這一套，國民黨手段這般差勁，比日本人有過之而無不及……」

話還沒說完，劊子手開了一槍，李太白倏地俐地。李金星接著說：「我們日也期待、夜也期待，希望能趕快脫離日本人的統治，恢復自由之身。沒想到只是從一個地獄，換入了另外一個地獄裡。今日至此，我們化作厲鬼也不會善罷干休的……」

第二槍立刻就補了上來，李金星眼窩被打出了一個洞，倒地就死。

我抱著滿腔的熱血，希望能為國家做點事情。但我失敗了！這件事讓我深受打擊，我這時才發現，什麼人叫做真正的魔鬼、什麼地方才是真正的地獄……

李水神翻過這一頁，日記像是在哭泣，訴說著斑斑血淚史。李水神繼續尋找日記上頭的蛛絲馬跡，那些文字交構成井然有序、櫛次鱗比的街廓，眾聲喧譁在李水神將食指按捺於字裡行間中，文字最中央的一個潦草的字跡上時靜默了下來。下一秒鐘，他便能感覺鎮壓當時，底下弱小且發抖的人們，幻化成日記上被驅離的文字：鳥獸四散、奪命狂奔。再翻過一頁，景象倏變，文字的驚恐轉變成震懾，原本要熄滅的火光，竟又熊熊燃起。

李少陽呆若木雞，離開中正公園的刑場後。他躲到赤崁樓旁蓬壺書院遺址裡好幾天。等到事情淡化後，他將馬場先生給他的父親遺物，帶到老房子的廢墟中，他懷抱著最後的一絲希望，看著那被燻得黑黑的錦盒。李少陽發現，錦盒裡似乎有詭異，原來盒子中間有夾層：他舉起錦盒，用力將錦盒朝地上一摔，夾層分離。裡頭擺了幾張書信，這些信紙受到木板夾層的保護，沒有受到火災的波及，完好如初。

李少陽端起書信一看，一個字一個字的讀，一句話一句話的看，他忽然覺得自己陷落在宇宙的循環之中，世間的一切一切，早在兩百多年前，遠從康熙時代就已經算定。這裡頭講了一個故事，筆跡端正，署名「李萬利帳房」，好似讀者緣溪行，忘路之遠近。通過文字裡一道狹長的水道，進到桃花源的世界裡頭，讓人跌入所有故事的最開端，頓時豁然開朗。這些書信是李萬利老先生死後，李逵頭家在帳房老先生的臥鋪下找到的：

話說清朝順治年間，李萬利的老先生，出生在泉州府同安縣，幼年便被一戶展演傀儡戲的人家收養。這個小男孩從小體弱多病，養父擔心孩子長不大，每天晚上便是把鍾馗的戲偶，擱在小男孩的床邊，希望他能獲得驅魔真君的祝福，健全成人。

小男孩八歲那一年，泉州同安縣城裡，辦理了一個中元祭典。泉州的「嘉禮戲」眾所皆知，小男孩的養父被邀請，在泉州吳真人廟前廣場，作辦「師公戲」，村民表演羅漢科舞、特技、雜耍所揉合的「大開籠」，一會兒吞火噴火、一會兒又疊羅漢；小男孩的養父，負責在廟前擔任懸絲傀儡的操作，後場演奏融合佛曲、道曲的「傀儡調」，武戲偶在戲台上使出拳技，鬼王威風凜凜和小鬼們打得火熱，《目連救母》才剛演到一半，台下看戲的小男孩忽然昏倒。眾人驚慌失措，有人給他按胳臂、有人給他捏人中，卻完全沒有效果，小男孩昏昏沉沉失去意識，這個不知名的怪病，糾纏小男孩好幾天，他整天高燒不退，家人給他服了淡豆豉、薄荷退燒後，他卻轉變成手腳冰冷；改用薑母、肉蓯蓉他又開始發燒。

臉上連續幾日顏色發青，郎中下了溪黃草、柴胡後，他卻變成面容蒼白；再用黃耆、當歸，卻轉為臉色痟黃，治什麼變什麼，郎中全都束手無策。大家對這樣不知名的疾病，都感到莫可奈何，直嚷一定是看了極陰的「和尚戲」，才給他招來這樣的晦氣。

這樣折騰了十幾天，小男孩的養母，在手足無措，無計可施的情況下，將他抱到吳真人廟裡，跪哭個三天三夜，泣求保生大帝救救這個可憐的孩子。眾人見狀，心裡雖有不忍，但卻只能搖頭嘆息。

第二天晚上，就在半夢半醒之間，這個男孩彷若進入幽冥界，保生大帝駕了一頭白龍，騰空而來。他手裡拿著四支銀製針灸，置入小男孩的絲竹空、前庭、上星、百會等四個穴道，完畢之後小男孩感覺神清氣爽，通體舒暢。保生大帝對他莞爾一笑，輕輕對小男孩說：我是醫神大道公，我和瘟神五福大帝正在鬥法較量，我們賭鬥你陽壽大限長短。

我說你將壽星高照，祂們卻說你將遭陰司勾去三魂，於是祂們在傀儡戲偶裡略施的瘟疾，那個地獄的羅剎鬼戲偶，伸著舌頭嘴角噴煙，便朝你吐了一口疫疾。但我乃醫藥之神，若是讓你枉死在我廟前，我這顏面在大羅天界如何掛保得住。於是我便在你看戲張大嘴巴的同時，彈了一顆藥丸子進你嘴裡，這顆保命丸用的是天界的浙母貝、地黃、益智、穿心蓮、牡丹等藥，再佐三月南海的朝露、十月泰山的山嵐煉製而成，五福大帝要你死，我非要你活得好好的，瘟神在面前使詐，可也要先過我手頭這一關才行。

五福大帝使的是「七日索命瘟」，此乃天下至瘟也。雖然我給你吃了這顆保命丸，但若是常人，恐怕也要腹痛得死去活來，自殘手腳。這麼多日過去了，你竟然只有昏睡的症狀，不見其他病灶。我看你的體質異於常人，以後肯定是習武的好材料，這病來如山倒，去病如抽絲。既然你沒事，大難不死必有後福。

瘟疾周遊你全身，衝開了你的八脈，病毒循環了十二經，子時過膽經、丑時過肝經、寅時過肺經……亥至三焦。我這醫神還要藥王孫思邈給些指點，藥王爺爺坐虎抓龍，給你安了個二龍戲珠、否極泰來，所謂寒則氣收、炅則氣泄、驚則氣亂、怒則氣上、恐則氣下、悲則氣消。瘟王索你性命不成，瘟疾反而從我這藥引子裡，得了催化，藥與毒相剋相生，周全了六臟六腑，導出了滯氣，給你開了竅門。將來你必能法於陰陽、和於術算，我看你和我們神仙界這麼有緣分，我就來給你開個神通……我這四針扎下去，啟的是「天眼通」，讓你看盡這後世三百年的滄桑、從繁華到寂寥、從荒蕪再到昌盛，起起落落、分分合合。今日我和瘟王鬥法，說不定三百年後，我將和五福大帝，將合祀於一廟之中，法生象、象生法，事事皆有因，萬物俱無常……

小男孩從母親的懷抱中驚醒，他全身是汗，怪病無藥而癒。他抬頭看了一眼吳真人的泥塑像，覺得剛剛的那一切不是夢。從那場大病之後，小男孩的體質有了變化，往往能在一寐之後見未來光景。

「這是『預知夢』啊！」李水神從父親的筆記裡得知這樣的故事，驚叫出聲，他把食指從父親的日記本上抽走，感覺剛剛的一字一句都像有細微的電流般，從指尖進入，通過他的身體。自己的大兒子在美國馬里蘭州，擔任職業醫生，他知道有些事情，以現在醫學的角度而言，仍舊無法解釋。

所謂「預知夢」便是一種感知能力，有些人去過一個地方、錯身過一個人，或一舉手一投足，往往會感覺到似曾相似，那個地方、那個人，或實際的一舉一動，彷若出現在自己的某個夢中。李水神嘴裡發出了嘖嘖聲，不敢置信，但他不忍移開他的目光，好似未來就在這些文字的記載裡頭。他繼續把食指按在剛剛斷落的字眼上，緩緩從父親的日記裡，解讀出過去的點點滴滴。

那個小男孩漸漸長大，他並未告知旁人他有這樣的能力。康熙十三年，鄭經趁三藩之亂，率兵渡海攻入同安城，接著泉州、海澄、漳州也遭攻占，吳三桂出面調停，鄭經便和耿精忠部隊，以楓亭做為兩軍的楚河漢界，小男孩此時成了少年，陳永華以「陳近南」的身分，在家鄉泉州府同安縣成立了「天地會」，以指天為父、指地為母口號，號召各路人馬入會抗清，入會者依其順序皆以兄弟相稱，因此天地會有「兄不大弟不小」的獨特現象。陳永華似乎有意扶植這個同鄉少年，不知他與陳永華是什麼關係。少年加入了這個組織後，盟了分香百花堂，從護印大爺做起。

少年會唱泉州和尚戲，練了五祖拳，因幼年體弱，自修學會了一點醫術，略懂藥理，久病成了良醫，往後許多人若患疑難雜症，便主動向他請益。這個少年熟讀方以智的《物理小識》、《藥地炮莊》等書，加上他天資聰穎，援莊入儒，並歸於易，以五祖拳為基底，師法《水滸傳》，發展出一套獨特的拳法，這裡頭加入了白鶴陣、金獅陣，以三十六人、七十二人為一組。

「熱以為生、血以為養、氣以為動覺……這出拳之時，應眼觀四面，耳聽八方。氣暢則順，血熱周身走，以鼻為息：人肉自靈、不專恃心矣，人身小天地、四大升降生息，無刻有停。鼻中之氣、陽時在左、陰時在右。」少年教授百花堂眾人修習拳法，更是注重內經呼吸要法，大家手拿盾牌兵器，兩兩一組套練拳術。

「護印宛若『藥地和尚』再世，永華總制東寧，負責後勤。前線有你在此襄助我攻打汀州，肯定能將康熙那個狗賊，趕出中原。不知護印所教授的這套拳路師法何人？」鄭經高坐在剛剛攻下的銀城縣衙中，外頭軍旗飄揚，更顯鄭經的威風。

「啟稟延平王，此乃師法《水滸傳》之拳術，又稱『宋江陣』，這套路前有拜旗、發彩、拋箍，中有龍穿水、蜈蚣陣，最末是空手連環、八卦陣……這吆喝聲勢，旗斧相應，左青龍、右白虎，踏中宮，全都依循呼保義攻城陣法而定。」那少年說著：「我等受命陳近南總舵主，在此襄助延平王，自當盡忠報國、肝腦塗地。」

「很好！我和耿精忠響應三藩，西征福建，現在卻和耿精忠有所齟齬，刀刃向內，自己人殺自己人的情勢已經在所難免。往後開疆闢土，攻城掠地的事情，就要勞煩護印費心了。」鄭經摸摸自己的小鬍子，在縣衙內笑得開心。

小男孩靠著預知能力，助百花堂，協同鄭經取得了汀州，鄭經大喜，直誇少年為奇人也。鄭經打算再攻廣東汕頭，但這少年卻終日研讀海象之書、看航海的針經書，未替延平王打理出兵事宜。鄭經不明就裡，要他為鄭軍再作卜算，少年搖了搖頭說：「將軍不可冒進，還要把重心看顧在海外東寧，留得青山在，不怕無柴燒。」

「你這是何意？」鄭經疑心大起，深感有人和耿精忠同出鼻息。鄭經曾和乳母昭娘偷情，生下世子，惹得東寧百姓議論紛紛，從此個性丕變，剛愎自用，最後依舊沒有聽少年的勸告，決定自己出兵。

不料局勢果真如少年所言，一夕丕變。耿精忠投降清軍，康熙十六年，鄭經不但未將汕頭攻下，滿清大軍還殺入汀州、興州、泉州、漳州，占領了福建廣大區域。鄭經準備退往廈門，天地會百花堂眾兄弟亦隨之，鄭經一路上遭遇敵軍埋伏、軍隊叛變，幸虧少年有天眼通的能力，殺出重圍，讓延平王逢凶化吉，順利抵達廈門。

陳永華知道後，有意將少年擢至百花堂總閣的位置，但鄭經意圖復興，將其心思全放在練兵上，加上劉國軒、洪錫範等人和陳永華有心結，四處造謠生事，說百花堂不願讓延平王中興，四處阻止鄭經出兵，意圖將延平王坐困在廈門裡，使其自然生滅。

延平王聽到謠言後，非常生氣，拒絕再聽少年的建議。這一日，延平王竟然疑心病又犯，自己帶兵朝漳州攻去。果不其然，大軍遭到殲滅，延平王再度逃回廈門，自知大勢已去後，從此一蹶不振。兩年後清軍殺入海澄，劉國軒奉命棄守，返回廈門。鄭家僅剩廈門一處可以容身。大家聽聞清軍放出的風聲，廈門若不投降，待清廷大軍殺入後，必屠之。廈門百姓如驚弓之鳥，四處逃散。

少年給了延平王最後一個忠告：「廈門帆船十里，唯有退守東寧，來日方有復興的機會。」鄭經一心就要復國，聽到這樣的建議後，勃然大怒，拔出長劍欲誅少年，當長劍架在少年脖子上時，那少年用冷冷的眼神看著他：「將軍可別忘記了，您的未來我都看在眼裡。」

不久後廈門果然失守，鄭軍撤守台灣，鄭軍內部的矛盾加劇，陳永華掛冠求去，歸隱山林。少年已知鄭家的下場，不告而別，從此再無人知道百花堂裡的少年下落。鄭經從此意志消沉，再也未提及復國之事，終日縱情酒色、竟夕歡樂，最後病故於台灣。鄭經臨終前，命劉國軒授庶子鄭克臧監國劍印，但洪錫範欲立鄭克塽，兩派人馬鬩牆，洪錫範誣陷鄭克臧非鄭經親生，派人以繩索絞死他，其有身孕之妻陳氏，亦隨之投繯殉死，從此「夫死婦亦死；君亡明乃亡」。

康熙三十五年，也就是靖海侯施琅逝世這一年，府城熱鬧非凡，眾人自泉州同安迎來吳真人分靈，在水尾仔街設立了「吳真人廟」，李萬利的老頭家這日剛好帶著八個家丁，經過吳真人廟，見到一個人，在廟埕前教導眾人拳術。

學習拳術的都是福州籍的士兵，他們八個人依序擺出「達尊身、太祖足、羅漢步、大聖掌、白鶴指」等招式。兩兩套打，招招確實，讓人看了好不過癮。

「太好了！真是太好了！這是『宋江陣』啊！」李萬利的老頭家邊看邊喝采：「剛猛有力、腳步扎實，泉州南少林的拳術果然名不虛傳。」

這個領頭的人抬望眼，看了李萬利的老頭家：「這位頭家過獎了，但這並非『宋江陣』。」

「這不是『宋江陣』？」李萬利老頭家仔細看了，合計八人：「這打拳的人合計八位，的確不是宋江陣，但這拳法頗似泉州之風，人稱泉州是閩中少林，看先生打這幾個套路，想必您是泉州人吧！」老頭家說著：「泉州拳術始於晉唐、盛於兩宋，有五祖、太祖、羅漢、白鶴、大聖、梅花等拳路，又稱『福建南拳』。」

「頭家記得可真清楚啊！」那個人說著：「想問頭家來此，不是要見我們練拳，恐怕是另有貴幹吧？」

「好說！好說！」老頭家說：「我們只是路過，方才見你身手不凡，不知有無意願到我商號裡擔任保鑣？」

「看頭家的談吐，周遭的排場，想必是『李萬利』的大頭家吧！」那個人說著：「您大老闆打一個哈欠，全府城可就要感冒了啊！」

李老闆臉上立刻展現出得意洋洋的表情，那人看得出他的個性，笑著說：「李萬利保鑣只是用來保護『花瓶』。頭家的屋子裡全都是寶貝，我可不想當什麼保鑣，只想當個管帳的先生，至少還看得見銀兩，撥得到算盤珠子。」

李老闆臉色一變，心想著，你這隻癩蝦蟆打呵欠，竟然這麼大的口氣，我給你顏色三分，你真的開起染坊來，竟然說我是個花瓶：「這位先生可能不知，我李萬利已經有帳房了……」

「李老闆信不過我？怕我在帳本裡安插手腳啊！」那個人說著：「我可不是這樣的人……這樣好了，李老闆喜歡和人打賭，我就和你賭一把。」

「賭什麼？」李老闆一聽到「打賭」兩字，眼睛睜得大大的，劈頭就問。

「就賭疊羅漢。」那個人指著李老闆身邊的八個人：「您那八個兄弟和我們這八個士兵，比賽疊羅漢，誰先疊得高，拿到吳真人廟簷上的彩球，就算誰贏！」

「賭注是什麼？」李老闆是個商人，他眼睛骨碌碌地轉。

「我們若輸了，我就當您的保鑣，且不向您支領薪津。」他說。

「倘若是你們贏了呢？」

「那我就當李萬利的帳房，您也不吃虧。」那人說著。

李老闆這一想，天下哪有這麼好的事情，輸或贏都對自己有利，該不會是裡頭有詐，正在猶豫，只聽見那人說：「怎麼？您認為這買賣不划算啊！李老闆可別再核實計算了呀！這風聲若是放出去，人人可都會恥笑李萬利的大老闆是個膽小鬼、龜縮子！」

李老闆不堪人家激怒：「什麼龜縮子。俗語說『烏龜怕鐵鎚、王八怕秤錘』，我就跟你賭這一把！」

「那好。」那個人話才說完，便取了兩個紅布彩球，兩腳蹬了一下，腳尖再一個翻踢，人就像貓兒一樣，翻上了吳真人廟的廟簷。

眾人見狀，喝起采來，李老闆忍不住拍手：「好啊！這功夫使得絕妙。了得！真是了得。」

李老闆想了一下，這人功夫了得，若是不當他的保鑣，留作他用也不吃虧。這檔生意怎麼算都划算。李老闆看了上頭那個人，正在吳真人廟的兩旁屋角結彩球，自己看到旁邊有個豬肉攤子，心頭浮上一個詭計。

李老闆過去豬肉攤子和販夫聊了兩三句，對方給了他一個東西，他走了回來。接著走到那群練武的福州士兵身邊，笑嘻嘻地說：「各位都是習武之人，果然是英雄好漢！」

他伸出手來，找帶頭的大哥握手，那個人不疑有他，便與他握了下去。他感覺掌心一股黏呼呼、油膩膩的東西：「哎呀！是豬油，你使詐！」

這話還沒說完，上頭的那個人已經綁好彩球，大聲嚷著：「可以開始了！」

李老闆不說一句話退到後頭，兩組人馬七手八腳，在吳真人廟前疊起羅漢。上頭那個人，見吳真人廟旁有棵龍眼樹，在屋脊上翻了兩個跟斗，似頭靈巧的貓兒一樣跳到龍眼樹上，摘了兩串龍眼下來。不一會兒就到李老闆身邊，把其中一串遞給他：「李老闆，看人家打雜技，就是要吃些龍眼，解解饞！」

廟前的那群福州士兵身手矯健，三兩下就疊成羅漢，只差最後那一個人還沒上去，帶頭的大哥將手掌捧成碗狀，做一個踩踏處，讓最後那個人從他的手上，蹬到頂頭去。結果手掌捧成碗狀的大哥，剛剛被李萬利的老頭家在手上揩了豬油，最後蹬上去的那個人一時踩滑，往旁邊一倒，整個羅漢陣都倒了下去。帶頭的那個大哥指著李老闆大罵：「剛剛他作弊！」

「哎呀！我們技不如人，怎能怪李老闆呢？還是趕緊來過，以免落後李萬利家的羅漢陣。」那個人一面吃著龍眼，一面對李老闆說：「我說李老闆啊！您說是也不是！」

「當然！當然！」李老闆跟他哼哼哈哈，陪著他傻笑，心裡想著這個人腦子有問題，明知我使詐，還這樣說，分明是故意想輸，此等做何居心？

「李老闆心中該不會是想，我明知有詐，還這樣說，該不會是故意想輸，有什麼其居心啊！」那個人也嘻嘻笑笑回答。

李老闆這心頭的話被人點破，臉色一陣青、一陣白，嘴裡講著：「哪有？我可沒這樣想。」

反觀李萬利的羅漢陣，人人似乎有備而來。剛剛上陣前，李老闆已經交代夥計，給每個人手上塗抹了麵粉，果然產生了相當好的防滑效果，不到一會兒，羅漢塔也很快成形。

此時那個人嘴裡嚷著：「小心！」

他從嘴裡吐出了兩個龍眼籽，兩個籽就像是彈珠子般，直直飛了過去，彈在底座兩個人的足三里穴上，他們的腳忽然失去了力量，整個羅漢陣塌了下來。

「你使詐！」李老闆說著。

「好說！好說！我這魯班門前弄大斧、關公面前耍大刀，這是和李老闆您學的。跟您比起來，我還只是條小狗罷了。」那個人拱手笑道：「您還不快叫下人們擺陣，再不擺陣，我們可就要贏囉！」

李老闆回頭一看，廟前那群福州士兵，幾乎已經擺好羅漢陣，最後一個人也要攀上去了，他立刻大叫：「快擺陣！快擺陣！不能輸！」

李萬利的人立刻回到原地，但已經來不及了，廟前那夥士兵已經登上廟簷，摘下靠近自己這邊的彩球，士兵在廟簷上手舞足蹈。

「李老闆，願賭服輸啊！」那個人笑嘻嘻地說。

李老闆總算見識到威力：「願賭服輸，先生武功高強，在你面前我只能算是不自量力……但我不知先生算術功夫，是否如現在的身手這般靈巧俐落，這帳可以給你管，但我每天可要仔仔細細地核看。」

「您是頭家，查帳是應該的，帳冊給您過目，天經地義，理所當然。」那個人還是笑嘻嘻地說：「我這些兄弟們疊羅漢的功夫怎樣，他們可是人稱福州白龍庵的什家將！這拳路和宋江陣有些關係，剛剛您會誤會這是『宋江陣』，其實也不是沒有道理。陣的前後左右分別是甘、柳、范、謝四大將軍；最末是四季大神，原來有什家，今日卻只來八家！今口跟您的夥計較量個『敬酒包』，也只圖個一聲『不敢當』，眾人切磋武藝，不傷和氣。剛剛失禮之處，請李老闆多多包涵。」

「原來如此！」李老闆對他們的身手，也感到敬佩。

後來福州白龍庵也來台灣分香，也就是西來庵的祖廟，福州士兵所練的「什家將」，改了編制。歷史遠流，最後就成了膾炙人口的「八家將」。

李水神倒抽一口氣：「原來我們先祖還有這樣的起頭啊！」

這日記裡的種種敘述，都是父親自錦盒夾層裡的紙鈔錄下來的，這些隻字片語是帳房老先生自己書於薄紙之上，藏於床鋪下，李逵發現後夾於錦盒層裡，李逵自知裡頭藏有天機，當初要過繼給李羽，沒想到李羽氣焰正高，不願接受，才誤打誤撞流傳至今。比起老先生的身世，李水神更關心父親在二二八事件之後的發展，多翻了幾頁日記，從一個中斷的逗號之後開始：

我草草埋掉了錦盒，生怕國民黨軍隊發現我手上握有這些黃金首飾，冠了個欲加之罪，構陷我名譽。連續幾天台南的宵禁，讓人喘不過氣息的感覺，白晝不許行人在街上走，夜裡更有士兵來回巡邏。三月十五日之後，宵禁解除。我抵達台南運河旁，心想：若是從這裡跳下去，一了百了，那不豈好……

李少陽發現自己身上，沒有任何的錢。馬場先生給他的一些首飾、黃金，他連同錦盒埋在老宅的廢墟之中。他擔心國民黨軍隊回來，若是發現這些首飾、黃金，知道他是從日本人手上取過來，定會遭到誣陷。他見過士兵處決人犯的方法，知道他們的厲害，一朝被蛇咬，十年怕草繩。

正當他內心絕望時，發現地上有一顆沾了泥土，黑黑的東西。自己已經好幾天沒吃飯，本能地知道那是一個「食物」，立刻撿起來塞在嘴裡：「是蜜餞啊！好懷念的味道。」

從這一刻起，李少陽便打定主意要活下去。二二八事件淡化後，李少陽隨即加入了國民黨。跟著豺狼虎豹同行，讓他感覺更有自信。他挖出老房子廢墟裡，馬場給他的首飾和黃金後。隨即將首飾、黃金，還有永福路老家那塊土地變賣。

台南市的街道陸續變更成中國式的名稱：末廣町變成中正路、西門町變西門路、大正公園變成「民生綠園」、台南公園變成「中山公園」。接著攤開在李少陽面前的，是他完全不認識的台南市地圖：康樂街、建業街、立人街、衛民街……

他辛辛苦苦，小心翼翼，在政治上不留下一絲痕跡。在社交上，他總是以愛國商人的模樣自居，希望能在這波濤洶湧的怒海中，獲得一絲喘息。

他用剩下的錢，和歐雲明合夥，買下了中正路上的「世界館」，打算蓋一棟新式電影院，於是他成立了「三明企業社」。

李少陽若想當個正派的商人，就要有所依歸。他擔心用「新三民主義青年團」名義組織社團，會讓人聯想到二二八事件，遭到清算，於是設立了「台南三民主義愛國商人會」這樣的組織，這名稱裡隱含著對母親的思念，她的母親曾是日本時代「愛國婦人會」的會員，現在卻也不著痕跡地，隱匿在這大時代的保護色中。

李少陽靠著這層關係，遊走在現實與理想之間。政府有規定，設立公司行號，就要加入同業公會，於是李少陽選擇加入「台南市商會」，填寫申請表時，經辦人員見到李少陽的生日便說：「你這生日和我弟弟相同，你是端午節生的啊！」

「是啊！」李少陽見了辦事員，靦腆一笑。

「看你熱中三民主義，反共復國，成立了什麼『愛國商人會』，想必也是個愛國商人！」那個商會經辦人是國防部情報局的特工，故意把他捧得高高的。這些年，政府搞恐怖運動，凡是思想不純正的人，都有可能會招來殺身之禍，他故意旁敲側擊，想從李少陽口中聽到一點線索。

「商人愛國是必然，我最痛恨共產黨人。他們毒害了中華大地，又想血染台灣。若有志報國，我願意提起槍桿，奮勇殺敵。」李少陽講起場面話，臉不紅氣不喘。

「我看你是現代屈原吧！」那個經辦人拿起大印，在入會申請書上蓋上關防：「恭喜你啊！入會案通過了。你現在可是個不折不扣的大老闆了。你這企業社幹的是什麼行業啊？」

「我知道西方電影產業興盛，我想經營電影戲院！」李少陽說著：「我已經和人合夥買下了『世界館』。」

「這樣啊！你剛經營事業，要打理建照，辦理商業登記可不便宜喔。」那個經辦員又故意說了一次：「辦理商業登記可不便宜喔……」那個人小指微微彎曲，比出了個暗號。

李少陽看了一眼，知道他的意思。這是索賄了，於是便說：「當然，小弟初出茅廬，什麼都不懂。還請大哥幫幫我，打理門面，小弟才知道往後的規矩。」

那個人哈哈大笑：「多來我這裡幾趟，你就明白規矩長什麼樣子了！」

兩年後，中正路的「戎座」變成赤崁戲院，李少陽和富商歐雲明合作的「世界館」，就在赤崁戲院馬路對面，這一年也改成了「大全成戲院」；李少陽亦和富商歐雲明，將永福路老家對面的昭和年間建立的房子，改建成「第一全成戲院」。這時電影業正要興盛，台南百家爭鳴。台南在地的商人見狀，紛紛加緊腳步，投入戲院行業。

光復後五年，台南市已經不見任何日式招牌，娛樂場所也有了變化。日本時代的舞台，在媒體的改變下，紛紛由接手的本省人、外省人改制成電影戲院。民族路與西門路交叉的「南座」、成功路與民族路交叉的「大舞台」，全都暫停演出，轉變為現代化的電影戲院；被戲稱「艱苦座」的「宮古座」，改建成延平戲院。陸續還有南都、國華等戲院一一成立，歐雲明還開了另一家「小全成戲院」。光是中正路附近，就有十幾家戲院，一時蔚為奇觀，連帶當地行政區也改名為「電影里」。

民國四十五年，麥寮的拱樂社團主陳澄三出資，拍了一部台語電影《薛平貴與王寶釧》，第二年上映後，立刻在全台造成大轟動。畢業於東京藝術學院的導演何基明，立刻籌思下一部戲。

這一天導演來到台南，看見中正路上赤崁戲院和大全成戲院高掛《薛平貴與王寶釧》電影看板，電影戲院戰雲密布。自從電影進入有聲時代後，「辯士」的功能日益下降，但何導演定睛一看，大全成戲院門口還高掛著「末場加演：運河殉情記。辯士小孔明。」

導演向中正路底一望，那裡正是台南運河末段。左思右想，依稀記得日本時代有個感人肺腑的愛情故事，就叫做「運河殉情記」。但沒聽說哪個電影公司上映，怎麼大全成戲院有故事能說嘴？何基明對於民間體裁非常感興趣，於是買了一張電影票，進到大全成戲院。

《薛平貴與王寶釧》播完，何導演就見畫面一變，一個聲音開始講述故事。何導演先是嚇了一大跳，螢幕上播的是日本時代的《桃花泣血記》、《倡門賢母》和《一顆紅蛋》東拼西湊而成的畫面，琳姑成了陳金筷、德恩變成吳皆義，《倡門賢母》編成老鴇虔婆、《一顆紅蛋》裡不能人道的夫婿，成了吳皆義的情敵，辯士竟然能將死的說成活的、黑的說成白的。

雖然畫面和說故事的人，根本是雞同鴨講。但辯士功力一流，讓人不覺得這畫面是故意拼湊出來的。何導演對「運河殉情記」這個故事深深著迷，嘴裡嚷著：「原來台南還有這樣一段淒美的愛情故事啊！」

這個辯士不是別人，正是大全成戲院的經理李少陽。他將父親那個時代，陳金筷和吳皆義的運河殉情故事加以改編，說得更絲絲入扣、講得更感人肺腑。何導演記住了故事裡的地點、人物、情節，決定開拍成電影。

再過一年，《運河殉情記》正式殺青，赤崁戲院和大全成戲院，隔了一條中正路，雖是近鄰，卻因競業而成了死敵。赤崁戲院的老闆走出來，看見大全成戲院的看板畫工人，將「運河殉情記」五個大字掛上牆面，非常不是滋味：「如果赤崁戲院說是中正路上第二大戲院，沒有敢說他是台南市的第一大。對面那個大全成，肯定是跟我卯上了，招牌寫得那麼大，分明是和我搶生意。」

台語片這幾年流行模仿風，台灣有《金姑看羊》，香港就拍《金姑趕羊》；台灣有《雨中鳥》，香港就有《茫茫鳥》。《運河殉情記》也亦如此，劇本提早洩露，讓香港拍出了《運河奇緣》的戲，內容與《運河殉情記》相似，而且趕在《運河殉情記》上映的前一個月，就已經提前上檔。

赤崁戲院門口掛起《運河奇緣》的招牌，一旁寫著「香港永華影業出品，必屬佳品」、「江帆、白雲主演，正宗台語片」。

赤崁戲院老闆在門口敲著銅鑼：「來喔！無情運河埋豔骨，一坏黃土斷癡魂。富家子弟吳皆義邂逅南華座妓女陳金筷，老鴇勢利折騰了這對苦命鴛鴦，不看可惜唷！」

李少陽聽見，氣得破口大罵：「你聽一聽，赤崁戲院是怎麼個做生意的。弄了個香港的假貨來騙人，不給他們顏色瞧瞧，還當我們大全成戲院好欺負。」

歐雲明拉不住李少陽，只好任由他拎了個小鼓到門口，死命敲著：「唷嘿！赤崁樓頭月迷濛，冷笑人間多一墳。認清片名，拒絕假貨。全景在台南運河實地拍攝，本省故事、本省服裝、本省歌曲、本省情調、本省風俗、本省鄉音，跟那些外來的電影不一樣就是不一樣唷。」

赤崁戲院的老闆一聽，當場把桌上的鉛筆折成兩半。他拿著銅鑼敲得更大聲了：「無情最是運河水，一宵淹沒人去；暗恨沉沉，幽愁脈脈，空咽淚珠如許，臨流延佇……」

「來唷！來唷！看『運河殉情記』，憑大全成戲院票根，送高級肥皂一塊。認清片名唷，不要被假貨矇騙。上映頭一天：男主角劉皙、女主角柯玉霞隨片登台，答謝鄉親父老的愛護。香港人演的假片，就不會有演員謝幕，認清正宗台語大片：『運河殉情記』準沒錯。」李少陽叫喊得更賣力。

赤崁戲院老闆臉上冒青筋，左臉不斷抽搐，在騎樓下擺放著利家曲盤的《運河奇案》，嘴裡說著：「別聽其他人胡說八道，赤崁戲院大放送，憑票根抽明星花露水，真材實料，跟那些低劣肥皂冒充高級香皂不一樣……」

「不要臉！模仿精。」李少陽在大全成這頭，氣得七竅生煙，暗罵赤崁戲院老闆。

赤崁戲院老闆瞟了一眼大全成戲院的招牌，心底暗忖，嘴裡說道：「袂見笑！跟屁蟲。」

電影的戰火，炒熱了商業發展，其熱度不下於國共戰爭。新建國、金馬、實踐堂、後甲、子都、民族、封安等戲院，如雨後春筍，幾乎到了五步一戲院、十步一劇場的境界。台南火車站附近，靠近前鋒路的部分，開始聚居許多外省人，低矮的房舍沿著軌道旁而建。矮牆外寫著「三民主義、統一中國」、「保密防諜、人人有責」等口號。兩岸斷絕往來：斷航、斷郵、電報斷訊，唯剩香港的「唐光華信箱」，扮演著兩岸通信的祕密管道。

政治上的對抗，並未減損台語片的熱度。緊接著《廖添丁》上映，大全成把兩層樓高的電影看板，立在牆面外；赤崁戲院也不甘示弱，另外掛上《林投姐》的看板對打。俠盜大戰女鬼，廣告詞愈來愈誇張。

「話說廖添丁躲過總督府警察的追緝，飛簷走壁。一個人打死了三個巡查補。」李少陽發揮當辯士的功力，隨口瞎掰。

「你聽對面那個講話嘴角會牽絲，開口會流涎的人在畫虎蘭。他們艷彩講、你們不要黑白聽：林投姐是清朝府城的奇女子，被中國兵仔騙財騙色，始亂終棄，最後在林投欉內上吊自殺……」赤崁戲院的老闆話還沒說完，就有兩個穿便衣的人走進戲院。

「剛剛聽你說『中國兵仔』騙財騙色，你誆這樣的故事，是何居心？」一個看起來像特工的人說：「中國兵仔不會騙財騙色，你瞎掰這話肯定是要搗亂治安。飯可以亂吃，話不能亂講。」

「不！不！不！這是電影的橋段，不是我瞎掰。」赤崁戲院老闆嚇得冷汗直流。

只見兩個便衣拿出封條，往戲院門口一貼，那個特工說著：「赤崁戲院違規在先，電影禁演兩週。」李少陽見狀，暗自竊笑。這密是他告的，要是赤崁停演兩週，這廖添丁的票房，保證衝得高高地，穩坐台南市的電影冠軍。

從此赤崁戲院和大全成戲院，梁子愈結愈大，你有《瘋女十八年》，我就有《痲女瘋》；你有《春天後母心》，我就有《愛情十字路》；你有《王哥柳哥遊台灣》，我就有《兩傻大鬧歌舞團》。台南市民就是喜歡站在中正路頭，看兩家戲院鬥得你死我活。稍後，南都戲院安裝了冷氣，成了台南市第一家設有空調的戲院。往後還有王子、王后、國花、麗都成立，戲院市場變得更激烈，電影院的市場也趨於飽和。

李少陽發生了一些事情，耽擱了數年。時光荏苒，旅日華僑黃秋茂，在鯤鯓海邊建了「秋茂園」。鐵路開始電氣化、台視開播，高速公路經過台南縣永康鄉、新市鄉、仁德鄉等地，對經濟發展有很大的貢獻。大造船、大煉鋼、大石化廠，紡織業開始興盛，中山堂旁的土地由遠東紡織購下，遠東百貨台南民族店正式成立，現代化的百貨公司，開始屹立在街頭。

幾年後，中正路底出現了一幢建築：那是由李祖原設計，北屋建設公司興建，外形為金色歇山式屋頂，襯托白牆、斗拱，搭配中式窗櫺，上頭由蘇南成市長題字的「台南中國城」成立。

中國城是一個小吃街，裡頭有棺材板、鱔魚意麵、鼎邊銼……琳琅滿目、不勝枚舉，裡頭號稱是台南小吃的大總匯，開幕當天立刻造成了話題。

「中國城！」李少陽因為「那個事情」，遭到了冤屈，當他再度回到大全成戲院，覺得自己應該也該自己出去闖一闖，自己待在電影院前後將近十多年，娶妻生子，兒子長大，自己也已經是個五十多歲的中年人了。這中間發生了許多離奇含冤的事情，這林林總總，有喜也有悲、有苦也有樂，那個「錯誤的年代」改變了他的一生，瘸了的腿，再也喚不回。台灣社會歷經了退出聯合國、中美斷交等事件，這也使李少陽愈發感覺到，國家正處在風雨飄搖之間。

他不怪政府、不怪國家，只怪自己生未逢時，活在這樣的年代。現在他自由了，解脫了，再度回到戲院來。但總覺得是寄人籬下，不是自己當老闆。這一天他見到歐雲明，便對他說：「我想自己去闖一片天，可能不能留在這裡幫忙了！」

「少陽跟我們打拚那麼久，電影產業還非常有活力，怎麼就放棄了？」歐雲明說。

李少陽知道台灣電視開播，他聞到一股時代改變的味道，知道世界即將不同，而他也必須改變，否則就會埋沒在這股洪流之中，他指著路底的中國城：「你看，那個地方非常熱鬧，可以吸引這麼多人潮。我想經營一家屬於自己的店，我這『三明企業社』，這十幾年來沒什麼作為，實在對不起我自己。」

歐雲明知道老朋友的意思：「既然你這樣說，身為你的好朋友，也就不方便多留你在這，限制你的發展。也祝福你的事業蒸蒸日上！」

歐雲明拍拍他的肩膀：「需要老朋友的時候，就說一聲。」

「知道了！」李少陽說著。

第十二章：海安路

夜幕低垂，中秋節後趁著妻子又出國的日子，李水神在安平港租了一艘海釣船準備出海，白色的船身寫著「海神一號」，五十噸級的新船，最大航速二十二節，船上配有無線電、一個廚房，還有一具三百六十度的水底探魚聲納。船長推薦的軟絲釣場，在安平北堤外五海浬處，通過海巡檢查哨，李水神已經迫不及待把軟絲釣竿架在船邊，他戴好帽子，掛上探照燈，將船長給他的木蝦勾在魚鉤上，準備來個活餌釣。

章魚、烏賊、軟絲這種頭足綱生物的智力，在生物界可是首屈一指的高。死蝦不吃、不動的蝦也不吃，無論是章魚或軟絲，他們的嘴可是挑剔得很。船緩緩前進，最後不知怎地，停了下來，船長把菸頭丟進海中，嘴裡不斷咒罵：「林老師勒！」

原來是引擎熄火了，海釣船設備極好，照理說不該有這些問題。李水神感覺有幾滴雨珠子掉在身上，他抬頭看向黑漆漆的天空，剛剛風從船艄吹來，現在船身轉了方向，開始從橫向切來，他心中有種不祥的預感，氣象預測不是說天氣晴朗，怎說下雨就下雨，難不成等一下還會落雷？

心底是這樣想的，那事便這麼發生了，一道紫紅色的閃光劃亮天空，照亮了海面，李水神心訑自己烏鴉嘴：他奶奶的，今日還挺邪門的，老天爺可真會捉弄人，早上還見豔陽，夜地裡就翻轉成晚娘。以往出海釣章魚，可也沒像今天這樣，問題一籮筐。下午海神一號出海左舷離岸，船長以右滿舵快車開艉[26]，差點撞上後方護岸；在上一個釣場，弄丟了木蝦，現在的假餌是向船長借來的；又例如剛剛安平燈塔外兩海浬退俥時，險些撞上中央氣象局的海象觀測浮標；繞了半圈後，又發生船艏太高，船身左右搖擺的情況，李水神忽然一陣暈眩，從茶壺裡倒茶出來，喝進嘴裡，含在口中的菊花茶，全吐到海水裡：他懷疑船長是把「海神一號」當跑車開。

「倒楣透了！」船長走出駕駛艙，抱怨起來。李水神嘴裡哼了一聲，還沒開口說話，天空便下起嘩啦啦的大雨。船長拿出手機，上頭已無任何電信訊號，他遮遮掩掩、謹慎小心，生怕淋到冷雨，忽然手這麼一滑，手機硬生生掉到海裡：「見鬼了，怎會如此不順遂……」

「你還有無線電不是嗎？聯絡海巡署吧！」李水神說著。

「且慢！山人自有妙計。」此時船長回到艙內，在廚房的大同電鍋旁，找了一把飯匙出來，作勢扒龍舟。李水神見狀便問：「你這是幹什麼？」

「划水仙啊！」船長說著：「你不知道這是古老的習俗啊！」

民國一〇〇年七月，台南延平郡王祠酷暑難耐，四周的蟬聲吵人清幽，更讓人煩躁不安。台南市政府派出大批員警協助戒護，一個木箱緩緩送到延平郡王祠現場。

記者會安排在鄭成功文物館前，市長特別出席。眾人引頸企盼下，寶物送至會場，外頭懸掛了大旗子，寫著「水神：明清航海特展」，旗子和海報下方協辦單位頭一排，正是「小南百貨集團」。李水神應市長之邀，在他之後致詞，李水神見過許多大場面，但初次參加文教活動，難免還是會緊張，他站起身子，接過市長手中的麥克風，步伐沒站穩，差點跌倒。

他滿臉困窘，站妥後開玩笑：「我剛剛是故意跌倒，以免各位把目光鎖定在寶物上頭……」台下哄堂大笑，李水神繼續說：「小南百貨行在台南經營三十多年，深根台南，去年甫上櫃。很榮幸能有這個機會，成為特展的贊助商。等一下各位看見的這件寶物，是英國牛津大學圖書館所收藏的《順風相送》一書。兩百多年前，一艘由美西航行到日本的英國風帆戰艦『雄獅號』，經過台灣海峽，發現了這本《順風相送》，將它帶回英國。往後，它成為牛津大學圖書館的鎮館之寶……」

底下眾人竊竊私語，李水神繼續說：「我自己也喜歡釣魚，特別是近海的魚釣。對於台灣海峽，我算認識頗深。當時台灣海峽，貿易頻繁。或許遺失這本書的人，正是你我的祖先。這本書，代表東西方的交流，也希望透過這個特展，傳達世界和平的理念……」

李水神下了台，妻子拿了一條手帕替他擦汗：「你怎麼能講這麼多話！」

「妳不知道，這就是商人厲害的地方！」李水神吐了個舌頭。

他的妻子冷冷地說：「三寸不爛之舌。」

26 開艉：以船尾為首前進，相反則稱「開艏」。左舷離岸時，應以右滿舵倒車開艉離開。

事實上，特展前三年，也就是民國九十七年，小南百貨行才勉強度過金融風暴的洗禮。李水神和他的父親不一樣，埋首在高風險的金融商品之中，難免會踩踏到地雷。雷曼兄弟倒閉，李水神一口氣損失八千多萬，虧掉了小南百貨三分之一的資本額。緊接著是零售買氣下降，門市人人叫苦連天。

李水神總算體認到，這富貴來如浮雲、去如浮萍，探不到、摸不著、留不住。第二年夏季，審計部公布消費券整體報告的那一天，他一路來到以前老家附近的海安路，在永樂市場吃了一份「金得春捲」、嗑了一碗「富勝號碗粿」，再點了杯「水仙宮青草茶」。忽然覺得神清氣爽，今天他好似不是大老闆，而是一介白丁，沒想到當庶民的滋味，是這樣令人難忘：「阿吉師，你這青草茶裡加了什麼？喝起來好清爽。」

「這裡頭有鳳尾草、魚腥草、咸豐草、萬點金……都是退火的聖品！」青草茶店的阿吉老闆活力十足：「李大老闆做五金生意，每天坐董事長辦公桌，我還可以特別加幾味料。你若覺得眼睛乾澀、身體疲倦，就加決明子、石斛，變成『明目養肝青草茶』；如果晚上回家，還要跟嫂夫人領加班費，就加淫羊藿、紫稍花，變成『蹦蹦跳青草茶』。」

「不用了！男人過了四十歲，就剩一張嘴。我正好只剩這張嘴，用來笑、用來吃、用來流口水，舌頭在嘴皮子裡轉來轉去，老婆都說我舌頭靈活……台灣話有諺：吃老有三壞，哈唏流目屎；放屁兼滲屎；臭耳郎兼厚話屎。老人站著就想坐、坐著就想睡、睡又睡不著。我這上車買半票，掛號就領藥，我老婆叫我不許再蹦蹦跳。」李水神東拉西扯，跟老闆抬槓，阿吉老闆哈哈一笑，再送來一杯招待的青草茶。

喝完青草茶，擦了擦臉上的汗珠，市場攤販熱情地招呼。他逐一寒暄，最後走進水仙宮中。他上前拜了拜水仙尊王，看到旁邊的籤筒，心想不如抽一個籤詩好了。他站回拜殿，虔誠祝禱，拿起籤筒甩動，一根竹籤掉了出來。李水神用筊杯示了神明的意，到籤櫥子領了一張籤紙：「一舟行貨好招邀，積少成多自富饒；常把他人比自己，管須日後勝今朝。」籤頭寫「管鮑為賈」。

「這是上上籤啊！」

李水神抬起頭，便見到廟祝站在旁邊，笑容堆滿面。

李水神的父親還在當大全成戲院經理時，就認識了李水神的母親。當時能來戲院看戲的女子，表示家境還不錯。李水神的母親是個醫生世家，和烏腳病之父王金河有交情，時常到北門鄉一帶義診。兩人很快便墜入愛河，從認識到結婚，不到百日。歐雲明常笑這個老朋友，要不是他把頭髮梳得三寸高，也不會去勾引到他老婆的魂魄。

三年後兒子誕生，感謝水仙尊王的保佑，他特別把孩子取名為「李水神」。孩子出生後，李少陽的運氣似乎愈來愈好。這一天傍晚天氣熱，李少陽決定和妻子，帶著孩子一同到中山公園散步。穿過花苑、噴水池，繞過假山、燕潭，最後到了「重道崇文坊」前。李少陽夫妻見到一個人，站在牌樓下張望。

李少陽立刻認出這個人的模樣：「您該不會是吳三連[27]先生吧！」

那個人回過頭，見了李少陽：「請問您是？」

「您可能忘記我了，我是李少陽！」少陽自我介紹著。

妻子抱著孩子到公園裡四處逛逛，少陽和吳三連曾在台南商會有過一面之緣，久未見面，說起經商之事，兩人很快就熱絡起來。吳三連看著「重道崇文坊」，若有所思地說著：「教育真的是很重要的一件事……」

「吳議員事業這麼成功，也還關注教育議題啊！」李少陽問。

「你不覺得商人蓋學校是一件了不起的功德！」吳三連指著牌坊說：「重道崇文坊是嘉慶二十三年，朝廷表彰府城元美號商人林朝英，捐錢重修孔子廟的義行，特地建造的牌坊，當時三郊出錢又出力。日本時代，要開設大正公園，拓寬綠町，拆掉了龍王廟，要不是林朝英的後人積極奔走，把牌坊遷到這裡來。今日就不能一窺先人的風采了。」

「吳議員說得很有道理，只是歷史潮流浩浩蕩蕩，府城三郊今安在？」李少陽補充：「三郊得罪日本人，三益堂早已片瓦不留。商人在時代裡生存，便要懂得自己分寸……」

吳三連心有所感，他也不敢多說，只因自己在宦海浮沉，見多了政治的算計和嘴臉，在牌樓下，忽然感到一股清新的涼風，吹得他通體舒爽：「重道振儒風坊表榮哀海外，崇文遵聖治爵銜寵錫雲中。」

李少陽跟著吟道：「義舉著黌宮碩望與文章並重，綸音光石碣芳名共道脈俱長……」

李少陽望著樹隙篩下來的暮光，天空紅通通地，再次應驗了那無限好的景致。美景當前，李少陽卻有一股莫名的感動，在內心激盪：「不知道我要怎樣做，才能像您一樣成為一個優秀的商人？」

吳三連嘆了一口氣：「你太抬舉我，我可擔當不起啊！」

「客氣了！」李少陽心想：您若不是優秀的商人，還有誰是呢？李少陽深知，商人建學校，正如林朝英修孔子廟一樣，在為自己立功德，樹聲望，他心中燃起一絲小小火光，如果有那麼一天，他也願意盡些綿薄之力，在教育上花些心思。

李少陽在牌坊下聽完吳三連的話後，深受感動，連續幾日奔走，最後託人在水交社附近花了二十五萬，買了一塊土地。水交社屬於台南郊區，地價原本就不如市區內高，又靠近五妃廟，清代中期以後，就是台南著名的大墳場。日本時代這裡建好了八百人座的野球場，周遭規畫成公園，光復後野球場改成市立棒球場，但商業機能始終不興盛，直到近幾年，才略有改變。

李少陽所購的那塊地旁邊已有幾間學校，水交社周邊儼然成了個小文教區。

國共內戰加劇後，附近入住大量撤來台灣的空軍官兵家眷，形成了志開新村。水交社地名是在日本時代，由日本海軍成立的招待所「水上交誼社」而來。

韓戰爆發後，美國對台援助，美軍十三航空隊進駐台南，水交社成為美軍俱樂部、美僑學校所在

27 吳三連：日本時代生於台南學甲，曾任第一屆台北市民選市長。台南紡織、環球水泥，太子龍紡織董事長，身兼國賓飯店、省屬彰化銀行的董事。辦學延平中學，擔任鹽水「私立天仁高級工商職業學校」的董事長，與辛文炳、吳修齊、張麗堂等人，創設了「私立南臺工業技藝專科學校」，今南臺科技大學前身。是商界「台南幫」要角之一。

地，附近酒吧、夜總會、舶來品店林立，每天晚上都會上演美軍大兵泥醉，擁著風騷的金髮洋妞，隨處吐完與便溺後，像個外國的大皇帝般，對搶生意的三輪車夫指來指去，車夫們為搶奪生意大打出手，洋妞們見狀鶯燕俳笑。洋酒一瓶接一瓶抄、洋妞一個比一個騷，雖不算酒池肉林，但與金迷紙醉亦不遠矣。水交社這個時候，看來就像是個美國的小租界一樣。

李少陽原本想利用這塊土地開個小店，做美國人的生意，但他想起吳三連的話，還是決定辦學興邦。他對於教育事業雖然一竅不通，但就像被火柴點燃的一捆乾草，熊烈起來便一發不可收拾。他心中理想的中學教育，是教授西方科學、工商理論，兼授孔孟思想。他認為唯有在教育中，找回屬於中國的傳統核心價值，才能開創學生們的無窮未來。

李少陽左思右想，最後決定用《孟子》裡的那句話「獨樂樂不如眾樂樂」做為校訓。若能以獨樂之私，謀眾樂之福，那何嘗不是社會國家的福氣，而「眾樂中學」的興建藍圖，便這樣逐漸在他腦海裡成形。

連續幾日，李少陽都是吹著口哨上班，這天他抬望頭，指揮著工人替戲院外換上新的電影看板，和赤崁戲院的大戰未曾停歇，對手被禁演，現在中正路可全成了大全成的天下。李少陽到票房裡稍微查了一下售票的狀況，隨便從口袋裡掏了綠色一張百元鈔票，給售票小姐：「喏！給妳做小費。」

「李大哥今天是怎麼了？難不成發了大財！」售票小妹又驚又喜，請布莊做一套旗袍，大約兩百元，這大約是放映師一個月的薪水，也大約是公務人員月薪的三倍。這一百元對她而言，簡直就是一筆意外之財，她不斷道謝，只差沒有跪下來給李少陽磕頭。

「小事一樁！不足掛齒。」李少陽揮了揮衣袖，往內場走去。漆黑的戲院裡，他看見了放映室門沒有關上，裡頭冒出了陣陣白煙。李少陽原本以為放映室失火，走到裡頭才發現，原來是放映師老羅嘴裡叼了根菸，他剛剛換磨損的底片，剪斷後用丙酮做了初步的修復。

「菸頭小心點，掉到丙酮裡，你我都要喝西北風了！」李少陽語句輕緩緩，但聽得出他有責備的意思：「下次再讓我瞧見，你就去對面的赤崁戲院上班。」

老羅知道自己太大膽，趕緊滅掉香菸：「經理抱歉。我下次不敢了！」

話才說到一半，放映室牆上的紅燈亮起。老羅熟練地將放映機切到另外一台上，外頭螢幕立刻從《大間諜》，變成古裝猥褻片《穿花蝶》，畫面上的唐代公子哥，摟著兩個裸女上下其手，嘴裡嚷著：「穿花蛺蝶深深見，點水蜻蜓款款飛。」話才說完，一男兩女便哼哼哈哈起來。

老羅對這檔畫面看了幾千回，坐在放映室裡端端正正，猶如君子堂中坐，分毫沒有感覺。李少陽坐立難安，正想和他講幾句大道理，卻被那電影裡花蝴蝶的嬌喘聲，攪擾得連話都說不清楚，他滿臉通紅，只好閉上嘴巴。此時牆上的紅燈熄滅，老羅又將畫面切回了《大間諜》。

「你做這工作，可也辛苦！」放映室原本就很熱，李少陽現在感覺更熱了，所幸電影放映恢復正常，心頭有鬆一口氣的感覺，他這一說出口，兩人都覺得尷尬，李少陽立刻轉移話題：「你來我們大全成戲院工作多久了？」

「三年了！三年又兩個多月。」老羅說著。

「這麼久啦！」李少陽有些驚訝，他只知道之前的放映師，打算去善化的金都戲院，後來戲院貼了三個月請人的紅紙，才請到了現在這個放映師。電影在這個年代，是當紅的產業，放映師奇缺無比，老羅沉默寡言，李少陽原本以為他小學畢業，就出來當學徒，聽他的口氣，似乎有念過一些書，底子不錯。

在大全成戲院電影放映室裡，兩人相談甚歡。李少陽跟放映師暢談自己的人生觀，興致一來，隨手拿起一張剛剛從票房拿出來，回收的「大間諜」電影票根，在上面寫了「獨樂樂不如眾樂樂」，背面寫著「二十五萬」。

李少陽打賞了老羅兩百元，附帶上這張票根，開玩笑地說：「這張票就給你留著，你就當作是你中了愛國獎券。」

「我中了二十五萬的愛國獎券。」老羅摸著頭，丈二金剛問：「為什麼？」

李少陽把興建眾樂中學的事情，同老羅說了一遍，他頻頻點頭。最後李少陽說：「我看你念過一些書，如果學校建好了，我就聘你當學校總務主任，這張票根算是契約，給你先預支三年的薪水。」事實上，李少陽此番話玩笑的成分居多。

李少陽心情輕鬆，這打賞眾人的錢花得爽快乾脆，當商人至今，就屬今天感覺最為充實。雖然他不似吳三連那樣，是個世紀的巨人，但今日之所作所為，在巨人腳邊跟隨，也不覺得自己的身影渺小。李少陽喜形於色，一開心起來便得意忘形。兩人鬧哄哄，高興過了頭，便在放映室裡唱歌。老闆歐雲明聽到放映室裡的歌聲，氣得不得了，跑到裡頭大罵。李少陽知道自己錯了，摸摸鼻子鑽了出去。內場裡的觀眾聽到吵鬧聲，都把頭轉到放映室這裡，這回紅燈又亮起，老羅立刻將螢幕切換成豔情片《花和尚》，肉體交纏總是能改變所有人的注意力，大和尚邊念經邊和女鬼淫媾，這南無觀世音菩薩，早就把人鬼全送上了極樂天堂。

這天夜裡，大全成戲院旁巷子昏暗。野狗吠了幾聲，很快就恢復寧靜。天空圓月高掛，老羅照往常一樣，走出了大全成戲院，很快就被國民黨特工圍上來包抄。

「你們幹什麼？」不待老羅的叫嚷聲止息，眾人已摀住他嘴巴，將他綁架帶離現場。到了午夜，另一輛黑頭車從台南市衛民街的憲兵隊出來，再度駛往大全成戲院。李少陽和妻子、兒子住在二樓放映室後面的通鋪中。李少陽還在想著未來建立學校的事情。他躺在床上，側過頭看著妻子的身軀，兒子李水神乖乖地睡在母親的身邊，一時便感覺幸福洋溢。

自從二二八事件以後，他就再也沒有這種感覺了，如今幸福感再現，應該也算是一種福氣吧！他想：等這蓋學校的事情都完成後，肯定就能對自己有個交代。正當他要闔上眼睛時，戲院樓下傳來急切敲門的聲音。

李少陽起了身，妻子也被驚醒，她看了李少陽一眼：「這麼晚了，戲院又不是醫院，是誰在深夜敲門啊？」

李少陽擔心會驚醒兒子，便說：「我下樓去看看！」

妻子有種不祥的預感：「我想還是別去了，這麼晚了，是不是歹人啊？」

「那怎麼可能，台南治安可是好得很，妳可別想太多。」李少陽悠閒地走出房間，發現老羅的房間門是打開的，心想現在外頭敲門的人，該不會就是他吧！戲院老闆歐雲明不住在這兒，老羅住在戲院一樓的小儲藏室裡，以前李少陽夫妻很少和他說話，今天心情大好，和他聊了許久，對他的觀感也漸漸改變，李少陽知道以往老羅生活相當規律，鮮少與人互動，有時候夜裡會出去，不明白這麼晚了，怎還在外頭？

「來了！來了！你是不是忘記帶鑰匙？」李少陽對著門喊著，他想都沒想，順手便開了門。外頭站著的不是老羅，而是兩個憲兵，他們夜裡看起來惡凜凜，活脫是城隍廟裡派出來索命的凶神惡煞。兩個憲兵擁上來架住他，其中一人說著：「你最好乖乖跟我們走。」

李少陽在夢中不知走了多長的路，他感覺自己走在荒涼的沙漠上，嘴巴好乾好渴。太陽毒辣辣地，要把大地給曬乾了，他看了看四周，只有一株仙人掌孤立在沙丘中央，他望了望天際，天空藍得不像話。正當他四處張望時，他感覺起風了，冰涼涼的觸感：天空的邊緣開始攏聚烏雲，黑色的積雲交雜著閃電，由遠而近，雷聲由小漸大。他跪了下來，倏地雨水如山洪般宣洩下來，像瀑布一樣打在他臉上。

李少陽全身溼漉漉，他的雙手被手銬鎖住，一條鎖鏈從天花板垂下來，與他的手銬銲在一起，他雙手舉得高高地，身子垂軟軟地沒法好好站著，他的身子左搖右晃，就像個釣魚的鉛錘，當他身體晃動時，鐵鎖鍊便會發出釘鐺聲。

「你終於醒啦！」一個聲音說著。

李少陽知道有人對他潑水，他睜開眼睛，頭髮、全身溼淋淋地，就像從河裡爬出來似的，水珠在髮尖前凝聚，最後落了下來。他記得開門後，兩個穿著甲式憲兵服，左襟胸前配戴金質「憲兵勤務徽」的陸軍憲兵，把他帶出大全成戲院，之後便送到這裡來，李少陽問：「這裡是哪裡？憲兵隊嗎？」

正前方那一盞燈光特別明亮、特別刺眼。燈光後面有個黑色的人影，坐在那裡，兩手托著下巴，燈光太亮因而無法目睹他的真面目。李少陽可以感覺四周就是黑，恐怖的黑、無止盡的黑。李少陽本能性地打了個寒顫，這讓他想起了大正公園前湯德章律師被槍決的景象，他有種感覺，自己將活不過今天。

「李少陽，民國十年生，台灣省台南市人……」那個燈光後的影子，低沉且帶著磁性的聲音說著：「你當過日本軍夫，殺過中國人吧！」

李少陽不說話。那個人似乎坐在那裡，托著下巴的手垂了下來，緊接著不停地翻閱一些資料：「台南三民主義愛國商人會……你成立這個組織，是做何名目？該不會是個幌子吧！你真當你是屈原啊！」

李少陽不知道自己為何在這裡，也不知道究竟發生了什麼事。只聽見那個人繼續說：「你跟『廖文毅』到底是什麼關係，跟著他們搞台獨活動？」

「台獨？」李少陽第一次聽過這樣的名詞，在這個封閉的年代，是沒有新聞自由的，他對台灣共和國流亡政府，在海外發生哪些事情，做過哪些舉措，卻也毫無所悉。

「你不要再裝蒜了，『羅鐵利』是台灣共和國台南聯絡人，兼廖文毅偽政權的外交部長，你瞧瞧這是什麼東西！」那個人站起身子，把一張小紙遞到他面前。

李少陽想要抬頭看一眼那個人的長相，但腦袋卻似幾百斤重，他連脖子都沒法兒動一下。那張字條遞到他目光前，他看了一眼，立刻就認出那是他在放映室裡寫給老羅的東西，票根上的文字清清楚楚。那個黑影念出上頭的文字：「『獨樂樂不如眾樂樂』是什麼意思？你給台獨團體樂捐了二十五萬？這句話是顛覆政府的暗號？你們用了『大間諜』的票根，想必你也是台獨的大間諜，陰謀詭計想搞垮中華民國政府？」

「不是這樣的，不是這樣的。」李少陽喉嚨乾燥，他用沙啞的聲音說道：「那是一間學校，是學校的名字。」

「學校？什麼學校？」那個影子冷冷地說：「台獨組織還有學校！」

「那個學校還沒有蓋出來！還沒有設立。」被質疑的李少陽立刻澄清：「我在水交社買了一塊地，想要辦教育，建一所學校。」

「水交社，那不是在台南機場的跑道頭嗎？你們到底有什麼企圖？該不會是想用高射砲，把飛機打下來吧！」那個影子咄咄逼人，讓李少陽一時無法招架。

「武器我不懂，我真的沒有謀反的意思！」李少陽萬念俱灰，一度以為，自己就將死在這個地方。他腦子裡閃過湯律師死後悽慘的模樣，酸豆樹下的屍體，眼睛睜得大大地，地上早已分不清楚是腦漿，還是子彈進入臉部後，所炸出來的肉屑……

「喔！」那個影子說：「有人聽見你和羅鐵利，在大全成戲院的放映室裡唱歌，你和他哪敢情好，一個稱兄，一個道弟……」

李少陽心裡閃過一種不好的預感，這欲加之罪何患無辭。

那個影子說：「你只要乖乖地吐實話就好，我給你一條生路！一條指引往光明而去的道路。」那個影子走回燈光後面：「只要你說出實話，你就會被赦免……你也知道，法律是這樣規定的。意圖破壞國體、竊據國土，或以非法之方法變更國憲、顛覆政府，而以強暴或脅迫著手實行者，處七年以上有期徒刑。以暴動犯罪者，首謀處死刑或無期徒刑。我想，你也累了。只要你招出從犯，我立刻就放你走。否則被判軍法，這可不是鬧著玩。」

「我真的不知道什麼是『台獨』！」李少陽氣若游絲：「要我招什麼？我無從招起，我若是受了刑，豈不冤枉死了……」

那個影子似乎非常生氣，用力地拍了桌子一下：「他奶奶的，不要考驗你爺爺的耐性。我給你一天的時間想一想，等你想清楚了，再告訴我。」

那個影子把燈關掉，接著打開後面的門走出去，一道光線透了進來。他在黑暗的空間裡，就像飄盪在浩瀚無垠的宇宙，一點點聲音，都會被放大好幾百倍。

靜靜地，外頭不知是幾天的白晝，幾天的黑夜，不知時間走了多久、多長。這樣漫長的一分一秒，等待著秒針從這個時空，跨進另一個時空。李少陽心底呢喃著：我死了嗎？還是我活著？抑或是我已死去，今生又再輪迴而來……正當他胡思亂想的同時，長廊傳來憲兵甲鞋踩踏在地板上的摩擦聲，他們打開一間房間的鐵門，似乎拉出一個犯人，給他用刑。

李少陽可以聽見腳鍊和鐵球在地板上碰撞的響聲。李少陽環顧四周，眼前依舊是一片黑，他不清楚那個被帶走的人，下場如何。沒有哭泣因此沒有悲哀；沒有朗笑因此也非狂喜。死刑？槍斃！還是無罪？釋放。

不知過了多久，也不知道幾日、幾週還是幾個月，李少陽被刑求逼供，弄瘸了自己的腿，最後被警備總部軍法處，判刑八年。接著被送至台東的泰源監獄，稍後轉往綠島。

日升日落、冬去春來。李少陽在獄中獲得了「表現良好」的評語。又過了兩年，蔣介石去世，李少陽被減輕刑度，在那一年李少陽終於活著走出了監獄，天空還是那樣一片清藍。李少陽嘆了一口氣。

李水神細細循著文字的蹤跡，發現了這段父親很少提及的往事，日記本後頭好幾年的某一天是這樣記載的：

> 我還記得監獄中那樣的夜，是沉默地、不語地。我在裡頭的每一天、每一時，甚至每一秒，無不切盼著離開後，如何做個對社會、對國家都有用處之人……

「是這樣的啊！難怪小學的時候，媽媽都誆我他出國經商去了。」李水神永遠記得父親回到台南的那一天，母親特別帶著他，到公車站去接他。

那時候他想，眼前這個看來邋遢，走路一跛一跛的人，究竟是誰啊！

「叫爸爸！」母親說著。

小時候的李水神看了他一眼，心裡冒出了好多的問號，這個人真的是我的爸爸嗎？

回到大全成戲院，歐雲明辦了一桌酒席，也請人煨了豬腳，拌成了豬腳麵線，給李少陽接風。戲院裡有台獨分子混在其中，大全成戲院差點就經營不下去，但不知怎麼地，這幾年管區來噓寒問暖的次數少了、查戶口做調查的也少了，歐雲明似乎也聞到了政治氛圍在改變。

歐雲明一開始就不相信李少陽有罪，聽他把來龍去脈說了一遍，也只能嘆息。中正路底的中國城就要開工，李少陽也不打算在戲院上繼續，跟歐雲明說出了他的計畫後，便動手準備開店的事宜。

水交社那塊土地，原本要用來蓋中學，經這事情一鬧，計畫只能改變。最終將那塊土地捐給台南高商，另外，他又捐了一些錢，給學校興建蔣故總統的銅像，銅像下方寫著「永懷領袖」四個大字。台南高商校長在銅像揭幕那天，握住李少陽的手，直誇他是個愛國商人，校長不知道，他曾經在監獄裡度過好幾個年頭。

「李老闆的腿，是怎麼了？」台南高商的總務主任也注意到他瘸了的腿。

李少陽見過大風大浪，回到商場上，讓他更加老練：「喔！這沒什麼，就以前年輕時候做些粗活，傷了腳踝。」

李少陽開始運作「台南三民主義愛國商人會」後，事業漸漸上了軌道，稍後又重新加入國民黨，加上他細膩的手腕，很快就成了紅頂商人。他先在海安路上，以「小南五金行」為名，開始販售五金用品。

人人都稱李少陽規畫的這塊商業地，是台南的「中華商場」。海安路也因小南五金行，加上附近的沙卡里巴[28]，頓時熱鬧起來：中正路有中國城，海安路有五金街，大家第一次發現，原來台南可以這樣繁榮。

小南五金行開業一年後，生意愈來愈上軌道。李少陽靠著收租、五金販賣開始累積財富。這一天，眷村的一個穿便服，已經退伍的連長，來到小南五金店裡。

這個退伍連長東看西看，拿了個鍋子起來：「買你這鍋子，可以掛票眼啊！」

李少陽鑽出頭，看了看這個人：「士官長您要買什麼？」

「罩子放亮點，我這模樣像士官長嗎？」那個退伍連長拿起鍋子，又看了他一眼：「我在家裡搬火山、掛順風，出門撒老爹、把天皇，我這可是戴一顆梅花的，可沒人敢叫我一聲士官長。」

「原來是連長啊，可要叫您一聲連長好了！」李少陽站得直挺挺，給他行了個禮。

「你這小南五金行，開在這裡一段時間了。看你早上店門外都掛國旗，我可沒來給你『高官』過啊！」退伍連長說著。

李少陽一開始，沒聽懂什麼叫「高官」，後來想到台語的「交關」，也就笑了：「我這掛國旗，是因為我認為國家很重要……連長來給我捧個人場，我就很高興了。這個鍋子實用，您先拿回去用，若覺得不錯再付錢。」

「你這可就對點了，當老闆要像你這樣做生意！別人才會來給你『高官』。不像歪個角那家阿菊雜貨店，裡頭那個矮羅妹，嫁給了姓馬的老屁股。給她買幾罐馬尿，賒個帳，活脫要搶她的鎗。」退伍連長非常滿意，見到李水神自店裡走出來。

李少陽摸摸李水神的頭，叫孩子說：「還不叫一聲連長伯伯好！」

李水神已經上國中了，非常有禮貌地對那退伍連長說：「伯伯好！」

退伍連長看這孩子可愛，於是便對李少陽說：「你娃娃乾脆讓我當乾兒子好了。」

李少陽一聽，心中七上八下，拿不定主意。

「怎麼個，看你臉色難看。擔心我吃了你兒子！我可不像永康精忠二村的李排長，本身就是個兔子，老玻璃，成天養人家的太保……」退伍連長說：「甭要就罷了。」

李少陽仔細想一想後，覺得單純認個乾爹，也沒有關係，於是便叫李水神認了他。退伍連長非常高興，包了個大紅包給李水神，從此小南五金行便成了連長時常來抬槓的地方。每逢過年，李少陽也會邀連長到家裡圍爐。

李少陽靠著社區的關係，把事業經營得有聲有色。競選水仙里里長高票當選、競選市議員也能創造佳績，沒多久就當選了「台南市商業會」理事長。

民國七十二年的年初，他聽說隸屬台南幫的統一企業，成立了「統一超商股份有限公司」，在台北的長安門市，打算二十四小時經營。他對這種新形態的商店感到好奇，中山高速公路通車已經兩三年，於是這天他便搭了野雞車，走高速公路，北上到台北長安東路一段，去觀摩這家商店的形態。

來到巷子裡，進到超商，他便被明亮的賣場給吸引，地板清理得乾乾淨淨，貨物擺放得整整齊齊，

28 沙卡里巴：台南市中西區友愛街、中正路、海安路一帶攤販，在日本時代成形，取音「盛り場」，意指人氣聚集之地。

模樣就像是一間外國的商店，跟傳統的雜貨店完全不同。李少陽非常喜歡這樣的質感，他決心要讓自己的小南五金店，也變成這副模樣。

他返回台南後，先把「小南五金店」，更名為「小南百貨行」。

即將滿六十歲的李少陽，決定挑戰自己的人生，他去考了一張汽車駕照。考照前的體檢，醫師盯著他的瘸腿看：「你這腳踩得動油門嗎？踏得到煞車嗎？」

李少陽連走了幾步路，故意逞強：「你瞧，我這能走能跳，根本沒有影響。」

李少陽深知現在的社會風氣，他拿出了三千元，塞在醫師手上。那個醫生看了鈔票說：「你這是幹什麼？」

「給醫生您喝茶！」李少陽說著。

那個醫生臉沉了下來，李少陽原本以為他是個剛正不阿的人，看到這些東西會勃然大怒，沒想到那個醫生比了個手掌：「這才是公定價。」

李少陽聽到後，尷尬地笑了：「是！」

於是從口袋中再掏出兩千元，那個醫生在體檢表上寫「合格」，並蓋上印章「正常」，嘴裡說著：「你這嘴巴上添了拉鍊，可要拉緊點。」

李少陽點點頭稱是，最後順利取得了汽車駕照。

李少陽因為敬佩吳三連的氣質，每日都會訂閱《自立晚報》，他非常喜歡閱讀副刊的文章，特別是「新詩周刊」這個專欄。五〇年代，正是文壇充滿國族家恨，塑造集體意識的時刻；六〇年代，新詩帶入現代主義的精神，詩壇變得更豐富、更飽滿。李少陽創立「府城詩社」，開始新詩的創作。那精鍊的字句，逐漸成為李少陽內心的一種寄託。

沒想到包袱竟是如此沉重地
阻礙了旅程發展
我沒有汲汲營營，因為我不確定路途的長短
我沒有渾渾噩噩，因為我不知悉天空的陰晴
抬頭仰望著天，上頭有多少神明

人生的波瀾、潮起又潮落，不願退卻即便最後因故止息
我不期待天空永遠為雨，因為薄雨會澆熄旅人的熱情
我不期待天空永遠為晴，因為就這一絲薰風裡
我已被曬乾成一個無靈的、飄散的木棉，隨風悵然

李少陽，〈旅人〉

「你這詩寫的是誰的心境啊？」同業公會裡常務理事的林董事長，放下《府城詩刊》說：「李老闆的詩，總有幾分莫聽穿林打葉聲，何妨吟嘯且徐行的味道，只不過結尾沒有東坡先生的灑脫……」

「來時歡喜去時悲，空在人間走一回。」李少陽說：「我這心裡頭充滿商務羈絆，壓力沉甸甸地，可也還沒到亦無歡喜亦無悲，也無風雨也無晴的境界。」

李少陽舉起酒杯，邀大家一起共飲：「來！大家可別光顧著討論我的詩，今天是同業公會聯誼的場合，我請大家來台南大飯店一敘，可不是只討論我的詩。古來聖賢皆寂寞，今朝有酒今朝醉……我敬大家。」李少陽一飲而盡，撇過頭問任常務理事的陳老闆：「我知道有些商會舉辦踏青、郊遊，不知以後，我們同業公會還能參加哪些活動，才能增加彼此情感？」

陳老闆說：「市政府每年都在安平運河段，舉辦龍舟賽……」

李少陽看了看大家，嘴角露出一抹微笑：「龍舟賽啊！要不我們也組一隊報名。」

「組隊啊？」「真的要划龍舟？」「我這身老骨頭可以嗎？」

「這想法不錯！如果要組龍舟隊，我身先士卒，率先報名槳手。」李少陽再度斟好酒，舉起酒杯，向眾人致敬：「祝各位老闆生意興隆，錢財滾滾來。」

眾槳櫓棹的　是歲月裡　千百年來的幽思
一樽還酹　大江東去　是掏盡與再掏盡　是風流與再風流

粽的肉身　將化為水族　世代沉淪於底裡的汲臣
鼕鼕鼓聲　催唱與女遊兮之九歌
奪旗的勝手　振臂高呼：屈原在否？屈原在否？
裡頭的水神依舊是　靜靜默默地　無息也無聲

李少陽，〈台南運河端午觀龍舟競渡〉

「這詩寫得真不錯！」另一位老闆指著詩刊，評論裡頭的詩句。

飯店服務生送來一杯高腳杯裝的紅酒，遞給李少陽：「這是一位老闆指定要給您的。對方說要請您喝下這杯『波特蘭酒』。」

李少陽臉色一沉，看著裡頭如血一般的酒色，想起前一陣子收到的勒索信，要他給錢消災，否則就要嚐盡血水的滋味，神情立刻緊張起來：「是哪位老闆給我的？」

「對方說『知名不具』……」服務生給了酒後辶了出來。

李少陽裝作若無其事，逐桌敬酒。眾人議論紛紛，在李少陽的主導下，這天立刻決議，同業公會要組織龍舟隊，往後皆要參賽。

參賽的頭一年，電視台依舊散發著台灣整體經濟繁榮的景象，打開彩色電視機便能看見台視、中視和華視的各種綜藝節目：沈春華的《大家樂》、鳳飛飛的《飛上彩虹》、張小燕的《綜藝一百》……百貨公司一家接著一家地開，街上的汽車也變多了，社會呈現一股欣欣向榮的氣氛，電視上好幾天擻放著三陽史帝田鐵，野狼一二五的廣告，然後是兒童零食乖乖，接著是黑松沙士、黑松汽水，緊接著黑人牙膏、愛肝、生生白皮鞋、白蘭洗衣粉、味丹味精、虹牌紅丹底漆、八一五水泥漆，最後出現一位金髮的小護士高唱：小護士、小護士、面速力達母……

「小南百貨行」的廣告，在這些知名的廣告之後，以手板的形態登場，在電視上播足了十秒鐘，光是這十秒，便已經達到巨大的廣告效益，小南百貨行在全國電視廣告中，殺出了重圍。

清晨五點，在馬水龍的〈梆笛協奏曲〉輕快的節奏帶領下，播音員字正腔圓地念出：「這裡是中國廣播公司，現在開始為您播出今天的各項節目……」

「這是李季準的知性時間，歡迎收聽……」

「維力麵，牌子好、品質好……」「統一麵，滿足您挑剔的味蕾……」

「小南百貨行，台南市海安路一段兩百一十號……」

統一麵上市後，大戰維力麵；科學麵單挑王子麵；金味王紅燒牛肉麵，槓上味丹速食麵。小南百貨行的廣告，夾雜在各節麵食廣告之中，很快就聲名大噪，許多不明就裡的民眾，還會跑到小南百貨行，希望買到這些泡麵。

李少陽認知到，廣告的效果能改變一切。更加積極在廣告上下功夫，民國七十二年底，他看見電視上正播映著裕隆汽車，生產的飛羚一零一，想起自己初拿到的汽車駕照，決定挑戰自己的生命極限。

他花了一些錢插隊，好不容易才買到正在缺貨的飛羚新車。事實上，李少陽的腿，並不適合開車，他的右腳掌內彎，踩踏油門時會隱隱作痛，如果天氣改變劇烈，風溼便會引發關節無力的痿痹之症。

拿到新車的那一天，他看著紅色的飛羚一零一，感到相當滿意。當天就載著妻子，決定往郊外去兜一兜風。他把百貨行的事情，交代給員工後，便載著妻子往秋茂園的方向駛去。

「你不覺得老闆和老闆娘很恩愛嗎？」百貨行裡的員工竊竊私語。

一個在這裡工作一年的店員說：「那當然，我那天還看見老闆娘燉了一鍋雞湯，說要給老闆補身體。有這樣的賢內助，你看我們小南百貨行，幾乎快要和三陽機車、統一麵這些品牌齊名了！只要是台南人，誰不認識咱們海安路的小南百貨？」

李少陽開著車子，心情愉快。哼著電視上飛羚汽車廣告曲，蘇芮的《跟著感覺走》：

跟著感覺走　緊抓住夢的手　腳步越來越輕　越來越溫柔

盡情揮灑自己的笑容　愛情會在任何地方留我

「沒想到，你老來運走俏。跟大家趕流行！」李少陽的妻子看了身旁這個唱歌的人，相信自己的選擇沒有錯。

「我說現在就要掌握住時代的機會，好好發展事業。」李少陽將自己未來的遠大目標說了一遍：「我有一個計畫，以前我的父親投資過『林百貨』，中正路的中國城也算成功，我們小南百貨在海安路上，經營得有聲有色。民族路還有一間遠東百貨，我打算去找東帝士企業，在小北商場旁蓋一幢百貨公司，裡頭要進駐速食店、遊樂園，一樓要販售飛羚汽車……」

李少陽的妻子直問：「你找過人家啦！」

「嗯！就同業公會有幾個人認識陳由豪，之前商會在台南大飯店辦聯誼，也見過他的妻舅鄭旺……東帝士負責建設，我也找過了日本大榮百貨，小南來做以後的經營。他們對這個主意，非常有興趣，打算和我們技術合作。」李少陽繼續說：「百貨公司完成後，就可以叫『東帝士小南百貨世界』……我們要趁現在，抓住時代的尾巴，才能突破重圍。」

李少陽的妻子看著他滿臉大汗，心有不捨，拿出手帕替他擦汗：「你不要太辛苦了，自從你回到商場上，就變成拚命三郎，我只要你健健康康的，什麼榮華富貴我都不要。」

「身為一個男人，不該讓女人吃苦！」李少陽說。

不知不覺，車子已經開到郊區。兩人說說笑笑，正當兩人沉醉在愛意裡，馬路中間忽然跑出了一隻黑狗，李少陽見狀，立刻抽腿要踩煞車，右腳踝忽然一陣痠軟，沒有踩確實，車子直接撞擊那隻黑狗，李少陽不自覺轉了方向盤，車子衝出馬路，滾落兩公尺的排水溝之中。

車禍後，車子變形。李少陽從破碎的擋風玻璃爬了出來，他滿臉是血，卻也顧不得自己的傷勢。她見到妻子被壓在車內，發出很細的呻吟，他立刻去抬動汽車，無奈怎麼出力，車子的殘骸都無法挪動。

「少陽！不要浪費氣力了……你趕快去附近找人家，你自己去醫院，不要管我……」他的妻子氣若游絲地說著。

「不可以，我不會丟下妳的。」李少陽心中悲苦。

「少陽，在我心中，你永遠是個巨人……」他的妻子聲音愈來愈微弱。

李少陽站起身子，眼見車禍地點是郊區，附近皆無人家，也沒有公共電話。他立刻說：「妳等我，不許睡。我不許妳睡，妳還要陪我走過十年、二十年、三十年，我要妳看見我成功的事業，我要妳看見我做到，我的祖先永遠沒辦法完成的事。」

李少陽站起身子，左顧右盼，四周都是魚塭，所幸這個水溝沒有水，他想或許幾公里外，會有人家居住，於是便說：「妳等我，妳一定要等我。」

李少陽走了三公里，終於找到了一戶民宅，但怎麼敲門都無人回應。他又走了兩公里，終於發現一間小小的土地公廟，幾個香客正坐在廟前聊天。李少陽衝上前，把車禍的事情講了一遍，眾人非常熱心，趕緊拆了土地公廟的廟門板跟著他一起回來幫忙。

回到車禍現場，他再也忍不住，眼淚落了下來。在監獄裡的時候，想家、寂寞，他也未曾流過一滴眼淚，而今是他最成功、最輝煌的時代，他不能失去妻子、不能失去她。如果失去了她，就算擁有全世界，那也沒有意義。

幾個大漢擁上前，合力抬起車子。李少陽好不容易把妻子拖出來，但她早已完全沒有氣息了。李少陽發現她的大腿斷了、右手掌截了，她一定是忍了好久，才把那些話說完。

李少陽猶如從天堂跌入十八層地獄，他仰天大叫：「老天爺啊！祢太殘忍了、太無情了……」

天機總在，時間的罅隙中
洩露祂們之間的耳語
怎爭 兄弟鬩牆 婆媳妯娌
幾家哀怨、幾家垂氣
如你點一支香，靜靜聆聽
堆滿塵香的樽爐下，總有人呢喃、總有人嘆息

李少陽，〈府城三匾之一〉

小南百貨行老闆出了車禍，立刻在台南商界引起議論。李少陽連續幾個月不吃飯，身形愈來愈消瘦。他沮喪的是：如果他的腳有力氣，煞車踩得踏實，妻子就不會死去。

這件事只是再度證明，他是一個「廢人」。他很快就放棄了百貨公司的建設計畫，東帝士百貨在沒有李少陽的合資下，依舊如火如荼地進行著。

台南許多家企業老闆，輪流來店裡看他，他也沒有心情招呼人家。最後甚至拉下百貨行鐵門停業。連長來到小南百貨行前，看見李少陽現在不死不活的模樣，相當氣憤，破口大罵：「你這是什麼

東西，妻子死了，你也嗝屁了？」

李少陽在屋裡，還是低著頭。連長罵得更兇了：「你的孩子怎麼辦？沒出息。我以前和共產黨打仗，共匪頭子挾持我家老母要我放下武器，我那時候都沒像你現在這樣沒出息。」

「掄起你的噴子上戰場，醒一醒吧！土台客！」連長拍了拍他的胸脯。

李少陽念頭一轉，現在已經是台南的五金大王了，一個商人沒有了鬥志，就不能生存、也不配生存，妻子死了雖然悲哀，但唯有繼續努力，生命才能活得更有價值。

「謝謝連長提醒，我會好好努力！」李少陽語氣中雖有沮喪，但連長聽出他試圖改變。

「這才對！撇束完了，就開大門，做大生意。不要哭哭啼啼，像娘們一樣……」連長鼻子噴了氣，像教訓屬下般說：「你好好想一想。」

李少陽收拾起悲傷的情緒，繼續在商場上打拚。扶持兒子李水神讀完商專，接著繼續競選市議員再度連任，妻子過世這件事，完全沒有造成他事業的停滯。李少陽的詩，更是成為府城商界的佳話：

如是我聞　一頁菩提，能知整個深秋
那麼　是該慶幸
紅塵裡依稀能見　我孩提時的笑靨

如我回首竟夕裡　咄嗟一夜蒼涼的白髮
歲月饒我不得　垢待示現真無的法身
那麼　是該慶幸
吾未亡記憶中　妻的香絲

李少陽，〈府城三匾之二〉

小南百貨行在他的努力衝刺下，生意蒸蒸日上，很快就成為南台灣最大的五金百貨行。台灣社會在歷經退出聯合國、中美斷交後，國運竟然愈發向前：高速公路完成後，商業愈來愈發達，加工出口區、各地工廠林立。台南出現了三商百貨、老字號的遠東百貨更是人聲鼎沸。民族路夜市在市長蘇南成的堅持下，陸續遷往小北商場、中國城地下街和友愛市場，繼續繁榮個十幾年。

麥當勞、溫蒂漢堡、肯德基這些連鎖速食店，陸續在台灣各地設點。餐飲業一時戰雲密布，讓人感受到台灣處處是機會。小南百貨行踏上了正確的時代腳步，愈走愈穩健，李少陽累計的身家財富，也愈來愈可觀。

他不斷地透過經營，想證明「殘廢」這個名詞在他身上不適用，瘸掉的腿，害得妻子失去了性命，他反而更加努力，要讓人見識到，他不平凡的努力和意志力。接著李少陽請連長任小南百貨董事長，自己當總經理。連長把軍中帶兵那一套，用在百貨行的經營上，竟出奇地成功：每天早上，百貨行的員工，會在門口做早操、答數，念精神口號，接著唱國歌，升國旗。

李少陽從來沒見過這樣的企業經營方式，連長還立下規矩：幫客人找商品，絕對不能超過三分鐘，要把客人當主官。絕對不能得罪客人，否則一律「軍法」究辦！

「呃！這『軍法』究辦，會不會太嚴重了！」李少陽巡視小南百貨行，發現牆上的這張標語，忍不住笑出聲音來。

「這怎麼會嚴重，現在外頭競爭啊！我這裡面若有人搗蛋，肯定是其他同業派來我們這插旗，埋伏的暗樁，當然要軍法審判……」董事長走到櫃台旁邊，指著上頭的約法三章：「一、賣出瑕疵品，遭客人退貨，受理者應大聲向客人對不起、鞠躬、下跪……」

「下跪？」李少陽見那紙上沒有這一項。

董事長說：「怎麼少了下跪？」隨手拿起一枝筆，便在旁邊補了「下跪」兩字。

「下跪會不會太嚴重！」李少陽說著。

董事長想了一下說：「的確是嚴重了一點，那下跪不要好了。」說完便在下跪兩字上畫了一個大叉叉。

接著他又把其他注意事項念了一遍，李少陽笑著說：「董事長治軍嚴明，我們這店裡的員工會不會受不住，最後逃兵啦！」

連長皺起眉頭，把其中一個老員工叫過來：「你們總經理說我管你們太嚴，你給我說說看，我這方法如何應用？」

那個員工立刻行舉手禮：「報告總司令，愛的教育、鐵的紀律，您用心良苦，我們絕對不會有任何怨言……」

「很好，你把『小南生活紀律』我念一遍給我聽！」連長聽完那個人的說法後非常滿意，頻頻點頭。

「報告總司令……和老點說話不能鬼扯蛋、和正妹說話不看海咪咪、和條子說話要遵守規矩、和馬子說話要輕聲細語……對外不能嗑爛飯，對內不能幹老越，做事不能捅婁子、做人不能結梁子，撇條要報告、擦玻璃要警告……」

「等一等，擦玻璃為什麼要警告？」董事長問。

「報告總司令！因為要押韻。」

「混帳東西，誰要你押韻來的，擦玻璃直接槍斃。」

「是，等一下就改規矩。」

「很好，然後呢？」

「上班穿葉子、公出飄荷葉，終身以當小南五金員工為榮。」

李少陽聽完後，不禁冷汗直流：「好！好！好！大家好好努力，年底尾牙的時候，我買幾台三陽電管和裕隆輪子，給大家抽獎。」

那個員工一聽，臉上出現非常高興的表情：「謝謝總經理！」

「好了，你們總經理是看你們表現不俗，才給你們獎勵的，上山打土匪、下山打共匪，大家玻璃給我擦乾淨點，可不要給我搞砸了。」連長聽李少陽想買機車和汽車來給員工抽獎，心想他也是個肯花錢在員工身上的人，對他的態度又敬重不少。

這一年小南百貨尾牙前夕，李少陽發現連長沒來店裡，正要請人到他家去找他，就接到一通勒索電話，對方一開口便是兩千萬，還說董事長已經在他們手上。

李少陽想起在之前的恐嚇訊息，以為這幾年平靜了，沒想到風波又起。這一下可不得了，李少陽立刻報警，和對方在之後的電話中討價還價，把贖款壓至八百萬。台南市警局日夜監聽電話，李少陽依約在永康逢甲醫院門口交付贖款，警察管制了中華路，李少陽在醫院外站了一整天，歹徒始終未出面拿取贖金。接著歹徒再度來電，知悉李少陽已經報警，愈發凶狠，再度把贖金提高至兩千萬。李少陽迫於無奈，相約中山高速公路新市收費站南下三公里處，對高速公路外農田丟包贖款，警察去現場埋伏，包抄幾條農路，發現兩個人同乘一台可疑的機車，一路追到仁德保安，最終破獲了擄人勒贖集團。但是，董事長早在被綁的第一天，就已經被撕票，屍體被分割後，逐塊帶至四草、安平、七股等地丟至海中。

夜半幽冥，鎖鏈垂曳，拖響了命運的鋃鐺聲
誰在這莊嚴的門前凝視
凝視你那作惡多端的經歷
凝視你那惡貫滿盈的人生

凝視你那不屬於你的　被遺忘的靈魂

李少陽，〈府城三區之三〉

民國七十五年，經濟向上，海安路與民族路夜市，並稱為台南兩大最熱鬧的精華區。李少陽遭逢喪妻、又遇綁票勒贖，心情跌宕至谷底，他並不知道，還有一件事，會將他的事業毀於一旦。這日他接到市政府徵收的公文。海安路就要徵收拓寬，下方興建地下街。

中國城人聲鼎沸，四處都是電影戲院，彎進巷子是沙卡里巴，市政府規畫的海安路四十米，遠大的藍圖讓所有人都雀躍。李少陽非常看好這項公共建設，他想：道路拓寬後，勢必帶來更多人潮。這才對未來又約略帶來一絲希望。喪妻之苦、與遭遇董事長遇劫之痛，在心中難以平復，對人生的態度也有了不同的認識。李少陽回想過去和吳三連的對話，開始蒐集一些三郊的故事，發現父親李啟明和三郊有些淵源，興起了一些想法：

> 走過神農街，發現一間老房子，門口寫著「售」字，我便尋索這戶人家的主人……屋主姓李，是本家。我和他談得來，他笑說：「或許我們有親戚關係，百年前同為一家人。」
>
> 他急著賣房，話中親暱多少帶有些推銷的味道。親戚之說或許是，或許不是。但他的親切感，我想沒有的話也無妨……因為他的兒子欠人家錢，加上老屋維護不易，所以打算賣掉，他知道海

安路即將拓寬，故意把價格抬高了。我原本就喜歡，因此沒打算殺價。我很慶幸，這屋子產權單純、狀況尚可。屋裡有個匾額，寫著「連三堂」，這讓我想起商人吳三連……

他花了些錢，買下神農街的老屋，又費了些力氣，收集了三郊古物。他記得以前留下來，暫放在吳服店廢墟那塊空地底下的五顆大公駝，聘請怪手開挖，然後將那五顆大公駝移回神農街老屋裡。李少陽動筆寫書，有些事情釐清了，更覺這世間的機緣。李萬利的帳冊，港郊的公駝，歷史是這樣一幕一幕地，呈現在所有人面前：

> 賈人渡河，誠以為常。水神史考、在三益堂。如切如磋，如金如錫。
> 港郊之駝，尤為公重。信商誠實、童叟無欺。墨守既失、鼎新輒利。
>
> 李少陽，〈水神史考〉

這年端午節，李少陽率領台南各路企業家，組成「台南市商業會」龍舟隊，在台南運河上，拚搏輸贏。依據往例，都是由理事長擔任鼓手，今年也不例外。李少陽上船前還相當有自信，希望大家能讓他當「奪旗手」，但大家說說笑笑，知道他是個拚命三郎，沒有人願意讓他去冒這個險。

「划龍舟還是鼓手比較重要！」台南雜貨業公會的理事說著。

另一旁台南糕餅同業公會理事長也附和：「鼓手是掌握節奏，旗手只有拿旗子。兩者比起來，當然是鼓手比較重要：以往商業會理事長，都是擔任鼓手的角色，監事才是奪旗手，這理監事『旗鼓相當』，才能襯出商業會的和諧，少陽啊！這體制你還是不要破壞比較好。」

「對！對！對！」旁邊紡織零售公會理事長也附和。

李少陽見自己拗不過大家，只好放棄：「好吧！那我今天就當個快樂的鼓手！」

眾人都知道，今天是李少陽農曆的生日。李水神和小南百貨行的員工，特別在運河邊為他加油。李水神在蛋糕店買了一個大蛋糕，準備等父親上岸後，為他慶生。

槍聲響起，台南市商業會龍舟隊，和對手台灣省工業促進會龍舟隊一起划出起始線，鼓聲鼕鼕，槳手奮力向前。烈日當頭，眾人揮汗如雨。

李少陽堅強的意志支持著他，他心裡念著：不能放棄！不能放棄！他抬望眼，看著藍天，心中訴說著，老天爺啊！我要證明給祢看，什麼叫人定勝天。

就在這一時刻，忽然感覺到一陣胸痛襲來，他原本不以為意，沒想到這陣胸痛愈來愈明顯，他發汗、頭暈，想吐。不到三十秒後，他便從龍舟上跌入水中。

眾人原本以為他是不小心落水，龍舟上立刻大亂。其中一位理事，跳入水中去救他，岸邊所有人立刻鼓譟起來。等大家七手八腳，把李少陽拖回岸邊時，他早就失去了性命。

「爸！」李水神悲傷不已，跪倒在運河旁。

眾人見狀，也為之鼻酸。李水神沒有想到，這場龍舟賽，將奪去他父親的性命。他是一個那麼堅強、那樣勇敢的一個人。一旁同業公會的人不禁落下眼淚。眾人在他的口袋中搜出了幾張紙，全是捐錢給水仙宮的收據。李水神以前不知道父親為何要捐錢給水仙宮，總覺得買三郊古物，移回公駝，及捐款水仙宮這三件事，是為了療傷止痛，後來才在日記裡，發現了用意：

如果有一天，我死了。請大家不要為我流下任何一滴眼淚。我就和我的祖先一樣，在這浩浩蕩蕩的世界潮流中，隨著歷史的軌跡前進。相信我的祖先：三百年前篳路藍縷來到台灣，三百年後的我們，傳承他們手中的香火，一代接著一代、一世遞過一世，永無止盡地下去。總有一天，我的兒子、我的孫子，也會拿這些線香祭拜我，希望那時候他們也能以有我這個祖先為榮。

讀到這裡，李水神已經眼眶泛淚。這段文字，寫在母親死去、勒贖事件後的那段期間裡，父親死去那一年，正是小南百貨最巔峰的時刻，然而最巔峰，意味著沒落之開始：家族的重擔便落在李水神的身上。接著海安路正式拓寬改建，地下街挖了大洞，花了四十億，怎麼蓋都蓋不好，官商勾結、錯誤政策，扼殺了海安路十年的繁盛，小南百貨位緊鄰海安路，蒙受巨大損失，店面快速敗落。

李水神把店址移往臨安路，才勉強經營下去。蔣經國去世，李登輝接任總統，似乎可以嗅到那民主新芽衝破泥土地的草香。李水神開始玩股票，股市榮景，怎麼玩怎麼賺錢。接著新產業問世，往後家用電腦主導整個世代，以前從未聽過的「半導體」、「手機」，而今這些東西開始改變世界。

稍後，李水神擴大事業版圖，不再只是單純經營五金生意，而是擴大到各種百貨商品：上自合梯、下到電鋸；各種規格的螺絲、文具、線材，只要是想得到，小南百貨幾乎都有販賣。

分店一家一家的開，生意更勝父親經營的時代。到了一九九六年，台灣第一次總統民選時，嘉義以南已經有十五家分店。李水神也在友愛街，買下了一戶公寓住宅，全家從神農街的老房子，搬到公寓大廈中。台北的中華商場拆除，時代丕變，熱錢開始湧現。李水神投資健身房：賺錢；投資遊藝場：賺錢；投資房地產：也賺錢。幾乎投資什麼就賺什麼，小南的企業版圖開始橫跨食品、娛樂、建築及百貨，包山包海、包吃包住，舉凡生活中各式所需，都有跨足，事業又從谷底開始翻身。

然而，經營的風險無所不在。網路泡沫化後，外國連鎖企業大舉入侵，萬客隆倒閉後，更多量販店出現：家樂福、大潤發、愛買、燦坤……不勝枚舉。小南百貨行的「臨安店」與台南大潤發對衝、永康「中正店」兩百公尺外是家樂福、對面是愛買，「機場店」又和台糖量販店對衝，就在這樣的夾殺下，分店數逐年下降。

到了民國一〇二年，全台僅剩三十多家分店。他更新了企業識別系統，統一採購，降低人事成本，引進更多文創商品，依舊不能減緩虧損的速度。凱撒大帝曾經創造過輝煌的羅馬帝國，但巨大的帝國總是會毀滅；忽必烈可以是蒙古帝國的先鋒，但將軍總有一天會死亡。這幾年，企業連番的虧損，讓李水神差點喘不過氣來。海安路拆除圍籬後，出現了新的街頭藝術：「藍晒圖」、「門牌牆」、「請你跟我這樣做」……觀光客開始造訪海安路，當地的住戶心情複雜，一股辛酸不知打哪兒發洩，時而遷怒拍照的遊客：沒落的十年，誰來償還？小小的燒烤店，在夜裡更顯溫暖，李水神步行回到海安路上，回到那父親生前寄託的地方。

李水神進到神農街老家，一股霉味撲鼻而來：長長的屋子，宛如一條黑深深的溝渠，在密不通風的屋裡，溼氣更勝任何地方，他輕輕地拉開了木門，沒想到門上氣窗的一片玻璃，竟然應聲摔落地面，砸個粉碎。李水神拿起掃把將玻璃碎屑清潔乾淨，嘴裡嘀咕兩句。

李水神在神農街的老屋裡，睡了一晚：這一晚猶如三個世紀那樣漫長，他不知道這幢屋子裡，曾經發生李邦負荊請罪，李城飲鴆自盡的事，分開了的蕭李兩家百年的歲月；乙未戰爭時，原來住在這屋子裡的蘇萬利後代，被日本人搜索、三益堂被查禁，眾人既害怕又驚慌，隨著日本人勢力壯大，蘇萬利家道中落；二二八事件時，住在這裡的人，緊閉門窗，不出任何的聲音，儘管外頭追打、吶喊、砍殺、三公里外的車站前機槍聲噠噠不絕於耳，總是和風起雲湧的世界隔絕。經濟起飛的年代，蘇萬利子孫到外地工作，不得不賣掉了老屋，而這命運之手，又將這屋子交回到李羽子孫的手裡。那面李逵遺留下來的黑漆木牌、錦盒早已消失殆盡，無人猶記：「港郊之駝，尤為公重。信商誠實、童叟無欺。墨守既失、鼎新輒利」的祖訓。水仙宮裡的尊干們，看透這百年來的起起伏伏，只留塵香長駐在那水仙長長的鬍子上，看廟門外日升與日落。

清晨鳥鳴，李水神聽見外頭人聲鼎沸，悄悄來到門邊。外頭是一群成功大學的學生，訕笑聲夾雜解說，帶隊的教授講述街屋的歷史，忽然發現這座房子上氣窗沒有玻璃，教授興致一來，便問學生：「誰知道這戶人家的門上為什麼不裝玻璃？」

「我知道！」一個學生搶答：「因為長屋較悶熱，沒裝玻璃空氣才能對流，比較通風！」

「正確！」那個教授說著。

李水神在屋裡暗自竊笑：原來這些蛋頭學者是這樣教學生的呀！他們不知道這玻璃是自己昨晚才打破的，望文生義這檔事，總是學術界的尋常風氣嗎？李水神抬望頭，發現天花板上有塊字跡斑駁的匾額，他似乎還能讀出那淺淺的字痕：「連三堂」

「連三堂！是什麼意思？」李水神歪著腦袋：「難不成這屋子的前主子姓連？」

他搬來長梯，把匾額卸下來，發現匾額後面刻有一大段文字，敘自李萬利的李逵、帳房老先生，斷至李邦和李羽絕交，李羽為李邦而死於蔡牽火砲的事情上。底下深深刻印著：「港郊之駝，尤為公重。信商誠實、童叟無欺。墨守既失、鼎新輒利。」這段祖訓。水神總算明白，父親詩裡為何知悉這段話，原來他早就見過匾額後面的世界。

李水神在書房裡讀完父親的日記，又發現另一首詩。李水神的手略微發抖，知道父親的意思。他終於能體會父親要買回神農街連三堂的心意，父親見過錦盒裡的東西，有些事情他是知道的：「原來港郊公駝裡有那個東西。」

李水神愈想愈不對勁，愈發想證實那首詩的真實性。趕緊到客廳，看著櫥窗裡的五顆大公駝，每個重一百八十公斤，李水神想了一下：「當初國立歷史博物館展覽，我也見過北郊的公駝，同樣三百斤，為什麼港郊的公駝會比較小。」

李水神腦筋立刻變得清晰：重量同樣是古代重量三百斤，相當於一百八十公斤，但他手上的港郊公駝都偏小，這是非常簡單的物理常識，這裡頭一定裝了質量較大的東西。

李水神打開櫥窗，移出了一顆大公駝，這公駝非常死沉，一個男生，光搬四十公斤的東西，就要汗流浹背了，更何況是一百八十公斤的東西。他發現公駝兩側有個縫隙。好像是兩片石頭，用糯米黏起來的，更確定那首詩的真實性。他突發奇想，要不乾脆把公駝丟下樓，就能知道裡頭有些什麼東西。

李水神來到窗台邊，對下面東張西望，一旁是南台戲院、一旁是太子大飯店，正當不知道該如何是好的時候，發現了南台戲院的頂樓有個小平台，旁邊有個梯子從他住的這棟公寓連接過去。南台戲院打從六月，就公告整修裝潢，至今尚未恢復營業，只要將公駝丟到那平台上，便能知道裡面裝了什麼東西，且不會驚擾到任何人。

他搬來書房的氣壓椅，把公駝移到椅子上，椅子立刻被壓得沉低低。他將椅子當成推車，把公駝移到陽台後，他死命把公駝向上推移，直到頂至窗台上：「我的媽呀！搬這東西就像扛屍體，這工作真不是人幹的！」

他兩腳張開，熊抱住大公駝，就像便祕許久的人，在廁所裡痾屎，他的表情極為難看：眼睛、眉毛、鼻子和嘴巴全揪結在一起。他把公駝推到矮牆上後，心中默數著：四、三、二、一……數到零的時候，他雙手一頂，便把公駝往樓下推去。大公駝直直掉了下去，碰地一聲，在南台戲院的小平台上擊出了一個凹洞。

李水神見狀趕緊下樓，接著從逃生門出去，攀過逃生梯，跳到南台戲院的小平台上，他不能相信眼前所見的景象。碎裂的石堆中，亮閃閃的黃金就在眼前展現，他嘴裡嚷念父親日記裡，抄自李萬利老先生帳冊裡的密碼小詩：

天理昭昭有時盡
港郊公駝有黃金
若問兒孫後世好
水神拈花笑古今

李少陽，〈港郊之駝尤為公重兼祭李萬利帳房先生詩〉

李水神坐在南台戲院的天台上，望著這「港郊」大公駝裡所藏的黃金。今天若非這樣飛天一拋，還不能知其全貌。這黃金約一百五十公斤，依市價換算，一顆就有三億新台幣的價值；房間還有四顆，若是全部兌換，那小南集團即將跳票的危機，就能獲得解救了。

李水神高興地跪倒在地，謝天謝地。左思右想，總覺得這一切之一切都是個奇蹟。他仔細看了看金子，上面鑄刻著「港郊之駝，尤為公重。信商誠實、童叟無欺。墨守既失、鼎新輒利。」等字，彷佛說明這港郊之駝的藏金，是要用來拯救他的事業，而自己就是祖先事業的守護者。

幾日後，李水神依父親日記的線索，來到孔廟南門路旁一條窄窄的巷子前，上頭一塊木板寫著「窄門」。李水神尋著日記的線索鑽進去，旁邊一個石造樓梯，通往一幢房子二樓的「窄門咖啡館」。這條巷子僅一個人能走的寬度，李水神走在裡面，嘴裡嚷道：「林盡水源，便得一山，山有小口，彷彿若有光。便舍船，從口入。初極狹，才通人。復行數十步……」

他一路走到巷子底，頓時豁然開朗，一個廣場上種植兩株大樹，上頭掛滿祈福的木牌，開闊的廣場正對著一間寺廟，廟上的匾額寫著「永華宮」。

「陳永華啊！」李水神想起了金庸《鹿鼎記》筆下陳近南的模樣：「平生不識陳近南，就稱英雄也枉然。」

父親的日記裡，指示著這裡能解開李萬利老先生的身世之謎，李水神半信半疑來到此地。他左看看、右瞧瞧，桌上擺著一本介紹永華宮沿革的刊物，他順手拿起來翻閱：明永曆十六年，陳永華自福建南安迎來「廣澤尊王」分香，在山仔尾興建「鳳山寺」。乾隆十五年，迎入陳永華神像，改命為「永華宮」。道光年間，林壽之妻陳守娘為亡夫守寡，其婆婆與小姑見衙門師爺有錢，逼守娘改嫁師爺，守娘抵死不從，婆婆與小姑遂用利刃刺死守娘。

守娘從此冤魂不散，變為厲鬼在府城作祟：有府城販夫售物，所得錢財竟化為紙錢；夜裡商家物品騰空，暗巷裡厲鬼嘻笑，擾亂了百姓的清靜，連衙門也束手無策。四坊百姓有請「廣澤尊王」出面，才化解了這件事。「陳守娘」這故事被連橫寫入《台灣通史》，其與「林投姐」、「呂祖廟提籃假燒金」，並稱為府城三奇案。

大正十四年，日本人欲建台灣銀行，乃拆廟徵地。永華宮被迫前移至「六合境柱仔行」，也就是現在這個地方。大正年間，廣澤尊王降乩指示，高砂町一位中醫師所飼養的八哥鳥，需用來為神像入神。神明入神往往僅使用虎頭蜂，但這隻八哥鳥早在神明降乩前，已經開口和主人道別，八哥鳥自訴牠將返回天界成神，要主人切莫掛心。此事至今仍為府城百姓茶餘飯後，津津樂道的故事。

李水神闔上刊物，他雖知這故事有幾分傳奇的味道，卻不減他內心對神祇的崇敬，也唯有永華宮，才能匹配這樣動人的傳說故事吧！

他抬起頭，發現父親在民國六十九年，就捐了錢修繕永華宮，他的名字還刻印在牆上。接著他轉過頭，就看見大殿上的「陳永華」神像，旁邊配了一尊小神像，神像上圍著一條紅色彩帶，左邊寫著「陳永華參軍之子」，右邊寫「信士李少陽敬獻」。李水神看了這塑像，愈看愈覺得驚訝：這不正是李萬利老先生的模樣嗎？父親已將李萬利老先生模樣，素描在日記中，這面容與西來庵的夏瘟劉元達同一個樣子。天上一日、地上十年，難道說李萬利老先生，正是陳永華之子？所以小男孩生於泉州府同安縣，幼年過給傀儡戲的人家收養。

李水神這下總算明白，原來當初李萬利的老先生，寫的帳冊小詩並非是什麼預言的詩讖，而是提醒著中間每一個世代的人，居安思危，為後代謀福。李萬利的老先生擬了個「港郊之駝」起頭，李羽延續了祖先的誓言、李硯解開密碼後，實踐了這個黃金誓言，再經過李啟明、李少陽。這一切一切，是先有「港郊之駝」的預言，才有「港郊之駝」產生，所謂「港郊之駝，尤為公重。信商誠實、童叟無欺。墨守既失、鼎新輒利。」只不過是勸世的言論罷了。李水神望著李萬利老先生的塑像，久久不能自已。

民國一〇三年的年底，李水神又回到海安路上，他現在無債一身輕，感覺事業還能再維持個一百年。援例先在富勝號點個碗粿，配碗魚羹，他吩咐老闆娘在碗粿上加蒜蓉辣醬，牆上貼心地黏了張教導食客如何使用竹籤，挖取碗粿食用的解說牌子。

李水神望了牆上的告示，好奇地問了老闆娘：「真奇怪，為什麼在府城吃碗粿，要用到竹籤。外地好像沒用這種吃法，不用竹籤吃碗粿，就感覺渾身不自在。這吃碗粿用竹籤，就像印度人用手抓咖哩飯一樣自然。」

老闆娘見了李水神，便和他抬槓起來：「這誰定的規矩我是不知道啦，以前的人這樣吃，現在就跟著這樣吃。說不定立下這規矩的，是你的阿公也說不定。」

「有可能喔！」李水神知道老闆娘在說笑：「這規矩是我阿公定的。」

「李老闆真愛說笑！」老闆娘略賣風騷：「您這嘴巴吃得油油的，可也沾了甜辣醬啊！」

「我祖先是李逵，像大禹一樣治水；他的孫子叫李羽，是楚霸王，絕命於水邊；我的曾祖父李硯是寒奡，力大無窮；祖父叫李啟明，人稱台南伍子胥。至於我的父親，也就是小南百貨的創辦人：李少陽，是個愛國詩人……」李水神說著。

「唉唷！李老闆講得可都是真實的事情唷？那你祖先可不全成了水仙宮裡的主神了。」老闆娘愈發熱情，眾人嘻嘻笑笑，李水神抬望眼，看了隔壁的「阿松刈包」，同樣高朋滿座。永樂市場裡鱔魚意麵、米糕、四神湯、油蔥肉燥、魷魚羹、花枝羹氣味交雜，天上飄下微微的雨絲，竟也澆不熄這人情味的熱度，李水神就是喜歡這樣的味道，一股懷舊的氛圍、一種古城的氣味。

李水神填飽肚子後，走進水仙宮中，拜過所有水仙尊王，手中拿著五年前抽到的上上籤，又念了一遍：「一舟行貨好招邀，積少成多自富饒；常把他人比自己，管須日後勝今朝。」

旁邊整理籤筒的住持轉過頭，立刻認出他來：「您不是小南百貨的李老闆嗎？」

李水神看了他一眼，應諾：「正是！」

「您父親以前給我們水仙宮添了不少香油錢，真是感激不盡啊！」住持拉著李水神的手，熱情地四處介紹。廟外一對老石鼓，牆上一面「水仙宮清界勒石記」，廟門上一〇八個門釘，看過這百年來洗盡的鉛華，廟門外高懸的黃燈籠，依序寫著「恭祝台郡三郊水仙宮大夏聖帝千秋」；廟檻入口一面「水仙尊王」的匾額，再進去，又有一塊大匾額，寫著「大禹廟」，正下方便是「一王二帝二大夫」，大禹塑像約一人高度，威風凜凜，其餘四尊神像也不遑多讓。住持指著屈原神像說：「李老闆尊翁，也就是小南百貨創辦人啟明先生，說他曾在日本皇民化時候，不慎摔傷了屈原像，對本宮神明不敬，爾後事業有成，捐款無數，本宮至甚感激……」

兩人走進一個偏房，牆上有個日本時代的照片，照片中正是三益堂，裡頭擱了一個紅色珊瑚，那個住持說：「可惜啊！台南市文化局考證過，三益堂裡曾經擺了一個紅色的大珊瑚，用來做為三郊的霸主之證，日本人占領三郊財產後，紅珊瑚早已不翼而飛。」

李水神看了那個照片裡的紅珊瑚，就像是一尊法相莊嚴的坐佛：「這可真是稀世珍寶啊，要是現在還存於水仙宮中，想必定能為水仙宮廟帶來更多香火。」

「古人說見了紅珊瑚，猶造七級浮屠。這紅珊瑚是幸運之物，現在紅珊瑚不見了，我們只能望梅止渴，畫餅充飢。倘若他日李老闆能得此物，肯定也能保佑您發大財、成為府城商界的霸主啊！」住持恭維的話，幾乎要把李水神拱到天上去。

李水神與他說說笑笑，住持又帶著他沿廟體四周繞了一圈。兩人回到正殿上，李水神又看了神桌上的水仙尊王們一眼，心裡暗思：「我能知悉『港郊之駝』的祕密，也算是水仙尊王幫了弟子李水神！今年水仙尊王千秋，我要替五位神明，各做一件金縷衣……」

水仙宮市場外依舊人聲鼎沸，剁豬肉的攤子、殺魚的小販讓腥水流到地上、賣菜的販子對客人嚷叫，挑揀青菜的婆婆媽媽，不等老闆招呼，便索討到三兩根青蔥，撈了幾個免費的蒜瓣。空氣中散發一股濃濃的傳統市場氣味。

水仙宮中屈大夫的眼神依舊是那樣慈悲，李水神望著祂，就像父親那祥和而溫柔的目光。祂那底裡似乎在提醒李水神，有些事情還未完成，身為一個商人，應有一種更高更遠的經營格局。

歷史潮流會不斷招喚他，這個城市極待像李水神這樣的人，不斷創新，營造更多商機，讓都市不斷的進步。商人不必害怕冒險，三百年來，商人們行走於凶險的海上，再大再惡的風浪都不怕。他聽同業理事公會的幹部說，有人發起擴建大興街的「西來庵」提議，李水神感到有興趣，起先西來庵沒燒毀的那尊「劉府千歲」，暫時供奉在吳真人廟中，算是允了當初李逵時代老先生幼年時的那場夢。他記得父親的日記本裡，還保留當時李萬利老先生的畫像，永華宮裡窺見了李萬利老先生的廬山真目，這面容和宣靈公真有幾分相似：「說不定，他真的是瘟王劉府千歲的化身。」

李水神想找個機會，把日記裡那幅畫像送到文化局，倘若未來擴建瘟王廟，再塑個劉府千歲金身，也可有個依據。李水神走出永樂市場，海安路還是那樣車水馬龍，台南變化頗快，赤崁樓、億載金城、安平古堡，每天有成千的遊客進出；台南紡織拆掉了後甲圓環的紡織廠，打算興建夢時代百貨公司；西門路的新光三越新天地還要蓋二館，百貨業可預期的未來，是愈發競爭激烈。

林百貨舊址被文化局整修後，開放眾人觀光。雖然李水神對現今政經局勢還是沒有信心，五顆公駝的黃金，給他解了燃眉之急。他和他的祖先一樣，面對茫茫的大海，有一種不踏實、不安穩的感覺，但有水神眾神當他的肩膀，似乎可以相信，新的大陸、新的天地，就在前方不遠的地方。李水神走著走著，腳步愈來愈快，李水神感覺到，舉頭三尺的天頂，似乎變得更寬，也更遼遠了。

船長放下飯匙，風停了，閃電也減緩了。不一會兒引擎也可以發動了：「你瞧這划水仙果然有效。」

李水神一笑：「你開船出海，遇到風浪都是用這招啊！」

「那是當然！」船長說。

「這是哪招？」

「見招拆招啊？」船長醉意甚深，跟他抬槓起來，話還沒說完，船邊的釣竿便微微晃動，船長說：

「你的水怪上鉤囉！」

「是軟絲嗎？」李水神自己也不確定，又晃餌兩三下，發現拉力愈來愈大。

船長見李水神拉竿費力，開玩笑說：「這水底傢伙很『九怪』！非常不聽話！我看不是軟絲，肯定就是大花枝！」

「好啊！這傢伙肯定是跟我對上眼了，我就不信邪我鬥不過你。」李水神先拉了一下未果，挺直腰背、站穩腳步後用力一拉，飛出水面的並非什麼軟絲，也不是花枝、章魚，而是一個紅通通的東西。

「唉唷喂呀！這是什麼？」船長嘴裡碎念了一聲。

船長和李水神兩人面面相覷，接著便久久說不出話來。勾到的不是別的東西，而是一個又大又漂亮的紅色珊瑚。李水神推測應該是海燕颱風打過菲律賓呂宋島，把海底的東西給捲上來。李水神又看了一眼那個紅珊瑚，那個東西就像千手觀音一樣，張開千萬隻手，法相莊嚴地看著眾生。李水神看了一眼大海，心裡想著：難不成這是水神爺爺的主意？

附錄／古今地理對照

媽宮：現今澎湖縣馬公市。

北線尾：台江內海的一個小嶼，又稱「北汕尾」，約當於今日台南市土城、四草一帶。

大井頭：地名，約於今日台南市中西區永福路二段，與民權路二段附近，此地於康熙年間仍為碼頭，靠近接官亭，大小官員由此上岸。

笨港：約於今日雲林縣北港鎮與嘉義縣新港鄉。

麻豆港：倒風內海的四大港口之一，為今日台南市麻豆區水堀頭，主要輸出鹿皮、糖，約於西元一七三一年後，雍正年間淤塞消失。

倒風內海：曾經存在於嘉南平原上的潟湖，約垷今台南市北門、新營、學甲、佳里、鹽水、下營等區全部或部分區域。

水仙宮：康熙二十三年，由商人集資興建，地點與今日台南市中西區的水仙宮位置相當。台江內海尚未淤積前，此處為一泊港。

諸羅山：康熙四十三年至雍正元年，諸羅縣的縣治所在地，即今日的嘉義市。

鳳山：康熙二十二年後所設的行政區域，包含現今台南市南部及高雄市、屏東縣部分區域。

寓望園：康熙二十五年所建的道署，其遺址約於今日台南市永福國小內。

瑯嶠：約當於今日屏東縣恆春鎮。

沙馬磯頭：約當今日的鵝鑾鼻地區。

下淡水：高屏溪的舊名。

龍湖巖：在今日台南市六甲區。

赤山堡：陳永華墓所在地，於今日台南市柳營區果毅後。

新港社：今日台南市新市區。

烏鬼厝：位於今日台南市新化區北方。

麻豆社：今日台南市麻豆區。

蕭壠社：今日台南市佳里區。

歐汪溪：曾文溪下游的一條曾經存在的短河，在〈康熙台灣輿圖〉中仍可見其紀錄。清末幾次驟雨迫使改道，現河道位置已不可考。

大目降社：今日台南市新化區。

茅港尾：於今日台南市下營區。

林鳯營：位於今日台南市六甲區中社里。此名源於鄭成功部將，林鳳領兵駐紮此處屯墾。

龜仔港：位於今日台南市六甲區龜港里。此地名由來有二說：一因急水溪多龜；另一說為朱姓家族經營屯墾，為「朱仔港」之轉音。

官佃庄：今台南市官田區。

西港仔港：今台南市西港區。

安定里：今台南市安定區。明鄭時稱「永定里」，清治時期改名「安定里」。

蘇厝甲：今台南市安定區蘇厝里、蘇林里。

大龜肉：今台南市鹽水區。

四鯤鯓：今台南市南區下鯤鯓地區，安平港漁光島南方，或簡稱「鯤鯓」。

五鯤鯓：今台南市南區喜樹地區。

六鯤鯓：今台南市南區灣裡地區。

七鯤鯓：今高雄市茄萣區白沙崙地區。

武定里：明鄭到清治時期的地名，約今日台南市永康區西北方、安南區全部、北區與中西區北方部分地區。

永康里：明鄭到清治時期的地名，約今日台南市永康區中部、北區與東區東方部分地區。

廣儲東里：清治時期到日本時代的地名，約今日台南市永康區東北部、新化區中部。

廣儲西里：清治時期到日本時代的地名，約今日台南市永康區東部、新化區西南部。

永豐里：明鄭到日本時代的地名，約今日台南市歸仁區中部與東南部。

新豐里：明鄭到日本時代的地名，約今日台南市關廟區中部與龍崎區。

保大東里：清治時期到日本時代的地名，約今日台南市新化區南部、龍崎區西北部。

保大西里：清治時期到日本時代的地名，約今日台南市歸仁區北部。

文賢里：明鄭到日本時代的地名，約今日台南市仁德區西南部與高雄市湖內區、茄萣區。

仁德里：明鄭到日本時代的地名，約今日台南市仁德區中部。

仁和里：明鄭到日本時代的地名，約今日台南市東區南部、南區東北部、仁德區西北部。

善化里：明鄭到日本時代的地名，約今日台南市善化區中部、東部，六甲區東部、大內區西北部、玉井區北部、楠西區西部。

嶽帝廟：今台南中西區民權路一段的東嶽殿，又稱「岳帝廟」。為七寺八廟之一，主祀東嶽大帝。建於明永曆十五年，為三級古蹟。

興隆庄：位於今高雄市左營區。

赤山庄：位於今高雄市鳳山區。

麟洛河：東港溪上游，在今屏東縣麟洛鄉，為南部重要客家聚落，又稱六堆地區。

羅漢門：今高雄市內門區。

檳榔林：今屏東縣內埔鄉。

岡山塘：為清代的軍人駐地名稱，比「汛」小，約在高雄市大岡山附近。

鐵砧山：今台中市大甲區內，山上有一口「劍井」，相傳是國姓爺插劍取泉的地方。

洲仔尾：今台南市永康區。

覆船山：位於福建省安南市水頭鎮康店村，該地名在鄭氏族譜中記載為「橄欖山」，不知從何時開始訛為「覆船山」。

西嶼塔：漁翁島燈塔前身，於澎湖外垵高地，乾隆四十三年蔣元樞正式修七級浮屠於此，上頭可焚膏以利船視，時間點在朱一貴事件後。史學家推測，康熙或更早之前，可能已有石堆燈塔的雛形，但未於任何文書中發現相關記載。

貓兒干：今雲林縣崙背鄉豐榮村附近。

鹽水武廟：早先為一小廟，後於康熙七年，由兵備道梁文科等人倡議興建，嘉慶八年改建。

加佬灣：台江內海的一個沙洲，約於今日台南市七股區境內。

溝仔尾：今嘉義縣太保市。

下加冬：於今日台南市後壁區境內，加冬原為重陽木屬樹名，古籍有的寫「加東」、有的寫「加苳」或「茄苳」，皆為閩南語之讀音。

祭祀武殿：坐落赤崁樓對面，建於西元一六六五年，始為明鄭時代關帝廳。雍正三年，移除岳飛神像後開始春秋二祭，為一級古蹟。

海防港：又稱「海豐港」，今雲林縣麥寮鄉。

東海書院：位於台南孔廟旁，於日本時代已改建為武德殿，現忠義國小禮堂。

蕃薯寮：今高雄市旗山區。

十三佃：今台南市安南區原佃里。

新港墘港：河道大致位置在今日台南市文賢路與金華路四段街口，沿文賢路到兌悅門止。

德慶溪：台南消失的河川，現成地下排水溝渠。源頭約在今日成功大學處，轉至民族路遠百娛樂城後，往成功路方向，注入台江內海。

禾寮港街：古台南一條重要的大街，和普羅民遮街交叉，範圍約在忠義路二段到成功路街口附近。

佛頭港：台南市中西區協進國小西南側，清代為龍船競渡的河道。

南勢港：沿現在台南市神農街直至水仙宮前。

南河港：台南市民生路二段與金華路四段路口，順和平街到大井頭處。

安海港：河道順台南市民生路二段南側東行，到康樂街後分岔為三個支流。

三鯤鯓：現億載金城南邊，隔著安平港，現已和漁光島連成一體。

桶盤棧：今台南市南門路水交社附近。

老衢崎：今苗栗縣竹南鎮崎頂里。

中洲：今台南市仁德區中洲里。

新店尾：今台南公園西南側，北邊是總鎮標署，為清代重要的軍事機構。

下笨港街：今嘉義縣新港鄉。

北勢街：今台南市中西區神農街東半部。

南勢街：今台南市中西區和平街。

杉行街：今台南市中西區普濟街。

看西街：今台南市中西區仁愛街。

媽祖樓街：今台南市中西區忠孝街。

太子爺溝街：今台南市中西區永華路一段部分。

粗糠崎：今台南市中西區永樂街一帶。

十八洞：今台南市中西區成功路三一三巷。

無尾巷：今台南市中西區西門路二段二二五巷。

帽仔街：今台南市忠義路和永福路兩個路口之間的民權路。

鎮海營：清代的軍事營區，負責把守水路。約於今日台南市協進國小。

老古石街：今台南市中西區信義街。

帆寮街：為五條港出海的小港口，街肆上有替人補船帆的商店，故名「帆寮」，約於今日台南市中西區民生路一段一五六巷開山宮附近。

內庄：今台南市大內區大內里。

外新街：今台南市中西區民生路二段。

打石街：今台南市中西區民生路。

檨仔林街：約位於今台南市中西區忠義國小前。

陳氏家廟：聚德堂，建於明永曆十五年，在今台南市中西區永福路一五二巷二十號。

魁斗山：又稱鬼仔山、桂子山，於南門外，清代為亂葬崗。在今五妃廟一帶。

瀨口鹽場：約於今日台南市南區鹽埕路附近，金華路西側，安平港內。

油車：今台南市麻豆區油車里。

和順寮：今台南市安南區。

保大西里大人廟：今台南市歸仁區大廟里保西代天府。

東安宮：又稱蕭壠代天府，今台南市佳里區金唐殿，為三級古蹟。

林投內：今台南市佳里區龍安里。

竹子港：今台南市七股區竹港里。

二棧行：約今台南市二仁溪下游，又稱二層行、二贊行。

水仔尾街：台南市北區北華街。

魚行口街：台南市中西區大德街北段，在清代於西門外，為著名的魚市場所在地。

聖公廟：即今日台南市中西區中正路一三一巷十三號的「總趕宮」，祭祀開漳聖王麾下的倪總管，為軍艦的守護神。

燕潭：即今日台南公園的水潭，台江內海可通船時，商船會順文元溪抵達此處市集，因此附近又稱「市仔頭」，今榮景已不復見。

六甲頂：今台南市永康區甲頂里。

南大嶼：今澎湖縣七美鄉。

網垵島：今澎湖縣望安鄉。

遼羅：今金門的料羅灣水域。

官潯：今福建省漳州市官潯鎮。

篔簹港：今福建省廈門市思明區。

竹篙厝：今台南市東區德高里。

曾振明街：台南市內曾經存在過的街名，街名乃由知名雜貨香鋪「曾振明」商號而來，約在今日台南市中西區忠義路二〇二巷位置。

北社尾：今嘉義市西區北湖里。

神農殿：又稱五穀王廟，建於咸豐七年，於小北門「豆仔市」，今台南市北區長北街上，清為官廟，日本時代荒廢，民國後重修。

土地公港：古海港名稱，位於苗栗縣苑裡鎮房裡里大安溪出海口畔。

半線東堡：今彰化縣彰化市全部、和美鎮小部分地區。

半線西堡：今彰化縣線西鄉、伸港鄉、和美鎮大部分地區。

馬芝遴堡：今秀水鄉西部、鹽埔鄉中部與東部、溪湖鎮東北部區域，後與鹿港堡合併。

鹿港堡：又稱鹿仔港堡，今彰化縣鹿港鎮、福興鄉，後與馬芝遴堡合併後消失。

大武郡堡：涵蓋後來的武東堡、武西堡，即今日彰化縣員林鎮周邊地區。

深耕堡：今彰化縣大城鄉、竹塘鄉、芳苑鄉南部、二林鎮東南部。

大肚下堡：今台中市龍井區、烏日區、大肚區一帶。

大嵙崁：今桃園市大溪區。

林本源大厝：今新北市板橋區「林家花園」。

蕃薯市街：今台北市萬華區貴陽街。

八甲庄：今台北市萬華區老松國小附近。

鐵線橋庄：今台南市新營區鐵線里。

龜仔角社：原住民部落，在今屏東縣恆春鎮社頂。

八瑤灣：今屏東縣滿州鄉九棚一帶。

鹽行庄：今台南市永康區鹽行里。

拔馬：今台南市左鎮區菜寮溪北岸。

崗仔林：今台南市左鎮區岡林里。

柑仔林：今台南市左鎮區二寮里。

苓仔寮棉被窟：約今日台南市將軍區苓和里。

坔頭港：今台南市鹽水區南港里。

宜秋山館：台南富商吳尚新另一房所蓋園邸，乙未戰爭時為吳汝祥住宅，被日本人強行徵收，原址在今台南市中西區檨子林公園。

楠仔腳萬社：今南投縣信義鄉久美部落。

灣崎庄：今台南市關廟區田中里。

古亭坑庄：今高雄市田寮區古亭里。

打鹿埔庄：今高雄市田寮區鹿埔里。

加禮宛：原名為原住民噶瑪蘭族的一支，分布宜蘭與花蓮一帶。此為地名稱呼，約在今日的花蓮市。

基那吉群：今新竹縣尖石鄉基那吉部落。

台南測候所：今台南市湯德章紀念公園北側，公園路上的中央氣象局南區氣象中心。

馬兵營：台南市中西區府前路原台南地方法院一帶舊稱，原鄭成功兵馬集結之地。

長老教台南高等學校：今台南市長榮中學。

後壁林：今高雄市小港區。

鶯料亭：在日治期間，台南的一間日式高級料理店，現址已獲整修保存，位於台南市中西區忠義路二段八十四巷十八號。

大潭庄：今台南市歸仁區大潭里。

牛港仔山：今台南市左鎮區牛港嶺。

大蚯園庄：今高雄市甲仙區大田里。

沙仔田：今台南市玉井區沙田里。

虎頭山：今台南市玉井區竹圍里，標高二三九公尺，山頂有一「抗日烈士余清芳紀念碑」，登高臨下，可眺玉井楠西諸地風光。

放弄山：台南市楠西區龜丹里放廣坪。

楓櫃嘴：又稱「風櫃嘴」，於今日南化水庫大壩處。

鹽水坑：台南市左鎮區草山里鹽水坑。

四社寮溪：位於四社尾，或稱四社寮，約於今日高雄市甲仙區安和里。

王萊庄：今台南市楠西區王萊宅。

台南刑務所：約今日台南市中西區永福路與和意街交叉口，也就是新光三越台南新天地現址。

第二公學校：原稱「寶公學校」，今台南市北區西門路三段四十一號上的立人國小。

台南州教育博物館：原兩廣會館，原址在台灣文學館對街，台南市警察局旁邊。二次大戰時被毀，原建築已不存在。

台南大舞台：台南日本時代知名的戲院，由洪采惠等人出資成立，舊址約今日台南西門路三段，是台南地區唯一演出中國戲劇的劇院。

清風莊：日本時代肺結核，採消極隔離治療。先後成立台北錫口，台南清風莊兩院，清風莊現為仁德區的「衛生福利部胸腔病院」。

東屋：位於台南火車站前的高級旅店，今現址為「台南大飯店」。

大全成戲院：今台南市中西區中正路的今日戲院。

逢甲醫院：今台南市永康區奇美醫院。

鳳山八社：圍繞在高屏溪的八個平埔馬卡道族番社，放索、茄藤、力力、下淡水、上淡水、阿猴、塔樓、武洛，康熙年間多已漢化。

篔簹港：今福建省廈門市思明區。

鰲西港：今台中市梧棲區。

國家圖書館出版品預行編目資料

水神 / 邱致清著.-- 初版. -- 台北市 : 麥田出版 : 家庭傳媒城邦分公司發行, 2016.01
冊； 公分. -- (麥田文學 ; 291-292)
ISBN 978-986-344-314-8 (上冊 : 平裝). --
ISBN 978-986-344-315-5 (下冊 : 平裝). --
ISBN 978-986-344-316-2 (全套 : 平裝)

857.7　　105000361

麥田文學 292

水神（下冊）

作　　者　邱致清
責任編輯　張桓瑋

國際版權　吳玲緯
行　　銷　艾青荷　蘇莞婷
業　　務　李再星　陳玫潾　陳美燕　杻幸君
副總編輯　林秀梅
副總經理　陳瀅如
編輯總監　劉麗真
總 經 理　陳逸瑛
發 行 人　凃玉雲

出　　版　麥田出版
城邦文化事業股份有限公司
104台北市中山區民生東路二段141號5樓
電話：（886）2-2500-7696 傳真：（886）2-2500-1966、2500-1967
E-mail：bwps.service@cite.com.tw

發　　行　英屬蓋曼群島商家庭傳媒股份有限公司城邦分公司
104台北市中山區民生東路二段141號2樓
書虫客服服務專線：(886)2-2500-7718；2500-7719
24小時傳真服務：(886)2-2500-1990；2500-1991
服務時間：週一至週五09:30-12:00；13:30-17:00
郵撥帳號：19863813　戶名：書虫股份有限公司
讀者服務信箱E-mail：service@readingclub.com.tw
歡迎光臨城邦讀書花園　網址：www.cite.com.tw
麥田部落格：http://blog.pixnet.net/ryefield

香港發行所　城邦（香港）出版集團有限公司
香港灣仔駱克道193號東超商業中心1樓
電話：(852)2508-6231　傳真：(852)2578-9337
E-mail：hkcite@biznetvigator.com

馬新發行所　城邦(馬新)出版集團【Cite(M)Sdn. Bhd】
41, Jalan Radin Anum, Bandar Baru Sri Petaling,
57000 Kuala Lumpur, Malaysia.
電話：(603)9057-8822　傳真：(603)9057-6622
E-mail:cite@cite.com.my

設　　計　馮議徹
電腦排版　宸遠彩藝有限公司
印　　刷　沐春行銷創意限公司

初版一刷　2016年1月26日

定價／340元
ISBN：978-986-344-315-5

長篇小說 創作發表專案